W0346964

JULIETTE BENZONI

Confidences de l'Histoire

Aventuriers du passé

JEANNE DE CLISSON
pirate par amour

Assise dans l'embrasure d'une des hautes et étroites fenêtres, sur le banc de pierre ménagé à cet effet, Jeanne de Clisson regardait la troupe nombreuse assemblée dans la cour du château. Les chevaux piétinaient d'impatience, arrachant des étincelles aux pavés, dansant sous les caparaçons multicolores. Leurs claquements de sabots faisaient un joyeux tintamarre avec les voix sonores des hommes d'armes et des seigneurs qui bavardaient entre eux. Au bout des lances, les flammes de soie dansaient, le soleil faisait briller les armures bien astiquées et l'on sentait la hâte qu'avaient tous ces hommes de s'en aller vers Paris, vers les tournois et les fêtes qui les attendaient à la cour du roi Philippe VI. Mais, malgré elle, Jeanne de Clisson ne parvenait pas à mettre son âme au diapason de toute cette gaieté.

Son fils, Olivier, âgé de sept ans, qui se pressait contre ses jupes avec son plus jeune frère, Jean, de quatre ans son cadet, s'en aperçut et le lui reprocha doucement.

– Mère, vous êtes triste!... plus triste que lorsque notre père s'en allait au combat. Cependant, il ne s'agit là que de se rendre à la Cour, de voir des fêtes. Voyez comme tout le monde est joyeux!

C'était vrai! Jeanne s'efforça de sourire à l'enfant et d'étouffer les angoisses de son cœur. Déraisonnables, d'ailleurs, ces angoisses, si l'on y réfléchissait bien. On était en juillet 1343 et, depuis quelques mois, la trêve avait été signée à Malestroit entre les tenants des Montfort et ceux de Charles de Blois. Cette guerre qui coupait en deux la Bretagne, liant un parti à la France, l'autre parti à l'Angleterre, depuis deux ans qu'était mort le duc Jean III, sans enfants, ouvrait entre sa nièce, Jeanne de Penthièvre, mariée à Charles de Blois, et son demi-frère, Jean de Montfort, un conflit inexpiable. Les Clisson tenaient, comme tous les Bretons épris d'indépendance, pour Montfort mais cet amour de l'indépendance leur avait fait tendre la main à l'Anglais. A contrecœur sans doute et il avait fallu pour cela le besoin de troupes et d'argent...

Or, un an plus tôt, le duc de Normandie, fils du roi Philippe(1), avait pris Nantes et fait prisonnier Jean de Montfort. Une trêve avait donc été décidée et le roi, fort ami des fêtes et des tournois, conviait à Paris tous les seigneurs du royaume, même ceux de Bretagne. Olivier de Clisson avait décidé de s'y rendre avec quelques amis. Il raffolait des tournois et ne pouvait résister au désir de se distraire un peu. Jeanne, malgré la peine qu'elle éprouvait à le voir s'éloigner, n'avait que peu résisté à ce désir. Elle l'aimait trop chèrement pour ne pas vouloir tout ce qu'il voulait.

Mais, tandis qu'elle regardait le pennon de son époux, d'argent frappé d'un lion pourpre, danser dans le soleil au poing d'un écuyer, elle avait bien du mal à retenir ses larmes. Un instant plus tôt, Olivier l'avait embrassée passionnément, la serrant contre l'acier de

(1) Futur Jean II le Bon.

l'armure à la faire gémir et il avait ri, de toutes ses dents blanches, à la voir si dolente :

— Je vais cueillir des lauriers à brassées, mon cœur, et je reviens les jeter à vos pieds! Il est bon que l'on sache, chez le Roi, ce que nous voulons nous autres Bretons...

Elle lui avait rendu ses baisers, luttant contre l'envie de se pendre à son cou, de l'implorer de demeurer, de ne pas la laisser seule. Mais déjà il embrassait le jeune Olivier, son fils, puis le petit Jean... Et il était parti. Jeanne avait entendu décroître le claquement sonore de ses solerets de fer dans l'escalier du donjon.

Malgré son chagrin, la jeune femme arma son visage d'un sourire. Son mari venait d'apparaître dans la cour, accueilli par les cris joyeux de ses compagnons. Elle le vit se mettre en selle, lui adresser de la main un dernier baiser qui fit étinceler au soleil la bague d'or qu'il portait à l'annulaire. Comme il semblait jeune, et gai, et heureux de vivre!... Jeanne agita son écharpe blanche tandis que les enfants se penchaient à tomber sur la pierre nue de la fenêtre. La troupe se mit en marche, Olivier en tête avec son ami Malestroit. Le pont-levis gronda sous le poids des hommes et des chevaux, la grande ogive de pierre de la porte les avala l'un après l'autre et, bientôt, il n'y eut plus rien dans la cour que les quelques soldats de garde qui se hâtaient de baisser la herse et de relever le pont.

Jeanne alors, laissa une larme rouler sur sa joue, étouffa un sanglot et envoya les enfants au-dehors. Elle avait besoin d'être seule pour prier Dieu d'ôter de son cœur ce poids étouffant. Tout autour d'elle c'était la splendeur d'une belle journée d'été, la douceur de ce val de Sèvre où s'étageait le petit bourg de Clisson, reflété par les eaux claires avec ses saules argentés et ses toits aigus. Mais dans l'âme de la châtelaine la nuit se faisait à chaque instant plus épaisse et plus noire. Il lui semblait que chaque pas du cheval emportant Olivier résonnait au fond de son cœur, lourdement, impitoyablement...

Le noir pressentiment n'était que trop fondé! L'invitation de Philippe VI cachait une laide traîtrise. A peine arrivé à Paris, Olivier de Clisson avait été appréhendé avec ses amis, jeté au fond d'une geôle du grand Châtelet. L'idée première du Roi, en le faisant venir, avait bien été pure et sans arrière-pensée. Mais, entre-temps, il avait reçu la preuve des tractations de Clisson avec Edouard III d'Angleterre par les soins du comte de Salisbury, un mari trompé qui avait trouvé ce moyen de se venger du roi Edouard. (1)

Le sort du malheureux Clisson fut vite réglé. Le 2 août, il était traîné sur la claie jusqu'aux Halles où, sur un grand échafaud tendu de noir, il fut décapité. Après quoi le corps sans tête fut accroché par les aisselles au grand gibet de Montfaucon tandis que, par ordre du Roi, la tête était envoyée à Nantes pour y être exposée au-dessus de la porte Sauve-Tout. Seize de ses compagnons, dont les Malestroit père et fils, devaient subir, les jours suivants, un sort semblable.

L'orage avait crevé sur Nantes et des trombes d'eau balayaient les ruelles étroites de la ville, les transformant en autant de bourbiers, transperçant les vêtements et même les toits. Mais Jeanne de Clisson ne sentait pas l'eau qui l'inondait, collait ses cheveux et son voile à son visage. La pluie se mêlait à ses larmes dont le flot ne semblait pas près de tarir. Elle demeurait là, les pieds dans la boue, droite et rigide devant la

(1) C'est en l'honneur de la belle comtesse de Salisbury qu'Edouard III fonda l'ordre de la Jarretière.

porte de la ville, serrant contre elle ses deux fils sous le manteau trempé.

Son regard ne pouvait se détacher de cette chose hideuse qui surmontait la porte, cette tête tranchée aux yeux clos, exsangue, déjà défaite par la mort et sur qui l'eau du ciel ruisselait, plaquant les cheveux noirs. Un rictus rentrait les lèvres noircies sur les dents, naguère étincelantes, maintenant jaunies. Hagarde, Jeanne regardait cet objet qui avait été l'homme qu'elle aimait plus que tout, qui avait reposé contre sa poitrine, qu'elle avait embrassé, caressé et qui lentement, dépouillé de la pudeur du tombeau, s'en retournait au néant. L'orage avait rejeté dans les trous du mur les corbeaux noirs qu'elle avait vus tout à l'heure mais ils reviendraient... Ils reviendraient bientôt...

Lentement, elle écarta les bras, découvrant les enfants à qui elle désigna l'affreuse relique :

– Regardez, enfants! Regardez et n'oubliez plus! Voilà ce que le roi de France, par laide traîtrise, a fait de votre père! Vous, ses fils, vous allez jurer, ici, avec moi, de n'avoir ni trêve ni repos avant d'avoir tiré vengeance de ce crime...

Sa voix sortait avec peine de ses lèvres tremblantes et les enfants, épouvantés, regardaient tantôt cette tête où ils ne reconnaissaient pas leur père, tantôt la femme rigide et pâle qui était leur mère. Le petit Jean tremblait de peur mais Olivier tendit la main, déjà durci :

– Je le jure, ma mère!

– Moi... moi aussi! fit le petit.

Alors, Jeanne à son tour jura :

– Devant Dieu qui m'entend, moi, Jeanne de Belleville, dame de Clisson, je fais serment de verser, pour cette seule tête, tant de sang que la terre refusera de le boire et criera vers le ciel. Je jure la vengeance à perpétuelle mémoire... Je te jure, Olivier, que des cadavres par centaines paieront pour ta vie... ou que j'y perdrai la mienne!

Ayant dit, elle se détourna, revint vers l'escorte de quelques hommes d'armes qui, un peu plus loin, l'attendaient avec les chevaux. Son regard vert rencontra celui du chef de ses gardes :

— A cheval, maintenant... Il me reste à le venger comme jamais homme ne le fut...

Au grand trot, sous la pluie, la troupe s'éloigna de Nantes.

Jeanne était revenue à Clisson mais c'était seulement pour y dénombrer ses forces et y prendre tout ce qu'elle pouvait avoir de précieux. Elle n'ignorait pas que, par la condamnation de son mari, ses biens devaient être confisqués et que, bientôt, les gens du duc de Normandie viendraient, en force, prendre possession du domaine. Mais elle s'y était préparée et, plutôt que de se laisser assiéger dans la forteresse qu'avait jadis construite Olivier le Vieux d'après les modèles de forteresses vues en Terre Sainte, elle avait décidé de passer à l'action : pour un château qu'on lui prenait, elle en prendrait dix, vingt, raserait, brûlerait, pillerait, tuerait sans pitié, sans merci...

Avec quelques compagnons, elle se lança sur le plus proche, Montaigu. Elle y arriva au soir tombant, alléguant que, revenant de la chasse, elle avait perdu son chemin, demandant le coucher pour la nuit. Cela lui fut accordé en même temps que l'accueil dû à une voiture portant si beau nom. Mais les gens de Montaigu étaient du parti de Blois, du parti du roi de France. Dans la nuit, les hommes de Jeanne, conduits par elle, se levèrent. Les dagues luirent dans l'obscurité et s'abattirent, tranchant des gorges, perçant des poitrines. En quelques instants, trente cadavres sanglants jonchèrent les dalles de pierre du château, trente cadavres qui étaient passés du sommeil à la mort sans même s'en rendre compte... trente holocaustes à la mémoire d'Olivier de Clisson, parmi lesquels étaient femmes et enfants.

A l'aube, maîtresse du château, Jeanne, pâle et résolue, essuya tranquillement sa dague à un pan de sa robe. Elle pouvait regarder ce carnage sans faiblir. Son cœur était mort et ces victimes n'étaient que les premières...

Rien, jusqu'à la tragédie qui avait bouleversé sa vie, n'avait pourtant prédestiné Jeanne de Belleville au rôle atroce qui allait être le sien... Elle avait vingt-cinq ans, elle était belle à miracle, « l'une des plus belles dames de son temps », disent les vieux chroniqueurs, « et douce et bien disante ». Ses longs cheveux de nuit contrastaient avec sa peau si blanche et ses yeux couleur de mer. Son corps était la perfection même et ses mains, plus fines et plus délicates que celles d'une reine... Ces mains qui allaient délaisser les soies de la tapisserie pour le maniement de la lourde épée ou le bois de la hache.

Seulement, on lui avait tué l'homme qu'elle aimait plus que tout au monde, plus qu'elle-même, plus que ses enfants, plus que Dieu même! Amour plus grand, plus entier que le sien jamais ne s'était vu sur toute la terre!... On avait tué cet amour, lâchement, par trahison!... Elle tuerait donc, elle aussi, et tous les moyens lui seraient bons!

Dès lors, avec les siens, une poignée d'hommes auxquels, peu à peu se joignaient d'autres révoltés, des gentilshommes aussi, avides de reprendre le combat pour le parti de Montfort, elle courut la campagne, prit des châteaux, assaillit des villages, toujours en tête, cheveux au vent sur l'armure qu'elle portait comme un homme, pillant, tuant, brûlant sans jamais faire quartier. Elle allait, au hasard de sa fureur et de sa haine, rougissant quotidiennement sa lame du sang de tous ces gens dont le tort le plus clair à ses yeux était d'être vivants.

En ce même temps, une autre Jeanne, en Bretagne, reprenait la lutte. Elle se nommait Jeanne de Flandre, comtesse de Montfort. Elle était l'épouse du prétendant au trône que Jean de Normandie tenait prisonnier à Nantes dans une forte tour. Enfermée dans Hennebont, elle tenait tête aux gens de Charles de Blois, menait le combat virilement par toute la Bretagne. On la surnommait Jeanne la Flamme!...

D'elle, la terrible dame de Clisson allait recevoir aide, secours, encouragement et amitié. Pendant des mois, ces deux femmes menèrent la lutte mieux que des hommes, se retrouvant parfois, l'une pour pleurer celui qu'elle ne pouvait oublier, l'autre pour avouer ses craintes d'un sort semblable pour le prisonnier de Nantes.

Pourtant, les exploits de Jeanne avaient fait du bruit et la rumeur de terreur qu'elle semait s'en était allée jusqu'à Paris où le Roi s'était ému. En décembre 1343, le Parlement de Paris lui intimait l'ordre d'avoir à se présenter devant lui sous peine d'être poursuivie par les armées du royaume et amenée de force devant ses juges.

Jeanne n'avait aucunement l'intention de se livrer... Mais ses forces n'étaient pas, et de loin, suffisantes pour lui permettre de s'opposer à une armée royale. Alors, elle se prit à réfléchir.

Les biens des Clisson avaient été mis sous contrôle royal mais ceux que Jeanne tenait de sa famille de Belleville lui demeuraient encore... du moins jusqu'à ce que le Parlement les confisquât. Elle décida de ne pas attendre cette éventualité, hypothéqua ses terres, vendit ses meubles et ses joyaux, rassembla une forte somme d'or, s'en alla à Hennebont avec ses hommes que commandait son écuyer Robert de Vallet et ses deux enfants qui la suivaient partout.

Là, elle acheta un navire, fit ses adieux à Jeanne la Flamme.

– Je veux, dit-elle, m'en aller par-devers le roi anglais et lui demander des navires. Je ne peux plus me battre sur terre où les troupes de Philippe de France auront tôt fait de me prendre. Je me battrai donc sur mer... et malheur à ceux qui tomberont entre mes mains...

Elle fit comme elle avait dit, quitta la Bretagne avec un navire qu'elle venait d'acheter, gagna l'Angleterre. Le Ier décembre, le Parlement de Paris l'avait bannie mais elle n'en avait cure.

Le roi Edouard III reçut avec bienveillance cette femme courageuse dont le renom déjà la précédait. On l'appelait « la Lionne de Clisson », faisant à la fois allusion à son indomptable caractère et au fauve qui rampait sur ses armes.

– Je vous donne trois navires, Madame, lui dit-il. Mais vous devrez les armer et les équiper. Je ne peux faire plus car j'ai trop besoin de mes vaisseaux pour les mettre en main de femme.

– C'est tout ce que je désirais. Je me charge de tout.

Et, de fait, aidée du fidèle Robert qui, inlassable parce que follement épris, la suivait comme son ombre, elle se mit à l'ouvrage, prit livraison à Douvres de trois nefs que lui remit la Ligue des Cinq Ports, recruta des équipages dont elle jugea chaque membre d'un froid coup d'œil, acheta des vivres, des armes puis, un matin, prit la mer, ses deux enfants à bord de sa nef capitane.

Quand, sous les voiles que le vent gonflait et faisait chanter au-dessus de sa tête, elle vit s'ouvrir devant elle la houle verte et grise de la Manche, Jeanne de Clisson éprouva pour la première fois depuis des mois une intense sensation de délivrance. Elle était l'oiseau de proie qui, de son aire hautaine, s'en va fondre sur ses victimes – Des victimes, la mer allait lui en fournir par douzaines qu'elle enverrait rejoindre, devant le trône de Dieu, l'âme trahie de son bien-aimé!

Sur l'escalier du château-arrière, Robert de Vallet regardait en soupirant Jeanne, dressée seule à l'avant, isolée à la fois dans sa rêverie et dans son orgueil. Jamais autant qu'à cette minute où, côte à côte, ils s'en allaient vers la commune aventure, elle ne lui avait paru aussi lointaine, aussi cruellement inaccessible.

De la côte d'Espagne à la mer du Nord, les trois navires de la Lionne de Clisson semèrent la mort et la terreur tout au long de la côte de France. Sur les lourds navires marchands roulant aux creux de la lame comme sur les nefs royales, battant pavillon fleurdelisé, sur les villages isolés de la côte comme sur les châteaux et les abbayes nichés aux creux des falaises, elle fondait soudain, sortant de la brume ou de la nuit comme un grand rapace, toujours vêtue de noir, toujours gantée de sang. Les navires étaient pillés et leurs richesses s'entassaient dans ses cales, servant à entretenir les trois équipages de forbans. Les châteaux étaient brûlés, les villages rasés. Jamais elle ne faisait merci, jamais elle n'accordait de grâce. Toujours, la première, elle frappait, maniant le glaive aussi sûrement qu'un chevalier, cherchant à éteindre, dans les cris de souffrance des autres, la plainte inlassable de son cœur ulcéré. Tuer était devenu sa seule raison de vivre.

Auprès d'elle, les deux enfants apprenaient le silence, la haine, le sang et la mort. L'aîné, Olivier, avait déjà ce regard d'épervier, reflet de celui de sa mère, et une admiration passionnée l'attachait à cette femme indomptable pour qui la vengeance n'était pas un vain mot.

Pour ses hommes, elle était une énigme. Sur les deux autres navires, il y avait eu, au début, des chuchotements, des clins d'œil entendus... Le jeune Robert qui la dévorait continuellement des yeux ne pouvait être que son amant et tous deux, dans le secret de la cabine de cet étrange amiral, devaient vivre de bien agréables nuits!

Ces vagues ragots vinrent aux oreilles de Jeanne. Elle ne dit rien mais le soir même des pendus se balançaient aux vergues des navires au milieu d'un cercle jacassant de mouettes.

Pour ses expéditions, elle choisissait de préférence la côte normande qu'elle ravageait avec un étrange plaisir. Peut-être parce que le prince Jean, ce fils du roi qui avait pris Nantes et avait fait placer la tête d'Olivier sur la porte Sauve-Tout, était duc de Normandie. Maintes et maintes fois, le Cotentin et la basse-côte du pays d'Auge reçurent sa redoutable visite et, chaque fois, les cadavres s'amoncelaient.

Un soir où, regagnant son bord après le sac d'un château non loin de Fécamp et où, épuisée, les vêtements couverts de sang, elle pénétrait dans la cabine qu'elle partageait avec son plus jeune fils pour s'y laisser choir sur la couchette, elle eut la surprise de voir que Robert l'avait suivie. Il se tenait là, dans l'ouverture de la porte trop basse qui l'obligeait à se courber un peu, la regardant avec une tristesse infinie.

– Que veux-tu? lança-t-elle encore haletante.

Il ne répondit pas tout de suite, hocha la tête lentement :

– Combien de temps encore allez-vous mener cette vie insensée? Jusqu'à quand poursuivrez-vous cette lutte terrible, ce massacre incessant? Moi qui suis un homme, pour qui la guerre est une seconde nature... je suis las, et un peu écœuré.

— Quels étranges propos pour un guerrier!... Je continuerai tant que je vivrai, Robert, car il n'y aura jamais trop de cadavres de Français pour venger mon cher époux, mort traîtreusement.

— Etes-vous sûre, bien sûre, au fond de vous-même, qu'il vous approuverait? En conscience, je ne le crois pas. Que vous massacriez des hommes, valides et capables de se défendre, soit. Mais messire Olivier était trop vaillant et preux chevalier pour tuer des femmes, des enfants, des vieillards... comme vous le faites. Ah! certes non, il ne vous approuverait pas.

— La mort des femmes, des enfants et des vieillards fait souffrir les hommes qui échappent à ma colère. Ainsi, je les atteins tout de même!

Robert s'approcha, s'agenouilla auprès de la couchette sur laquelle Jeanne s'était redressée. Doucement il prit sa main dans la sienne qui était bien deux fois plus grande :

— Comment croire que si petite et si douce main puisse si rudement manier l'épée... et que le cœur caché dans une enveloppe si belle soit si dur, si impitoyable! Madame, n'aurez-vous donc jamais pitié de tous ces innocents? N'en avez-vous pas fait assez pour votre vengeance? Le temps du repos n'est-il pas encore venu? Songez à vos fils...

D'un geste vif, Jeanne retira sa main. Elle haussa les épaules :

— Mes fils ont, comme moi, juré sur la tête de leur père de le venger. Olivier aime déjà la bataille de sang.

— Mais le petit Jean en souffre. Il est trop jeune pour voir tant d'horreurs, tant de carnages.

Les yeux de Jeanne se tournèrent vers l'enfant endormi dans son coin sur les matelas qui composaient son lit. Il était chaudement couvert et confortablement installé mais son sommeil était agité, nerveux. Il était pâle avec des grands cernes bleus autour de ses yeux. La voix de Robert se fit plus douce.

– Quatre ans!... Songez-y, Madame. Son âge est trop tendre pour cette vie terrible. Regardez-le. Il dépérit chaque jour. Son petit corps s'amenuise. Pour lui, au moins, arrêtez-vous quand il en est temps encore!

Doucement, Jeanne passa sa main légère sur le front de son plus jeune fils. Elle paraissait songeuse et, un instant, Robert crut avoir gagné. Peut-être, enfin, se laisserait-elle toucher. Peut-être était-elle enfin fatiguée... Elle était riche. Les cales de ses navires regorgeaient d'or et de butin. Ne pourrait-elle s'en aller vivre en paix, soit en Angleterre soit en Bretagne, y retrouver la vie normale d'une femme? Pour lui-même, le jeune homme souhaitait retrouver l'existence habituelle du guerrier. Il était las de la mer, las de ces brigandages, car il était inutile de s'illusionner et de leur donner un autre nom. Il se sentait perdu au milieu de ces forbans dont Jeanne avait composé ses équipages et qui ressemblaient plus à des bandits qu'à de vrais soldats. Robert ne se sentait vraiment pas l'âme d'un pirate!...

Mais Jeanne de Clisson, rejetant d'un mouvement à la fois las et résolu la masse humide de ses cheveux noirs derrière son dos, faisait face au jeune homme :

– Je ne peux plus m'arrêter, Robert... Même si je le voulais! Il y a en moi quelque chose qui me pousse en avant, toujours en avant, toujours plus loin. Le sang est une étrange liqueur dont la griserie rend esclave... Je ne peux plus m'arrêter.

– Prenez garde, au moins! Ne craignez-vous pas de lasser la patience de Dieu et que sa main, un jour, ne s'abatte sur vous?

– Dieu? (Elle regarda le jeune homme d'un air sincèrement surpris qui le fit frémir.) Il y a longtemps que je ne sais plus si, dans ce ciel qui nous domine, il y a quelqu'un qui veille sur nous...

– Il y est, Madame, n'en doutez pas! Un jour, il pourrait se souvenir de vous...

– Pourquoi? J'étais innocente, je n'avais rien fait... Et il m'a frappée dans ce que j'avais de plus cher. Le roi Très Chrétien, l'oint du Seigneur, son lieutenant sur la terre, a pris la vie de mon mari... Je ne dois rien à Dieu...

Le Ciel allait se souvenir de la terrible veuve et, avec lui, le roi Philippe. Depuis plus d'un an, Jeanne de Clisson courait les mers. Ses victimes, ses razzias ne se comptaient plus et elle avait à son actif plusieurs navires de la flotte royale pour compenser la perte desquels le roi avait dû passer commande de nouveaux vaisseaux au Clos des Galées, en la ville de Rouen. A plusieurs reprises, quelques bateaux avaient été lancés sur la trace de la flottille mais chaque fois, quand le nombre était supérieur, Jeanne avait pu fuir, glissant comme une véritable anguille entre les mailles du filet tendu. Le Roi décida qu'il fallait en finir en bonne fois. Une flotte entière, vingt nefs de bataille furent lancées sur la trace de la comtesse-pirate. Au large de Guernesey, un soir de mars 1345, Jeanne vit surgir les voiles et les fleurs de lys de la flotte royale.

Elle voulut fuir mais ses navires, lourdement chargés de butin, voyaient encore leur marche ralentie par les coquillages et les algues que la mer avait accrochés à leur coque. Il fallait accepter le combat inégal...

Par-dessus les têtes des marins massés près du bordage, regardant grandir les navires royaux, elle chercha les yeux de Robert.

– Cette fois, dit-elle tranquillement, je crois que nous n'échapperons pas et que voilà notre fin!

– Il nous reste seulement à bien mourir, fit une petite voix derrière elle.

Se retournant, Jeanne vit son fils aîné qui, une dague dans sa petite main, se tenait près d'elle d'un air résolu. Chose étrange, la vue de ce courage enfantin faillit lui enlever le sien. Pour la première fois, elle réalisa dans quelle terrible aventure elle avait entraîné ses fils, si jeunes. Robert vit une larme, la première depuis des mois, monter dans les yeux verts. Sa main se posa sur l'épaule de la jeune femme, lourde, insistante :

– Il n'est plus temps de faiblir, Madame. Vous n'avez plus le choix!

Le combat désespéré s'engagea.

Jeanne, pourtant, ne devait pas périr. La nuit venait, rapide. Bientôt, elle recouvrit totalement le champ mouvant de la mort. Jeanne avait déjà perdu deux navires qui avaient coulé mais la nef capitane tenait encore bon. Les pots à feu n'apportaient qu'une lumière insuffisante pour se battre encore. Encerclant le navire pirate, la flotte royale attendait le jour pour se lancer à la curée. C'est alors que Robert prit la direction des événements.

– Il faut tenter de fuir, cette nuit même, dit-il à Jeanne. Prenez la barque avec vos enfants et deux hommes sûrs et tentez de vous glisser entre les navires du roi. Moi, je resterai!

– Jamais! Nous avons lutté ensemble nous mourrons ensemble! Que m'importe la vie, s'écria furieusement la jeune femme.

– Sans doute la vie vous importe peu. Mais il y a vos fils. Eux morts, que restera-t-il du sang et du nom de Clisson? Vous n'avez pas le droit de sacrifier la race de votre mari, Madame. Partez, maintenant... et tâchez de vivre.

Jeanne avait envie de se défendre encore mais les paroles du jeune homme entraient en elle comme des flèches, frappant au plus sensible. Ses fils! Robert avait raison, elle devait tenter de vivre pour eux. Il fallait que vive la race des Clisson et, pour la première fois, Jeanne mesura sa folie. Mais le temps n'était plus aux réflexions, ni aux regrets. Déjà Robert faisait glisser à la mer la lourde barque, choisissait deux hommes et leur faisait descendre quelques provisions. Puis il se tourna vers Jeanne qui était allée chercher le petit Jean. Elle le tenait dans ses bras et l'avait soigneusement enveloppé car, depuis deux jours, il était fiévreux et la nuit était froide.

– Tout est prêt! murmura-t-il enfin. Partez, Madame... et que Dieu vous garde.

Au moment de quitter ce fidèle compagnon, Jeanne sentit le chagrin l'envahir. Elle s'agrippa à son bras :

– Venez... ne me laissez pas seule!

– Il n'y a pas de place pour tout le monde. Je dois rester avec les autres. Nous essayerons de nous sauver comme nous pourrons! Adieu, Jeanne!

C'était la première fois qu'il lui donnait son nom et, dans l'accent de sa voix, la jeune femme comprit enfin tout ce qu'avait renfermé d'amour pour elle ce cœur loyal. Pendant des jours et des jours il l'avait suivie aveuglément, sans se plaindre, sans rien demander pour lui. Il n'avait jamais tenté de lui faire comprendre qu'il l'aimait... Jeanne découvrait que d'autres qu'elle pouvaient aimer jusqu'au suprême sacrifice.

Se haussant sur la pointe des pieds, elle posa rapidement ses lèvres sèches sur celles du jeune homme :

– Adieu, Robert!... Dieu vous garde!...

Pendant six jours, six terribles et mortels jours, la barque erra sur les eaux grises de la Manche. Ils avaient pu se glisser entre les hautes coques des navires ennemis grâce aux avirons enveloppés de linges et à l'habileté des deux marins qui les maniaient. Mais ensuite l'immensité de la mer s'était ouverte devant les fugitifs.

Le jour venu, il n'y avait plus qu'eux, perdus au milieu de la profonde houle crêtée d'écume blanche. Rien en vue, ni terre ni navire... Ils ignoraient où ils se trouvaient, n'ayant ni carte, ni compas, ni aucun moyen de se diriger autre que le soleil.

Le froid était vif et, parfois, des paquets de mer entraient dans la petite mais solide embarcation, inondant ses occupants. Contre elle, enfermé dans le cercle désespéré de ses bras, Jeanne sentait grelotter le petit Jean. La vie le quittait peu à peu et la mère, affolée, ne savait que faire pour le garder en vie. Olivier aussi était pâle, lui aussi tremblait de froid, assis tout contre sa mère au fond de la barque. Mais ses traits gardaient la volonté farouche de vivre, envers et contre tout! Lui, avec ses neuf ans, conservait une force incroyable, une vitalité inattendue. Mais le plus jeune déclinait.

Le troisième jour, le petit Jean mourut dans les bras de sa mère.

Au matin du septième jour, la barque toucha terre, quelque part sur la côte anglaise des Cornouailles. Des pêcheurs qui rentraient en virent descendre une femme brune, très belle et très pâle, dont les yeux verts avaient les reflets mêmes de la mer. Elle était trempée comme si elle surgissait soudain des profondeurs et marchait les bras flottants le long de son corps comme s'ils n'avaient plus la force de retenir quoi que ce soit. Les bras de cette femme étaient vides, ses yeux étaient vides, ses joues ravinées par les larmes et le sel... Nul ne pouvait savoir qu'elle avait dû confier aux flots le corps de son enfant, que son cœur portait une profonde blessure par laquelle la haine et l'amertume de la vengeance enfin s'en étaient allées. Dans cette mort affreuse d'un enfant, dans le froid, le noir et l'humidité, Jeanne avait vu la main de Dieu frappant sans pitié celle qui n'avait jamais eu pitié.

Un enfant exténué et deux hommes à bout de forces suivaient la revenante, ou plutôt se traînaient à sa suite. On les accueillit dans une chaumière, on les réchauffa, on les réconforta. Peu à peu le sang figé dans leurs veines se remit à couler normalement. Les visages reprirent couleur.

– Mère, fit le petit Olivier. Qu'allons-nous faire maintenant que nous avons tout perdu?

La vie, bien simplement, allait reprendre ses droits. Si elle était maudite des Français, Jeanne de Clisson était regardée par les Anglais comme une véritable héroïne. On lui fit accueil et la Cour du roi Edouard s'ouvrit pour elle. C'est là qu'elle devait demeurer jusqu'à sa mort, encore lointaine.

Peu à peu, les souvenirs torturants ou terribles s'estompèrent, et même le remords ne la toucha jamais. Vint le temps où elle se souvint qu'elle était belle, encore jeune, et où elle s'aperçut avec stupeur qu'elle pouvait encore aimer. Elle aima Gauthier de Bentley, l'épousa et vieillit doucement auprès de lui, oubliant la mer, la mort et le carnage.

Mais l'enfant sorti vivant de la terrible aventure ne devait pas, lui, demeurer en Angleterre. Quand il fut en âge de porter l'épée, il retourna se battre en Bretagne, se brouilla avec les Montfort et rencontra un hardi compagnon qui devait le subjuguer et lui montrer le chemin du devoir. Cet homme, qui se nommait Bertrant Du Guesclin, ne connaissait qu'un roi, le roi de France, et haïssait l'Anglais. Auprès du lui, Olivier apprit à devenir français.

Fidèle serviteur du roi Charles V, le fils de l'impitoyable comtesse-pirate était destiné à succéder à son ami et à porter à son tour, vaillamment, glorieusement, le plus beau des titres, celui qui donnait le pas sur les princes du sang et rejetait dans la nuit des temps la haine aveugle d'une femme désespérée : Olivier de Clisson, connétable de France...

ARNAUD L'ARCHIPRÊTRE
terreur de la Provence et autres lieux

Le Juif était vieux et courbé par l'âge, le sentier qui escaladait les rocs jusqu'aux murailles du bourg fortifié, rude et si accidenté que le vieux fut bientôt essoufflé. Mais la poigne des deux hommes d'armes qui s'étaient emparés de lui au premier poste de garde ne lui laissait ni trêve ni repos. On lui avait pris la mule sur laquelle il était venu de Beaucaire et, quand il faisait mine de s'arrêter pour souffler un peu, un coup de poing ferré entre les deux épaules ou un coup de pied au bas du dos l'incitaient à plus de célérité :

– Allons, chien, avance!... On t'attend là-haut!

Là-haut!... les formidables courtines du château des Baux, accrochées au bord de la falaise blanche au-dessus du village qu'enserraient ses défenses, brillaient sur le ciel bleu. Le castel avait l'air d'un aigle d'or, menaçant et invincible, aux ailes étendues toutes grandes pour protéger sa couvée, si haut perché dans l'azur. Des tours et encore des tours sous les machicoulis desquels de longues traînées luisantes et noires proclamaient que cette invincible forteresse était souvent assiégée et que l'on n'y marchandait ni la poix ni l'huile bouillante. Sur le donjon arrogant, une longue bannière pourpre frappée d'une étoile d'argent à seize branches flottait auprès d'une autre, placée légèrement plus bas, noire celle-là et blasonnée d'un grand cerf d'or rampant : les armes de Raymond des Baux, seigneur du pays et d'une foule d'autres lieux, l'orgueilleuse bannière à l'étoile du roi mage(1) et celle de son terrible allié, le seigneur Arnaud de Cervole dont le pape Innocent lui-même, en son sûr palais d'Avignon, ne prononçait le nom qu'en tremblant.

Une pierre, roulant sous son pied, fit trébucher le vieux Moshe ben Jehuda. Il tomba, s'entama cruellement le genou et poussa un gémissement plaintif. Sa belle robe de velours noir était grise de poussière et déchirée lamentablement. L'un des soldats le saisit sous le bras et le remit brutalement sur ses pieds :

— Tu ne tiens pas debout, Juif, tu te traînes! Je te croyais si pressé de voir Monseigneur Raymond?

— J'ai grande hâte, en effet, messire, mais je suis bien vieux, bien usé, et ce chemin est si rude!...

Pour toute réponse, l'autre soldat lui piqua les reins de la pointe de sa faux de guerre et ricana :

— Pas tant de jérémiades! Par le Christ, ce vieux hibou essaie de nous attendrir. Allez, toi, avance et plus vite que ça!

Sous la douleur, Moshe fit un bond en avant. Heureusement pour lui, la montée tirait à sa fin. Le sentier se perdait bientôt sous les ombres crues de la porte Mage dont le pont-levis était présentement baissé.

— Nous avons trouvé ce Juif sur le chemin qui vient de Beaucaire, dit l'un des deux gardes au chef des archers de la porte. Il s'est laissé prendre sans résistance. Il dit qu'il vient voir Monseigneur Raymond...

L'officier éclata de rire et regarda sous le nez le pauvre Moshe bien près de défaillir :

(1) Les seigneurs des Baux prétendaient descendre de Balthazar.

– Qu'est-ce qui te gêne le plus, Juif, ton or ou ta peau?... Mais sois sans crainte, Monseigneur Raymond saura bien t'arracher l'un et l'autre. Tu dois être un peu fou pour être venu ici...

– Il faut que je voie le seigneur, il le faut absolument, implora Moshe prêt à pleurer. C'est pour moi plus important que la vie.

L'archer haussa les épaules :

– C'est bon! On va te mener au château. Mais ne t'en prends qu'à toi si, tout à l'heure, tu te retrouves là-haut...

Du pouce il désignait le couronnement d'une tour sur laquelle se découpait la silhouette sinistre d'une potence vide...

– Que le Tout-Puissant me vienne en aide, fit le Juif, mais il faut tout de même qu'il m'entende...

L'homme aux pieds de qui on jeta Moshe, sur les dalles de la grande salle, n'avait rien de rassurant. Grand et maigre, osseux même, il avait un visage très dur, aux pommettes saillantes, qui semblait taillé dans du vieux chêne sous une ronde calotte de cheveux très noirs. Un nez et des yeux de rapace, des dents étincelantes, aiguës sous les lèvres minces et rouges comme une coupure. Il se tenait debout devant la gigantesque cheminée ornée d'écus multicolores, très grand dans une longue houppelande de drap vert moucheté d'argent dont les interminables manches doublées de martre tombaient jusqu'à terre. Sur une table, auprès de lui, un échiquier d'or et de cristal était disposé. Il jeta sur le Juif écroulé un regard dont le dédain en disait long et ne lui ordonna pas de se relever :

– Que veux-tu, toi?

– Monseigneur!... Monseigneur Raymond, commença Moshe, perdu. C'est pour...

Mais l'autre coupa brutalement :

— Monseigneur Raymond est aux étuves présentement, mais je le remplace en tout. Je suis Arnaud de Cervole. Parle. Que veux-tu...

— L'Arch...

La voix de Moshe ben Jehuda s'étrangla dans sa gorge sous l'emprise d'une terreur folle. L'Archiprêtre!... L'homme dont le surnom trop fameux faisait tressaillir d'horreur tout le pays(1). C'était dans les mains de cet homme redoutable, venu du Nord avec ses bandes de routiers à l'appel du seigneur des Baux en guerre avec son suzerain le roi de Naples, de ce fléau dont les hommes pillaient, brûlaient, ravageaient et violaient à l'envi que sa mauvaise étoile l'avait fait tomber... Moshe se vit perdu mais il était trop tard pour reculer. Courageusement et sans attendre la permission, il se releva, épousseta machinalement ses genoux douloureux :

— C'est justice que je venais demander au seigneur Raymond. Je suis Moshe ben Jehuda, rabbin de la communauté de Beaucaire. Je n'avais qu'une fille, seigneur, une fleur, un ange trop pur pour cette terre de douleur. Elle m'a été enlevée voici cinq jours par l'un des hommes de messire Raymond. Je sais qu'elle a été amenée ici...

— Ta police est bien faite, à ce qu'il paraît. Mais je te trouve fou de venir ici faire tout ce bruit pour une vile juive. Que nous importe ta fille? Si elle est belle, elle a dû être violée au moins cent fois depuis cinq jours. Elle est sans doute morte à l'heure qu'il est...

Un éclair de haine brilla dans les yeux du vieux rabbin mais il n'en montra rien. Sa voix demeura froide, étrangement calme :

— Je suis riche, seigneur Archiprêtre, très riche

(1) Arnaud de Cervole n'avait jamais reçu les ordres. Ce sobriquet lui était resté parce qu'il avait perçu, jadis, les revenus de l'Archiprêtré de Velins (Dordogne).

même. Dans la riche et libre ville de Beaucaire, je suis l'un des plus riches. Pour reprendre ma fille je donnerais beaucoup...

A leur tour, les yeux noirs d'Arnaud de Cervole s'allumèrent :

– Vraiment?... Comme c'est intéressant! Encore faudrait-il, pour faire droit à ta requête, s'il en est temps encore, savoir le nom du ravisseur. Sans ce nom, Messire des Baux ne pourra rien pour toi.

– Je connais ce nom, il se nomme Bernard Donat...

Cervole haussa les sourcils tandis qu'un large sourire s'étalait sur son visage tanné :

– Bernard Donat est l'un de mes lieutenants. Cette histoire me regarde donc, moi seul. Et quelque chose me dit que nous allons nous entendre... Holà, gardes!

Tandis que Cervole donnait quelques ordres à un homme d'armes qui venait d'apparaître, Moshe ben Jehuda se retira discrètement près d'une fenêtre dont l'arc en plein cintre ouvrait sur l'infini de l'horizon. Sombrement, il considéra l'immense campagne étendue à ses pieds. De ce nid d'aigle on pouvait voir même la ligne bleue de la mer. Mais, jusque-là, c'était la désolation de la terre brûlée, ravagée par un an de razzias impitoyables. Les oliviers n'étaient plus que des troncs tordus, noircis, tandis que des amas de pierres où déjà s'accrochait la ronce marquaient la place des villages rasés sur lesquels, parfois, veillait encore une croix impuissante surgie des décombres. De loin en loin, une fumée noire montrait que, malgré tout, il restait encore quelque chose à brûler, ne fût-ce que les cadavres d'hommes ou de bêtes que l'on trouvait un peu partout dans la campagne et que l'on flambait par grande peur que ne revînt la terrible Peste noire. Naguère encore, elle avait ravagé l'Europe entière. C'était le début du printemps de l'an de grâce 1358, alors que le roi Jean le Bon était prisonnier de l'Anglais et que le Dauphin Charles tenait la régence du royaume meurtri.

A la grande surprise du rabbin, le ravisseur de Deborah n'avait pas l'air d'un bandit. C'était un garçon jeune, vigoureux et de visage sévère mais sur lequel le chaume doré des cheveux et la candeur du regard bleu mettaient une douceur. Il ne fit aucune difficulté, sous les sèches interrogations de son capitaine, pour reconnaître qu'il avait effectivement enlevé la fille de Moshe et l'avait installée dans une petite maison du bourg, près du four banal et sous la garde d'une vieille sorcière qui lui avait quelques obligations pour l'avoir sauvée de la corde.

– Mais je l'ai respectée, affirma-t-il avec force. Parce que je l'aime...

Le mot fit ouvrir de grands yeux à l'Archiprêtre. Aimer? C'était là un terme qu'il connaissait mal. Si, bien sûr, il aimait son cheval, sa meute de molosses et aussi, peut-être, ses hommes, mi-fauves, mi-bandits, quand il les lançait au cœur de la mêlée. Ah, au fait, il aimait encore, à sa manière bien sûr, son épouse, la noble Jeanne de Graçay qui l'attendait dans son castel berrichon. Encore n'était-il guère capable de démêler cet amour-là de celui qu'il portait à la riche seigneurie de Levroux qu'elle lui avait apportée en mariage. Et puis, naturellement, il aimait son roi prisonnier... Mais aimer une fille quelconque, et juive de surcroît, voilà qui passait l'entendement. C'était un phénomène qu'il fallait voir de près.

– Fais-la chercher! ordonna-t-il durement. Qu'on l'amène ici.

Sans protester mais tête basse et avec un soupir qui alla trouver un bizarre écho dans l'âme du vieux rabbin, le jeune homme sortit pour exécuter l'ordre.

Arnaud de Cervole n'était pas au bout de ses étonnements car la fille qui franchit, peu après, le seuil de la salle, lui en fournit un qui faillit lui couper la respiration. Quand elle rejeta le voile blanc qui l'enveloppait de la tête aux pieds à la mode d'Orient, il rougit brusquement sous son hâle, sentit le sang monter à sa gorge, à ses oreilles... Jamais il n'avait vu beauté semblable..

Sans être très grande, Deborah était si bien faite qu'elle paraissait extraordinairement élancée. Ses nattes, noires et brillantes, traînaient sur ses talons encadrant un visage qui semblait fait d'un pétale de rose safranée. Des yeux, longs comme une nuit de rêve et ourlés de cils épais s'étiraient vers ses tempes hautes, et des lèvres rondes, fraîches et bien dessinées s'ouvraient sous un ravissant petit nez. Quant au corps de Deborah dont la robe collante, en légère soie jaune, épousait toutes les formes, il était la perfection même, un irrésistible mais inconscient appel à l'amour.

Les lèvres desséchées, la voix soudain enrouée, l'Archiprêtre regarda sombrement Moshe ben Jehuda dont le visage s'était illuminé en revoyant vivante celle pour laquelle il avait tellement tremblé.

– C'est là ta fille?

– Oui, Seigneur. C'est bien elle, mon enfant chérie, mon trésor...

– Cela suffit. Un trésor, cela se paie! Nous allons discuter du prix. Ensuite tu seras libre de rentrer chez toi pour chercher la rançon...

Bernard Donat, les poings crispés, s'interposa :

– Capitaine, cette fille est à moi de par la loi de la guerre. Je l'ai prise, je ne la rendrai pas.

– Assez! coupa sèchement Arnaud. Beaucaire est ville franche, nous ne pouvons molester ses habitants. Le Juif reprendra sa fille... mais un peu plus tard.

Le sourire radieux s'effaça brusquement du visage du rabbin :

– Mais, Seigneur, puisque je paie rançon, ne pourrai-je emmener ma fille?

Arnaud de Cervole le toisa avec hauteur :

– Tu perds la raison? Paie d'abord, rabbin, ensuite tu la reprendras. Jusque-là, elle demeurera au château même, sous bonne garde. J'ai dit.

Son regard dur glissa de la tête courbée au visage enflammé de colère de Donat. Mais si puissant était l'empire de ce chef de guerre sur ses hommes que le jeune homme baissa la tête à son tour, sans protester. D'ailleurs, si Deborah demeurait au château, il y aurait espoir de l'enlever encore, de se sauver cette fois, avec elle... Peut-être au delà de la mer, là où la serre de l'Archiprêtre ne pourrait les atteindre. Il était si sûr maintenant d'avoir gagné le cœur de la jeune fille. Le matin même, ne lui avait-elle pas dit qu'elle l'aimait?

Une heure plus tard, le vieux rabbin, traînant toujours son poids d'angoisse, franchissait les portes du château où il devait encore laisser sa fille. A la sortie du rempart il retrouva, à son grand étonnement, sa mule qu'Arnaud, magnanime, lui avait fait rendre. Le cœur lourd, il descendit la rampe abrupte, ne trouvant le courage de se retourner que lorsqu'un bon bout de plaine eut défilé sous les jambes de sa monture. Dans la nuit montante, la formidable masse féodale des Baux se dressait à l'horizon, éperon menaçant déchirant le ciel et qu'une lumière jaune, unique, piquait comme un diamant : la lanterne des morts où, suivant la coutume, on allumait un feu sur le toit de l'église quand une âme entrait en agonie. Sous sa robe déchirée, les yeux agrandis, Moshe ben Jehuda frissonna. Le lugubre fanal lui semblait d'un mauvais présage.

Dans sa chambre du donjon, Arnaud de Cervole tournait depuis des heures comme une bête en cage, incapable de retrouver son empire sur lui-même. Depuis qu'il avait posé les yeux sur le visage dévoilé de la Juive il connaissait un marasme intérieur, un désarroi nouveau pour lui. Jamais, en quarante-huit ans d'existence, il n'avait connu ce feu dévorant qui brûlait maintenant ses entrailles. Bien sûr, au cours de sa vie mouvementée, vouée tout entière au métier des armes et à ses dangers, il avait maintes et maintes fois rencontré le désir brutal. Il le satisfaisait violemment, sans s'inquiéter des sentiments de celle qu'il avait élue. Il avait toujours traité les femmes en villes conquises, et d'amour il n'avait jamais été question. Il ignorait tout de la chose et, d'ailleurs, n'en avait jamais pris le temps. « Pour Dieu, le Roi et les Dames... » criaient les rois d'armes dans les tournois mais, de cette trinité, Cervole n'avait jamais servi que deux personnes. Aussi ne comprenait-il rien à ce qui lui arrivait, à cette tempête intérieure. C'était inexplicable et c'était à devenir fou...

Se jetant sur une chaise de bois à haut dossier sculpté qui occupait le coin de la cheminée, il se prit la tête à deux mains. Des idées folles y dansaient en liberté et dont la moins folle était de courir jusqu'à la chambre où l'on avait enfermé Deborah sur son ordre, de la faire sienne de gré ou de force. Mais la pensée de Donat le retint...

Pour cet homme féroce que ses victimes proclamaient sans foi ni loi, la fraternité d'armes n'était pas un vain mot. Les loups ne se mangent pas entre eux et Cervole veillait, avec un soin jaloux, à ce que la bonne entente régnât dans les escadrons de sa « Grande Compagnie ». Violer la Juive, c'était offenser Donat qui n'était déjà pas trop content. Non, il ne le ferait pas...

La tête maintenant appuyée au dossier raide, l'Archiprêtre passa sur son front sa main sèche et brûlante. Que faisait-il là, à gémir et à trembler de fièvre au fond de cette chambre? Il n'y avait rien de changé dans sa vie. Il était toujours l'homme qu'il avait voulu être : un puissant chef de guerre avec qui les rois comptaient.

Quel chemin parcouru, cependant, depuis que, petit cadet de Gascogne il avait quitté son hameau de Cervole, auprès de la Dordogne pour s'en aller servir sous le maréchal de Nesle. Pour ses brillants services, le Roi l'avait fait seigneur de Châteauneuf-sur-Charente, puis lui avait donné la capitainerie d'Evreux, puis celle de Beaumont-le-Roger. Ensuite il y avait eu le grand, le terrible jour de la défaite qui, cependant, avait été pour lui le jour de gloire sans seconde. Poitiers où le Roi et lui-même avaient été pris et où lui, petit gentilhomme sans grande naissance, avait combattu sous le harnais et l'armure d'un fils de France. Pour cette bataille à laquelle se devait d'être la fleur de la chevalerie française, la veuve de Charles d'Espagne, connétable de France, avait voulu que les armes de son époux, celles de son trop jeune fils le duc d'Alençon, fussent au premier rang. C'est au plus fidèle compagnon du mort qu'elle avait fait cet honneur sans égal et, malgré les deux ans écoulés, Arnaud de Cervole ne pouvait oublier l'orgueil qui gonflait sa poitrine sous son harnais fleurdelisé, sous l'écu aux armes de France, la fièvre qui brûlait sa tête sous le heaume couronné d'or, les armes fastueuses qui le faisaient confondre avec le Roi lui-même. Tant qu'il vivrait, ne pourrait s'effacer la minute merveilleuse où, côte à côte avec le roi Jean, il avait mené la charge contre l'Anglais...

Et puis la vie avait repris son cours normal. La geôle anglaise, la rançon acceptée, le retour en laissant le Roi à Londres, le mariage avec une riche veuve puis l'inaction, le repos des armes jusqu'à cet appel de Raymond des Baux qui avait à venger sur le roi de Naples, Louis de Tarente, son suzerain et comte de Provence, la mort de son père et de son frère assassinés. Il avait alors rameuté toutes les troupes de routiers, tous les hommes sans emploi qui, pour vivre, ravageaient le royaume du Roi captif et, joyeusement, il s'était lancé avec eux sur la Provence, alors terre d'Empire. Depuis, il avait tué, pillé, brûlé, commis les pires forfaits, peut-être par regret d'une trop grande minute de gloire perdue...

De chevalier, il s'était fait loup parmi les loups. Il aimait l'or, la guerre, le sang, et il pouvait s'en gorger, s'en saouler, puisque c'était tout ce qui restait à faire maintenant...

Quand la nuit fut en son milieu, Arnaud l'Archiprêtre se fit apporter une grande quantité de vin de Malvoisie et s'en grisa superbement, pour y noyer la tentation d'offenser gravement un frère d'armes. Mais dans les fumées du vin, une bizarre idée surnagea, se fit jour, s'enracina bientôt dans le cerveau assoupi du capitaine. Son état n'était pas normal et cette folie qui l'habitait depuis que la fille l'avait regardé ne pouvait s'expliquer que d'une seule façon : la Juive lui avait jeté un sort. Comme toutes ses pareilles la fille était sorcière!... sorcière!... SORCIÈRE!...

Quelques jours plus tard, on découvrit, au bas du roc des Baux, le corps déchiqueté du vieux rabbin, déjà plus qu'à demi dévoré par les charognards. Mais de l'or qu'il avait apporté, on ne vit rien. Peut-être, en cherchant bien, l'eût-on retrouvé au fond des coffres de l'Archiprêtre comme on aurait retrouvé aux écuries les mules qu'il avait chargées. Mais les hommes de la Grande Compagnie savaient mieux que quiconque tendre une embuscade, puis en effacer les traces définitivement...

Le soir même, Bernard Donat vint trouver son capitaine. Il voulait régler avec lui le sort de Deborah qu'il n'avait pas eu la permission de voir depuis que, sur l'ordre d'Arnaud, elle avait été mise au secret. Il le trouva sur le chemin de ronde, armé de toutes pièces et scrutant la plaine sur laquelle s'étendaient déjà les ombres du soir. L'Archiprêtre était seul, appuyé au créneau, l'air sombre. Donat s'arrêta à quelques pas, raidi dans son armure, et parla à voix contenue :

– Le vieux rabbin est mort et nul ne peut plus réclamer Deborah. Je suis venu, messire, vous demander de me la rendre. Elle m'appartient par droit de prise...

Tourné vers l'horizon, Arnaud de Cervole ne bougea pas d'un pouce. S'il semblait ne pas entendre, c'était pour se donner le temps de la réflexion. Il savait que cette minute viendrait où il devrait lutter, face à face, contre l'amour de son lieutenant, mais il avait espéré pouvoir la choisir librement. Il ne se sentait pas prêt encore...

Croyant n'avoir pas été entendu, Donat répéta sa question. Alors la statue de fer se tourna lentement vers lui. Sous la visière relevée du casque noir, il vit luire les yeux sombres du capitaine.

– Non, fit seulement Arnaud. Je ne te la rendrai pas.

– Pourquoi? C'est mon droit!

– Je sais. Mais cette fille est mauvaise pour toi... comme pour tout homme! C'est une Juive, une fille de la race maudite, habile en maléfices et enchantements de toutes sortes. Te la rendre, ce serait perdre ton âme.

Jusque-là les deux hommes avaient gardé un ton égal, des voix étrangement unies et mesurées. Mais celle de Donat claqua soudain comme un coup de fouet :

– Que vous importe mon âme? Avec vous, je l'ai cent fois perdue à torturer, piller, tuer inlassablement. Jamais vous ne m'avez alors parlé de mon âme!... Le souci ne vous en serait-il pas venu depuis que la beauté de Deborah vous a été révélée?

L'Archiprêtre haussa ses épaules vêtues d'acier noir :

— Peut-être!... Tu vois, je l'admets. Mais c'est parce que j'ai mesuré le danger que cette fille me faisait courir que je veux aussi t'en préserver. Elle est trop belle, elle s'empare de la raison d'un homme ainsi qu'une magicienne et l'homme devient entre ses mains plus faible et plus craintif qu'une vieille femme. Elle possède les charmes qui entravent, qui retiennent l'élan de l'homme, qui donne le regret et le désir du retour que ne peut se permettre un homme de guerre. Toi et moi sommes des guerriers, pas des troubadours qui usent leur vie à chanter aux genoux d'une belle. Bats-toi, tu oublieras!...

Donat approcha de quelques pas, jusqu'à sentir l'haleine du capitaine et l'odeur de graisse d'armes de son armure :

— Et que ferez-vous de Deborah?

— Honnêtement, je ne sais pas. Je la renverrai peut-être à Beaucaire, parmi ses frères. Non, sois sans crainte, je ne la toucherai pas. Elle me fait peur...

— Pas à moi. Donnez-la-moi si vous ne voulez pas que je la prenne de force!

La voix de l'Archiprêtre sonna, tout à coup très dure :

— J'ai dit non! Quant à la prendre, il va y avoir céans d'autre besogne que s'occuper d'une femme. Regarde ces lueurs là-bas. Sais-tu ce que c'est? Ce sont les troupes du lieutenant général du Dauphin en Languedoc, Jean d'Armagnac, que l'on nous envoie à la prière du Pape pour nous faire entendre raison. Va prévenir Raymond des Baux, c'est pour lui que nous nous battons. C'est à lui de décider s'il faut résister ou non.

Dressé depuis longtemps à la discipline de fer qu'imposait l'Archiprêtre, Donat obéit sans souffler mot. Mais, à l'instant de disparaître dans l'escalier noir de la tour, il s'arrêta :

– Vous ne voulez vraiment pas me la rendre?
– Non. Je l'ai déjà dit deux fois!...
Il y avait de la lassitude dans sa voix mais Donat était trop plein de colère pour s'en rendre compte.

Raymond des Baux refusant de poser les armes avant d'avoir fait rendre gorge à son ennemi mortel, Philippe de Tarente, frère du roi de Naples, et refusant tout aussi énergiquement de libérer Cervole de son engagement, Jean d'Armagnac mit le siège devant les Baux. Un siège sans grande conviction, il faut le dire. La forteresse cyclopéenne, dressée sur son rocher, était un défi permanent et hautain à toute atteinte. Armagnac n'espérait guère en venir à bout, surtout avec l'Archiprêtre de l'autre côté de la barrière. Mais quoi? Le jeune Dauphin s'était ému des plaintes du pape Innocent VI que la grande misère des terres provençales dévastées empêchait de dormir. Il voulait que cette guerre stupide et sans issue visible, dont souffraient surtout les pauvres gens des campagnes, cessât au plus tôt. Et puisque le seigneur des Baux ne voulait pas entendre raison, le mieux était de chercher à l'intimider. Bien que le lieutenant général du Languedoc ne le crût guère intimidable...
Cependant, quelqu'un avait vu dans l'investissement du château une planche de salut : Bernard Donat. A moitié fou de rage et d'amour, prêt à tout pour reprendre la femme qu'il aimait, il en oublia la foi jurée et les liens d'honneur qui le liaient à son capitaine. Il ne vit plus en lui qu'un ennemi, un homme qui convoitait la même femme et la détenait indûment sous sa dépendance. Tôt ou tard, selon Donat, Deborah deviendrait la proie de l'Archiprêtre... Une nuit, le jeune homme se glissa hors du château, se rendit au camp d'Armagnac, lui proposa, moyennant certaines conditions, de lui ouvrir une porte, une prochaine nuit...

Malheureusement pour Donat, il avait été vu. Quand il regagna le château, il trouva Arnaud sur son chemin. Debout, bras croisés, le capitaine barrait toute la largeur de l'escalier du donjon. Donat, qui ne s'attendait pas à le voir, se sentit rougir.

– Je sais d'où tu viens, fit calmement Cervole. Je sais que tu es un traître...

Donat, envahi par une soudaine honte, voulut protester. Il lui imposa silence :

– Tais-toi! Laisse-moi parler sans m'interrompre. C'est à cette seule condition, que, peut-être, j'arriverai à maîtriser l'envie que j'ai de t'étrangler. Mais... je ne te tuerai pas, je ne te chasserai pas non plus de la Compagnie. Parce que je sais pourquoi tu as été vers Armagnac... pour qui surtout. Je t'avais dit que cette fille te ferait perdre la tête et peut-être l'honneur. C'est fait. Mais je suis seul à le savoir. Alors je ne te punirai pas... pas toi.

– Pas elle, alors! cria Bernard. Elle est innocente!...

Arnaud descendit quelques marches jusqu'à mettre son visage convulsé de fureur presque à la hauteur de celui, blême, du jeune homme.

– Non, elle est coupable! Coupable de t'avoir ensorcelé comme elle m'a ensorcelé. C'est une sorcière, tu entends, comme ses pareilles. Elle a des charmes pour envoûter les hommes et elle te tient déjà, toi, en son pouvoir. Alors, comme ses pareilles, elle mourra...

– Non! hurla Bernard. Non, je ne veux pas!

Sur un signe du chef, deux hommes d'armes qui, sans qu'il les vît, avaient barré la descente de l'escalier derrière Donat, s'emparèrent du jeune homme qui fut rapidement maîtrisé malgré une sauvage défense. Arnaud de Cervole, impassible, avait assisté à la lutte. Quand enfin le jeune homme haletant fut immobilisé, il déclara froidement :

— Dès l'aube, la Juive Deborah sera jetée au bûcher. Ensuite tu pourras guérir...

Cramponné des deux poings aux barreaux de l'étroite fenêtre de sa prison, Bernard Donat, hypnotisé d'horreur, ne pouvait détacher ses yeux de l'effroyable spectacle qui se déroulait sous ses yeux. Sur la petite place que la masse du château dominait de toute sa hauteur, un bûcher flambait avec de grandes flammes rouges attisées par le violent mistral qui s'était levé dans la nuit. Elles étaient si hautes maintenant que l'on ne voyait plus la mince forme blanche qui avait été enchaînée tout à l'heure au poteau central. Ce n'était plus qu'une fournaise que les gens du bourg regardaient dans un silence effrayé et devant laquelle veillaient des hommes d'armes en chapeau de fer et camail d'acier, jambes écartées, tenant au poing un fauchard luisant, visages vides...

Les cris atroces, qui, tout à l'heure, s'élevaient du milieu des flammes, s'étaient tus depuis longtemps mais le malheureux dans sa prison les entendait encore. Il était sûr qu'au fond de toutes ses nuits il les entendrait toujours... Son visage le brûlait comme si, lui aussi, eût été enchaîné dans ces flammes qui achevaient de consumer Deborah. Une idée fixe battait sous son crâne douloureux :

— Je le tuerai! Un jour je le tuerai!... Même si je dois attendre des années pour frapper car il ne se garde que trop bien...

Au-dessus de sa tête, il ne pouvait voir, sur le chemin de ronde, un homme seul, debout dans une armure noire, un homme immobile qui, à travers les trous de la visière baissée, regardait lui aussi l'affreux spectacle... Quand les flammes retombèrent, il n'y avait plus aucun point commun entre la chose noire qui demeurait et la forme charmante de Deborah. Alors, se croyant délivré de son tourment, Arnaud l'Archiprêtre s'éloigna lentement. Mais l'apaisement ne vint pas. Il comprit bien vite qu'il n'avait fait que changer de torture. La coupe enfiellée du remords avait éteint la soif d'amour mais laissait derrière elle une amertume qui ne s'effacerait plus...

La guerre de Provence s'éteignit bientôt. Jean d'Armagnac leva soudain le siège sans qu'on sût trop pourquoi et s'éloigna. De son côté l'Archiprêtre s'en alla, sans plus de succès, mettre le siège devant Aix qui fournit une belle et vigoureuse résistance. Enfin, après beaucoup de bons offices du pape et de son conseiller, le cardinal de Talleyrand-Périgord, la haine s'éteignit peu à peu. Le Dauphin-Régent, au surplus, avait besoin de ses capitaines. Il rappela Arnaud qui, après une solennelle visite au pape, reprit le chemin de Paris en décembre 1358 tandis que les Baux poursuivaient leur destin.

Durant tous ces événements, Bernard Donat avait disparu. Il était allé offrir son épée à un autre capitaine, pour laisser à sa haine le temps de refroidir, à sa vengeance le temps de mûrir.

Pour Arnaud de Cervole, la vie continua. Veuf, il se remaria avec la sœur d'un ancien camarade de captivité, Jeanne de Châteauvilain, de grande famille bourguignonne. Il prit part à la bataille de Brignais, y fut fait prisonnier, puis lutta, en Bourgogne, contre les Grandes Compagnies, devenues un véritable fléau. Les temps changeaient, l'épée vengeresse de la France était maintenant aux poings noueux d'un petit Breton laid et obstiné qui commençait d'écrire en lettres fulgurantes, sur les terres dévastées, le nom de Bertrand Du Guesclin. Arnaud sentit revivre en lui, sous l'écorce du chef de bande, l'âme du chevalier bleu et or de Poitiers...

Un jour, un homme au rude visage sans âge vint lui

demander de reprendre du service chez lui : Bernard Donat...

Arnaud de Cervole avait un peu oublié les événements tragiques des Baux. On était en mai 1366, huit ans avaient passé... Il accueillit comme un frère celui qui revenait, croyant comprendre que l'autre avait pardonné, que l'enchantement maudit ayant cessé, il avait retrouvé intacte la vieille amitié des armes. On fêta le lieutenant à grand renfort de vins de Beaune puisque l'on était en Bourgogne.

Mais, vers la fin du mois, le 26 mai, comme l'on campait entre Lyon et Mâcon, à Glaizé, Arnaud l'Archiprêtre fut poignardé sans que l'on pût découvrir, jamais, le coupable. On le trouva sous sa tente, baignant dans son sang, la gorge ouverte, les yeux ouverts avec, au fond de leur eau noire, un immense étonnement...

PIERRE DE GIAC
l'homme qui vendit sa main au diable

L'homme qui descendait en chancelant les raides marches de pierre du donjon semblait ivre. Le regard halluciné, les lèvres tremblantes et le corps secoué de frissons, il frottait convulsivement sa main droite. Ses jambes raidies lui conféraient un étrange pas d'automate, lourd et mécanique.

Parvenu au second étage, il poussa du pied l'épaisse porte de chêne, marcha vers son lit sur lequel il se laissa tomber de tout son long. Son cœur battait à se rompre contre ses côtes. Il fut un long moment à reprendre une respiration normale.

Un instant, il eut la tentation d'appeler ses gens pour les envoyer au secours de Jacopo, son astrologue, qu'il avait laissé sans connaissance dans la chambre haute, mais il se reprit, haussa les épaules. Jacopo se réveillerait bien tout seul...

Peu à peu, les effets du choc violent qu'il avait subi s'atténuaient et il se sentait redevenir lui-même. Pour la première fois de sa vie, Pierre de Giac avait eu peur! Ce n'est pas une sensation agréable. Elle laissait, en se retirant, une amertume dans la bouche, un sentiment de honte... Mais qui n'aurait eu peur en face du Diable en personne?

Un nouveau frisson lui parcourut l'échine tandis qu'il évoquait la scène qu'il venait de vivre. Chacun des détails s'en était gravé dans sa mémoire.

C'était un peu avant minuit qu'il avait rejoint maître Jacopo dans la chambre haute du donjon où l'astrologue demeurait. Une seule torche, fixée au mur par une griffe de fer, éclairait les voûtes de pierre et, sous cette lumière pauvre, le vieil Italien lui-même, dans sa longue robe brodée de signes cabalistiques, était impressionnant. Il avait accueilli son maître sans un mot, l'avait pris par la main pour le mener au centre de la pièce où il l'avait laissé debout. A l'aide d'une épée, l'astrologue avait tracé plusieurs cercles autour de Giac et un certain nombre de caractères étranges où se retrouvaient les armoiries du seigneur et des croix. Dans un coin, un grand pot de terre plein de braises rouges avait été déposé. Jacopo jeta dessus de l'encens, de la myrrhe et de l'aloès qui ne tardèrent pas à dégager une épaisse et âcre fumée.

– Avez-vous préparé le parchemin sur lequel je vous avais demandé d'écrire, de votre sang, la supplique que vous désirez présenter au Seigneur des ténèbres, Messire? demanda l'astrologue à voix contenue.

Pour toute réponse Giac tira un rouleau de sous son pourpoint, le glissa dans la main sèche du vieillard. Celui-ci le déroula, le lut puis approuva :

– Bien! Maintenant veuillez vous agenouiller et, au fond de vous-même, implorer de toutes vos forces messire Satan de venir jusqu'à vous. Je vais commencer les invocations.

Tandis que Giac s'agenouillait, Jacopo alla s'accroupir dans un coin, un gros livre ouvert devant lui, et se mit à réciter une incompréhensible litanie. Bientôt la fumée se fit plus dense, emplit la pièce au point que Pierre de Giac ne pouvait plus distinguer nettement les objets qui l'entouraient. Les yeux lui piquaient et il toussa plusieurs fois. Soudain, son sang se glaça dans ses veines : au milieu de la fumée une forme noire, qui lui parut gigantesque, venait de se dessiner tandis qu'une voix grinçante se faisait entendre qui semblait venue des profondeurs de la tour.

Un curieux dialogue s'établit alors entre l'ombre et l'astrologue que Giac ne voyait plus mais dont il reconnaissait parfaitement la voix sans qu'il pût rien comprendre de ce qui se disait. A un moment donné, Jacopo redevint compréhensible :

– Messire Satan dit qu'il vous accordera vos désirs si, lui abandonnant votre main droite, vous promettez de le servir en toutes choses...

Giac ne reconnut pas sa propre voix quand elle franchit ses lèvres :

– Tout ce qu'il voudra!... Je promets tout... Mais je veux tout : fortune, puissance, amour!...

– Vous aurez tout!

Le bizarre dialogue reprit, implorant chez Jacopo. Puis il y eut un cri déchirant, l'ombre noire disparut tandis que de hautes flammes se mettaient à jaillir du pot de terre, remplaçant la fumée qui se dissipait, éclairant la pièce. Giac terrifié vit alors que Jacopo gisait à terre, sans connaissance, un peu de sang coulant de sa bouche. Auprès de lui, le parchemin écrit avec du sang portait maintenant une large brûlure en forme de main. L'odeur de soufre était devenue intolérable.

Titubant, Pierre de Giac se releva péniblement et sortit de la chambre.

Il ne put fermer l'œil de tout le reste de la nuit, demeura les yeux grands ouverts dans l'ombre qui se faisait de plus en plus claire sur la plaine de Limagne et les lointains monts bleus d'Auvergne. C'était un jour d'automne 1425 qui se levait ainsi. Pierre de Giac se glissa hors de sa couche, souleva le rideau qui fermait l'étroite fenêtre, respira l'air vif du matin. Sa main droite qu'il avait vouée cette nuit au démon lui semblait étrangement légère et habile. Il la caressa avec précaution comme si ce poing noueux fût devenu fragile, puis sourit. Cette main n'allait-elle pas lui ouvrir les portes enchantées de tous ses désirs?

A quarante-cinq ans, Pierre de Giac était le type du forban féodal. Beau, d'une sombre beauté d'ange déchu où le regard noir, inquiétant, brûlait d'un feu dangereux sous l'orbite profonde, il était cruel avec raffinement, fourbe et souple comme un serpent, d'une folle bravoure. Fastueux autant que rapace, de surcroît, il était passé maître dans l'art de nager en eau trouble.

Dans cette période particulièrement sombre de notre histoire qui suivait le règne désastreux du malheureux Charles VI et qui voyait la France déchirée entre les factions rivales des Armagnacs et des Bourguignons, pillée par l'Anglais qui tenait Paris où régnait, de par la volonté d'Isabeau de Bavière, un jeune monarque anglais nouveau-né, Giac se sentait parfaitement à son aise. Il avait su à merveille louvoyer parmi tant d'écueils, forçant son chemin tortueux de la Cour de Bourgogne dont il avait été longtemps un conseiller écouté jusqu'au lit de la Bavaroise obèse qui vendait la France à l'encan. Pendant ce temps, sa propre femme, dame d'honneur d'Isabeau, devenait la maîtresse de Jean sans Peur, l'inquiétant duc de Bourgogne qu'elle avait su mener à sa perte au pont de Montereau. Service dont Charles VII, le faible et influençable roi de Bourges, ne cessait de payer le ménage. Giac était devenu son favori, son conseiller le plus écouté, balançant même l'influence de Georges de la Trémoille qui avait dû partir pour une mission difficile autant qu'épineuse à Dijon.

Alors que la plus grande partie de la France, exsangue, mourait de faim, dévastée à la fois par les Anglais et par les redoutables bandes d'Ecorcheurs, Giac, peu à peu, construisait sa fortune. Mais il n'était jamais satisfait, voulait toujours davantage, la puissance suprême, l'amour de la femme dont il était éperdument amoureux, cette Catherine de l'Isle-Bouchard, veuve depuis deux ans d'Hughes de Châlon, comtesse de Tonnerre et aussi fabuleusement riche que dangereusement belle.

Pierre de Giac songeait encore à toutes ces choses quelques heures plus tard tandis qu'à travers vignes et champs il s'en revenait vers son beau château de Vigosche(1), si fier et si solide dans ses pierres neuves. Il se remémorait surtout le dernier entretien qu'il avait eu avec la belle Catherine à la résidence habituelle de Charles VII, le merveilleux château de Mehun-sur-Yèvre. Alors qu'enflammé d'amour il la pressait de répondre à son désir, elle avait secoué sa tête brune coiffée d'un hennin immense et étincelant, puis s'était mise à rire :

– Une femme de ma maison ne se donne qu'en mariage, mon cher Pierre. Devenez mon époux et je serai à vous.

– Vous êtes cruelle, Catherine! Ne savez-vous pas que je suis déjà en possession d'épouse?

– Alors que je suis veuve. Une épouse utile, une belle maîtresse... ce serait un bon calcul, n'est-ce pas? Mais peut-être ne serai-je plus veuve longtemps.

– Que voulez-vous dire?

– Que Georges de la Trémoille, avant de nous quitter, m'a fait l'honneur de poser sa candidature à ma main. Il m'aime, lui aussi... et il est au moins aussi grand seigneur que vous! Je l'épouserai sans doute puisque vous n'êtes pas libre.

– Et si j'étais libre?

(1) Premier nom de Châteaugay, non loin de Clermont-Ferrand.

– Alors... je pourrais reconsidérer la question.

Elle s'était éloignée, traînant derrière elle ses brocarts argentés et ce parfum qui empêchait Giac de dormir. Depuis, il était hanté par l'idée qu'elle pourrait lui échapper, que le gros La Trémoille, bientôt posséderait cette beauté sans rivale. Que seraient la puissance, la richesse, s'il n'avait pas Catherine? C'est alors qu'il avait songé à Satan, à son château d'Auvergne, à sa femme enfin qui, enceinte de cinq mois, s'y était retirée avec une partie de leur maison. Laissant la Cour de Charles, il était parti pour réfléchir et conclure ce pacte infernal auquel il rêvait depuis déjà de longs mois.

En pénétrant dans la cour de la forteresse, Giac aperçut sa femme qui revenait de l'église. Avec l'âge qui venait s'en allait la beauté de cette Jeanne de Naillac, épousée jadis par amour. La tardive et proche maternité ne l'embellissait pas. Elle était très grosse, son teint s'était brouillé, couvert de taches de son, ses cheveux étaient devenus ternes. A la regarder, Giac sentit la haine et le dégoût lui gonfler le cœur. Elle était un obstacle à son bonheur, elle vieillissait, ne serait plus utile à rien. Avec un mauvais sourire Pierre regarda sa main droite. Il décida que cette nuit même, cette main le délivrerait de Jeanne.

Prenant lui-même le hanap d'argent sur le dressoir, Giac emplit deux gobelets de vin. Il le versa lentement, d'un peu haut. Le liquide rouge moussa légèrement. Puis, saisissant l'un des gobelets, il le tendit à sa femme.

– Buvons à mon triomphe, ma chère. Il est tout proche maintenant.

Machinalement Jeanne de Giac prit ce qu'il lui offrait mais n'y trempa pas ses lèvres :

– Quel triomphe? Que préparez-vous encore?

Un sourire sardonique éclaira les traits durement accusés du comte :

– Buvez d'abord, je vous le dirai ensuite.

Pour l'encourager à boire, il porta la coupe à sa bouche mais se garda bien de tremper ses lèvres dans le liquide. Son regard aigu ne quittait pas Jeanne. Sans méfiance, celle-ci but mais ne vida pas le gobelet qu'elle reposa à demi-plein.

– Voilà, j'ai bu! Dites maintenant!

Mais il secoua la tête, posa son gobelet toujours plein et se croisa les bras.

– Pas encore. Pourquoi n'avez-vous pas tout bu?

– Mais... Je ne sais! Je n'ai pas très soif!

– Buvez, vous dis-je... Et jusqu'à la dernière goutte!

Quelque chose vacilla dans le regard de Jeanne. Son mari vit la terreur y monter lentement. Il fit trois pas vers elle, la main à la dague qu'il portait à sa ceinture :

– Allons... Bois!

Elle se leva avec un cri, renversa d'un revers de main ce qui restait du vin dont elle venait de comprendre ce qu'il contenait et s'enfuit jusqu'au fond de sa chambre. Puérilement, elle chercha un refuge fragile derrière les courtines du lit.

– Misérable!... Tu veux donc me tuer? Mais pourquoi, pourquoi?

Il marcha sur elle, le regard fou, la saisit d'une main et la jeta à terre :

– Tu me gênes. Tu n'es plus bonne à rien et j'en aime une autre. C'est cela le triomphe dont je te parlais. Demain je serai veuf, je pourrai l'épouser.

– Non... Je ne mourrai pas! Grâce à Dieu, je n'ai pas tout bu!

– Tu en as bu assez et je vais veiller à ce que l'effet s'en face rapidement.

Se baissant, il saisit sa femme dans ses bras. Elle était très lourde avec ce poids de chair qu'elle portait en elle mais il était d'une force herculéenne que décuplait encore la fureur. En courant, sans même prendre la peine de jeter un manteau sur sa victime qui, sur le point de se coucher, était seulement vêtue d'une longue chemise, il dévala l'escalier du donjon. Les cris de Jeanne résonnaient dans la vis de pierre, lamentables appels au secours qui eussent attendri ces mêmes pierres. Mais des ordres avaient été donnés. Aucun serviteur, aucun homme d'armes ne se montra. Dans la cour du château que la nuit emplissait d'ombre c'était aussi le désert, le silence. Il n'y avait rien qu'un cheval tout sellé attaché près d'un pot à feu. Jeanne de Giac, terrorisée, crut atteindre la porte de l'enfer.

D'un élan, Pierre la jeta en travers de la croupe de la bête, l'y attacha solidement, sauta en selle et piqua des deux. L'animal partit comme une flèche, fit résonner les planches du pont-levis sous son galop puis fonça à travers la campagne. Jeanne, en qui le poison commençait à produire son effet, hurla, torturée par le galop de la bête :

— Pitié, Pierre... Pense à l'enfant que je porte!

Un éclat de rire sauvage lui répondit :

— Un bâtard ramassé Dieu sait où... Aucune importance! Je ne m'arrêterai que lorsque tu crèveras!

Le gémissement de la malheureuse se confondit avec le hennissement du cheval blessé cruellement par l'éperon. Le train d'enfer augmenta encore. A demi étranglée par ses liens, sa tête et ses jambes battant à chaque mouvement de la bête, Jeanne de Giac gémissait spasmodiquement. D'intolérables douleurs tenaillaient ses entrailles qui semblaient charrier de la braise.

A travers vignes, forêts et champs, le galop meurtrier se poursuivit, allant frapper de terreur le paysan au fond de sa chaumière, le forestier dans sa hutte. Ceux qui virent passer ce cavalier noir qui, sur ce cheval fou, emportait une blanche forme hurlante, crurent avoir rencontré le chasseur maudit menant jusqu'au fond de la nuit sa chasse infernale.

Pierre de Giac traîna ainsi sa victime durant quinze lieues, au bout desquelles, sentant trembler entre ses cuisses le cheval épuisé, il s'arrêta enfin. Sur la croupe de l'animal il n'y avait plus qu'un cadavre raidi, souillé de sang, et dont le visage crispé reflétait une atroce agonie.

Il le détacha, le laissa glisser à terre. Les longs cheveux de la malheureuse, collés par la sueur, s'étalèrent dans une flaque de lune mais Giac n'eut pas un regard pour celle qui avait été si longtemps sa compagne et sa complice. Prenant, à l'arçon de sa selle, une pelle qu'il avait eu la prévoyance d'emporter, il creusa un trou là où il se trouvait, en plein bois, y tassa le corps de Jeanne, rejeta la terre et ajouta quelques grosses pierres. Puis, remontant sur son cheval fourbu, il s'en alla au petit trot, sans regarder derrière lui. Comme il se l'était promis, il était libre.

Quelques semaines plus tard, il épousait en grande pompe la belle comtesse de Tonnerre. Le roi en personne assistait à la cérémonie.

Dès lors, il sembla que tout dût réussir à Pierre de Giac. L'influence pernicieuse qu'il avait prise sur le faible et instable Charles VII parut grandir de jour en jour. Bientôt, favori incontesté, il régna en despote sur la Cour de Bourges, terrifiée et muette. Le 3 août 1426, il devint Premier Chambellan. Il était le maître absolu. Devant sa morgue insolente, les plus hauts seigneurs tremblaient, se répandaient en courbettes, en présents fastueux pour écarter d'eux les ressentiments du favori. N'avait-il pas imaginé de former une troupe de cent cinquante estafiers, véritables bandits dont il prétendit faire une garde au souverain? En réalité, cette bande de brigands étaient les hommes de main de ce seigneur-pirate à qui tout devait rapporter, bon gré mal gré. Le roi, heureux de voir s'abaisser ces grands féodaux dont la morgue, tant de fois, l'avait fait souffrir, laissait faire, souriait... et se taisait. Mais, sur ces entrefaites, Georges de la Trémoille revint enfin de son infructueuse ambassade en Bourgogne. Il ne lui fallut que quelques regards, quelques paroles échangées pour voir où en étaient les choses : la femme qu'il aimait était mariée à Giac et celui-ci, régnant en véritable tyran, évinçait sans hésiter tout ce qui le gênait. La Trémoille comprit qu'il ne pouvait y avoir place pour deux. Par beaucoup de points, il ressemblait à Giac : même goût forcené de puissance, même appétit de richesse, même absence totale de scrupules mais, chez ce grand seigneur qui, à son tour, devait jouer un rôle si funeste(1), cela se nuançait d'une astuce et d'une souplesse politique dont Giac était dépourvu.

Après un bref éclat qui l'opposa au tout-puissant favori, La Trémoille n'insista pas. Il s'en alla, dans l'ombre, préparer ses plans.

Dans ces années de profonde misère, la France avait cependant trouvé un ange gardien qui, patiemment, inlassablement, mettait tout en œuvre pour détruire l'ouvrage néfaste d'Isabeau, pour protéger le faible roi, au besoin contre lui-même, pour tenter de rassembler le pays morcelé autour de son souverain. Cet ange qui, plus tard, allait aplanir le chemin sous les pas de Jeanne d'Arc dont, la première, elle devinerait le rôle décisif, était une femme, la propre belle-mère de Charles VII, celle qui, durant des années l'avait sauvé des entreprises d'Isabeau, lui avait servi de mère,

(1) L'abandon et même la trahison dont fut victime Jeanne d'Arc furent son œuvre.

l'avait élevé, instruit, hissé au trône : Yolande d'Aragon, duchesse d'Anjou, comtesse de Provence, reine de Sicile, l'une des plus grandes dames de tous les temps, une âme de chef d'Etat, un cœur de chevalier. Celle que l'on nommait la reine des Quatre Royaumes (1).

A ce roi trop faible qu'elle essayait sans cesse d'arracher à lui-même, elle avait donné un remarquable chef d'armées : Arthur de Richemont, frère du duc de Bretagne. Ce Breton hautain et têtu, au rude visage raviné de balafres, avait, en recevant l'épée de connétable, voué sa vie et ses biens au service de ce roi dont, comme Yolande, il s'était juré de faire un grand Roi. A eux deux ils maintenaient à la force du poignet tout ce qui, dans le malheureux royaume, pouvait encore être maintenu. Ils ne pouvaient que déplorer l'influence dévastatrice de Giac, La Trémoille n'en doutait pas. Il s'en alla donc trouver la reine de Sicile. Justement, avec l'hiver venu, la guerre faisait trêve. Délivrés momentanément de ce souci, Yolande et Richemont allaient pouvoir s'occuper de Giac.

– Cela ne peut durer, Madame! s'écria La Trémoille avec indignation. Avec quoi Votre Majesté espère-t-elle reprendre la guerre au printemps? Giac s'est fait remettre tout l'argent qui avait été voté par les Etats. En outre, ses crimes ne se comptent plus...

– Sans oublier, fit Richemont sombrement, l'étrange disparition de sa femme. La dame de Giac serait morte en couches, à ce que prétend son mari, mais il a mis tant de hâte à reprendre épouse que cette fin semble bien providentielle!

– Monseigneur le connétable dit vrai! reprit La Trémoille. Cet homme est un mal profond au flanc de notre Roi. Il faut l'en débarrasser avant qu'il ne nous

(1) Aragon, Sicile, Naples et Jérusalem.

dévore tous, et le reste du royaume avec nous.

Les yeux gris de Yolande d'Aragon se posèrent calmement sur le gros seigneur, éblouissant dans une longue robe écarlate fourrée de zibeline :

– Que proposez-vous donc, Messire? Le Roi ne se sépare guère du sire de Giac et il s'opposera de toutes ses forces à une quelconque action contre lui.

La Trémoille frappa du poing sur la table :

– Il faut passer outre, Madame. Ce ne sera pas le premier service que Votre Majesté aura rendu au Roi contre sa propre volonté.

– Cela est aisé de dire, mais moins facile à exécuter.

– Peut-être y aurait-il un moyen...

Le connétable s'était approché du fauteuil de la reine de Sicile et courba légèrement vers elle sa haute taille :

– Nous devons, sous peu, partir à la suite du Roi pour une tournée dans la province. Il nous faudra faire en sorte de marquer une halte à Issoudun. Là j'ai des intelligences, mais il nous faudra jouer serré. Le renard est fin et il se méfie.

– Il est amoureux! jeta La Trémoille avec rage. Quel homme songe à se garder quand il est dans les bras de la femme qu'il aime?

– Si elle l'aime aussi, elle saura le défendre, dit la Reine.

La Trémoille haussa les épaules :

– La belle Catherine n'aime qu'elle-même! Elle eût été à moi sans cette fâcheuse ambassade qui a laissé le champ libre à ce démon. Que Giac perde sa puissance... ou la vie, et elle ne lui donnera pas un regret.

– Dans ce cas, faites pour le mieux, Messeigneurs, conclut Yolande. Mais faites vite! Le temps nous est compté et le royaume si malade...

Au début de février, la Cour de Charles s'installa à Issoudun. Le château était une forteresse puissante bâtie autour de son donjon que l'on nommait la Tour Blanche, en souvenir de la reine Blanche de Castille. Giac et sa femme, qui revenaient d'Auvergne, occupèrent naturellement l'une des plus belles chambres, près du Roi et dans le donjon.

Au soir du 7 février, Arthur de Richemont se fit apporter les clefs du château par le capitaine de la place.

– Je les garderai par-devers moi, lui dit-il. Mes éclaireurs ont signalé une bande armée dans les alentours. On n'a pu l'identifier et, lorsqu'il s'agit de la sauvegarde du Roi, on ne déploie jamais trop de prudence. Cette nuit, je garderai moi-même Sa Majesté.

L'officier se retira en saluant. Richemont sortit alors, posta une forte escouade de ses Bretons aux différentes issues du château et surtout autour du donjon. Le Roi s'était déjà retiré chez lui et son favori en avait fait autant avec la belle Catherine. Ayant vérifié la fermeture de toutes les portes, le connétable alla se coucher et fourra les clefs sous son chevet. Le coup de main était prévu pour les dernières heures de la nuit.

Il se fit éveiller dans l'heure qui précède l'aube, passa son armure et se rendit à la chapelle où l'aumônier disait la messe de l'aurore. Là, il attendit, priant du fond du cœur pour la réussite de son plan.

L'Elévation venait d'être sonnée quand un homme entra sans bruit, toucha l'épaule du connétable.

– C'est l'heure! dit-il. Ils sont là!

Au-dehors, dans la brume du petit matin, une troupe armée jusqu'aux dents attendait, menée par La Trémoille. Sous ses armes, le gros homme avait l'air d'une montagne de fer.

– Allons! fit le connétable.

Il ouvrit lui-même la porte du donjon et, derrière lui, tous s'engouffrèrent dans l'escalier. Ils s'efforçaient d'amortir de leur mieux le bruit de leurs pas afin de ne pas donner l'alerte aux gens du Roi qui, à cette heure, devaient dormir dans les étages. En silence, les soldats prirent les postes qui leur avaient été assignés.

Alors, Richemont s'arrêta devant une porte dont il ébranla le bois de son gantelet d'acier.

– Levez-vous! cria-t-il. Vous êtes trop à votre aise!

Il y eut, derrière la porte, un clapotis de pieds nus sur le dallage. Le vantail s'ouvrit découvrant une vaste chambre dont un immense lit tenait la plus grande place. Une veilleuse éclairait cette chambre. Quant à l'homme qui venait d'ouvrir et qui ne portait pas le moindre vêtement, c'était Pierre de Giac. Dans le lit, redressée sur un coude, on apercevait la belle Catherine aussi peu vêtue.

Giac ouvrit la bouche pour dire quelque chose mais le reflet de la chandelle venait d'éclairer le visage balafré du connétable, dur comme la pierre sous la visière relevée du heaume à plumes noires.

– Richemont! s'écria-t-il. Je suis mort!

Il n'eut pas le temps de prononcer d'autres paroles. Trois hommes s'étaient jetés sur lui, l'enveloppant dans une couverture qui étouffa ses cris. On l'emporta comme un simple paquet.

Pendant ce temps La Trémoille était entré dans la chambre où Catherine l'avait regardé venir avec un parfait sang-froid. Il s'arrêta au pied du lit, sourit aimablement :

– Je suis désolé, belle dame, d'avoir dû forcer ainsi votre porte... mais l'homme que vous aviez commis la folie d'épouser n'était pas digne d'un tel honneur. Le mieux serait de l'oublier... et le plus tôt serait le mieux...

Catherine n'était pas femme à se désoler pour un mari. La Trémoille avait vu juste en pensant que, seule, la puissance de Giac l'avait attirée. Elle haussa les épaules et s'apprêta à se recoucher quand elle s'aperçut soudain que deux soldats, demeurés dans la chambre, étaient occupés à faire main basse sur les pièces d'orfèvrerie qui l'ornaient.

– Voleurs! s'écria-t-elle. Laissez cela!

Mais, au lieu d'obtempérer, les deux hommes s'enfuirent à toutes jambes, emportant leur butin. Folle de rage, alors, la digne épouse de Pierre de Giac sauta à bas de son lit et apparut complètement nue. Sans se soucier le moins du monde de sa tenue, elle se lança, dans cet appareil, à la poursuite des voleurs, poussant de telles clameurs qu'elles parvinrent enfin à réveiller Charles VII.

Affolé, le Roi se leva et s'en alla aux renseignements. Il apparut au milieu de ses gens effarés qui, en tremblant, lui racontèrent ce qui s'était passé. Il éclata en une violente colère, voulut lancer ses gens à la poursuite des ravisseurs de son favori. Il se heurta à Richemont qui venait d'apparaître l'épée à la main, au seuil de l'appartement royal. Le connétable salua mais, se redressant aussitôt, domina le Roi de toute sa taille.

– Ce que je fais, je le fais pour le bien du Roi..., dit-il gravement.

Dompté, le Roi baissa la tête, et regagna sa chambre.

Pendant ce temps, les hommes de Richemont emmenaient Giac, dûment enchaîné, hors de la ville dont les portes, grâce aux clefs, s'étaient ouvertes devant eux. L'ordre du connétable était de conduire le prisonnier à Dun-le-Roi, qui appartenait à Madame de Richemont. Là, un tribunal composé de gens de Richemont l'attendait... et aussi des bourreaux.

Sous la torture, Pierre de Giac avoua tous ses forfaits, à commencer par l'assassinat de sa femme. Il en avoua même plus qu'il n'en avait commis tant la douleur l'avait affolé.

Quand on le ramena devant le tribunal que présidaient le bailli de Richemont et le connétable lui-même, ce n'était plus qu'une loque humaine, moralement parlant. Il se jeta aux pieds de son ennemi :

— Je sais que vous allez me tuer... mais, par pitié, avant de m'envoyer devant le tribunal de Dieu, coupez-moi le poing droit!

Comme Richemont s'étonnait, il fit, d'une voix entrecoupée, le récit de son pacte infernal. Il avait voué sa main au Diable. Si cette main demeurait attachée à lui, c'est par elle que Satan l'entraînerait aux enfers brûler pour l'éternité.

— Je ne veux pas être damné! sanglotait maintenant Giac. Par pitié, Monseigneur, coupez-moi cette main maudite! C'est elle qui a tout fait, elle qui est cause de tout ce mal. Ne me laissez pas mourir avec elle.

Le connétable garda le silence un instant, puis haussa les épaules :

— C'est bien. On vous la coupera.

Le bourreau alors s'avança, levant une lourde hache... Il y eut un cri affreux, puis des sanglots qui rendaient un curieux son de soulagement.

Dès le lendemain, la sentence qui condamnait Pierre de Giac à la noyade fut exécutée. Dans l'aube grise, l'ancien favori fut cousu dans un sac de cuir, puis jeté à l'Auron. Sur le sac était attaché un large écriteau qui portait :

« Laissez passer la justice du Roy... »

Un mois plus tard, Georges de la Trémoille et Catherine de l'Isle-Bouchard, veuve de Pierre de Giac, étaient unis par les liens sacrés du mariage...

GILLES DE RAIS
le véritable Barbe-Bleue

La halte de nuit avait été trop brève, les quatre chevaux étaient épuisés de fatigue, surtout celui de tête qui portait double charge. A l'aube tardive de novembre, la pluie et la crasse trempaient tout, si abondantes qu'elles eussent rouillé les armures sans la protection de la graisse d'armes. Mais le jeune cavalier qui menait la course infernale refusait farouchement de réduire le train. Les hommes lancés à sa poursuite étaient distancés depuis longtemps mais, tant qu'ils seraient sur les terres de Thouars, leur sûreté ne serait pas complète. Gilles de Rais le savait bien.

Sur son épaule, le tête de Catherine, lourde encore de sommeil, glissait. Il la recala d'un mouvement sec qui éveilla à demi la jeune fille. Elle laissa filtrer un regard brumeux entre ses cils mi-clos, lui adressa un sourire tremblant et referma les yeux. Elle était si lasse que même le dur galop du cheval ne résonnait plus dans son corps meurtri. Elle se laissait aller contre l'épaule du garçon, coincée par un bras qui meurtrissait ses côtes, parce qu'on ne lutte pas contre un destin que l'on a appelé de toutes ses forces, et qu'elle aimait ce garçon de seize ans qui l'avait enlevée de son propre consentement.

A travers ses paupières mi-closes, la jeune fille – on pourrait presque dire la fillette puisque Catherine de Thouars n'avait que quinze ans – regardait son ravisseur. Il lui semblait que jamais elle ne pourrait se lasser de ce visage précocement durci dont une barbe naissante accusait encore les traits tourmentés. Les yeux, surtout, d'un noir profond, avaient quelque chose de fascinant, peut-être à cause de leur expression à la fois avide, lointaine et cependant ardente... Au fond, elle ne cherchait pas beaucoup à analyser ce qu'elle éprouvait. Depuis leur première rencontre elle était sans force et sans volonté devant lui.

Le cheval fourbu heurta une pierre, faillit tomber. D'une poigne de fer Gilles, les dents serrées, le maintint en ligne. Par-dessus son épaule vêtue de cuir épais, Catherine pouvait voir ses trois compagnons qui galopaient en silence, le nez dans leur manteau.

Une troupe armée soudainement barra le chemin creux. Une vingtaine d'hommes d'armes à la tête de laquelle se détachait un vieux chevalier, tête nue. Le visage couronné de cheveux gris, seule chose découverte dans cette statue de fer vêtue, offrait une extraordinaire ressemblance avec celui de Gilles. Seuls l'en différenciaient les griffes que l'âge avait imprimées sur la figure tannée et les cheveux, presque blancs, alors que ceux du jeune baron de Rais étaient bleu-noir. Catherine comprit que c'était là le grand-père de Gilles, le redoutable Jean de Craon, celui qui l'avait, orphelin, pris sous sa tutelle et complètement élevé. Il attendait sous la pluie, appuyé à deux mains sur sa grande épée, impassible en apparence. Derrière lui, en fond de décor, le clocher croulant d'une petite chapelle émergeait de la brume. Plus loin encore, c'était la Loire.

Gilles arrêta son cheval. La bête plia les jarrets juste devant le grand-père. Sans un mot, il fit glisser Catherine de sa selle jusque dans les bras que le vieux seigneur tendait pour la recevoir. Jean de Craon n'était pas beaucoup plus bavard.

– Le prêtre vous attend, dit-il seulement. Il faut faire vite.

Sous son voile mouillé, Catherine rougit subitement.

– Nous allons être mariés? Si vite? Mais je croyais que nous étions trop proches cousins pour que l'Eglise ne mît empêchement?

Quelque chose qui, à la rigueur, pouvait passer pour un sourire, passa sur le visage de Jean de Craon.

– Tous les prêtres ne sont pas stupides, grommela-t-il. Et j'ignore le mot empêchement. Venez.

Toute la troupe s'engagea dans la chapelle, se dirigeant vers l'autel où un prêtre en vêtements sacerdotaux attendait déjà. C'était un petit moine aux yeux inquiets, à la minuscule tonsure, et il suffisait de voir les regards terrifiés qu'il jetait sur Jean de Craon et ses hommes pour comprendre quels moyens le vieux seigneur avait pu employer pour décider ce jeune prêtre à célébrer ce mariage défendu.

Tremblante, Catherine de Thouars s'agenouilla auprès de celui qui allait devenir son époux, tenta de prier. Mais c'était difficile dans cette bizarre atmosphère. Quel drôle de mariage! Pas une femme n'y assistait. Il n'y avait que des hommes en armure, des visages burinés de guerriers, des poings couverts de fer et noués sur des armes lourdes. Il faisait froid, les murs verdis de l'église suintaient l'humidité, et la pluie même tombait sur un banc par le toit où manquaient quelques ardoises. La mariée, trempée et frissonnante sous sa mante alourdie d'eau, se sentait misérable et abandonnée. C'était vraiment une étrange manière d'unir les héritiers des deux plus puissants fiefs de la région : la maison de Thouars, de souche princière, et celle de Rais-Laval, la plus riche de Bretagne et d'Anjou.

Le prêtre avait hâte que tout fût fini. Il expédia la cérémonie, bénit hâtivement le jeune couple, bâcla la messe.

– *Ite missa est,* fit-il avec un soupir de soulagement.

Quelques minutes plus tard, la cavalcade grossie reprenait le chemin détrempé. Gilles et Catherine retrouvèrent leur cheval commun et la pluie insistante. La Loire fut passée sans trop de difficultés. Bientôt, se profilèrent au bout de la route les onze tours de Champtocé, la forteresse ancestrale, le repaire de Jean de Craon et de Gilles. On était arrivé.

Ce que Catherine avait pris pour le plus romanesque des mariages d'amour n'était en réalité qu'une brillante opération dûment préparée à l'avance. Le vieux Jean de Craon, dont l'énorme fortune n'éteignait pas pour autant ses appétits toujours en éveil, voulait pour son petit-fils le plus brillant des établissements. Très riche, Gilles ne devait épouser qu'une fille également très riche, et Jean de Craon partait de ce principe que l'on n'a jamais trop d'or ni trop de puissance. De plus, il aimait réellement et profondément ce petit-fils, le seule mâle, digne du nom, demeuré dans la famille depuis qu'avait péri, dans la boue sanglante d'Azincourt, cinq ans plus tôt, le fils unique du vieux seigneur. Gilles avait bien un frère, René de la Suze, ainsi nommé à cause de l'une des seigneuries de la famille, mais c'était un garçon faible, plutôt mou, qui n'intéressait nullement Craon.

Le dévolu de l'aïeul s'était jeté sur Catherine de Thouars dont les domaines imposants formaient lien entre les terres angevines des Craon et les terres bretonnes des Rais-Laval. Un seul obstacle, mais de taille : les deux jeunes gens étaient cousins. Cependant, les foudres de l'Eglise n'impressionnaient guère Craon ni Gilles. Le père de la jeune fille, Millet de Thouars, étant mort subitement à Meaux, on décida de passer à l'attaque. Gilles fit quelques visites à Catherine et à sa mère, Béatrice de Montjean. Se faire aimer fut un jeu pour lui. Un autre jeu fut de décider la jeune fille à se laisser enlever afin de mettre l'irréparable entre eux et de placer du même coup l'Eglise devant le fait accompli. Un soir de ce mois de novembre 1420, Catherine s'attarda à rêver sur les bords du Thouet, à l'heure où chacun regagnait le château. Gilles et ses hommes bondirent sur elle, l'emportèrent au triple galop tandis que, sur les tours de Thouars, les guetteurs donnaient l'alarme.

Une étrange vie conjugale attendait Catherine, derrière les formidables murailles de Champtocé. Dès le soir du mariage célébré dans la chapelle au milieu des champs, elle était devenue l'épouse de Gilles, sans trop comprendre ce qui lui arrivait. Tout avait été si brusque, si rapide! Au matin, pourtant, s'éveillant dans le grand lit à courtines du donjon, elle avait souri au jour gris et bas, au grand feu qui flambait dans la cheminée, à ce décor nouveau qui marquait, pour elle, le début d'une vie pleine d'amour et de joie. Mais, lorsqu'elle avait cherché auprès d'elle son jeune époux, on lui avait appris qu'il était parti, de grand matin, pour la chasse avec ses compagnons habituels, qu'il ne reviendrait que dans deux ou trois jours. Catherine, alors, avait soupiré profondément. Etait-ce là cet amour fervent, passionné, qu'il lui avait promis, cet été, sous les saules de Thouars? Une étreinte brutale, cruelle même... et puis la solitude?

Mais, quand, à l'heure du repas, elle s'était trouvée en face de Jean de Craon qui l'attendait, debout sous le dais seigneurial, elle avait redressé fièrement son long cou blanc, sa petite tête fine sous la corne immense du hennin ennuagé de voile de Mossoul(1) couleur d'azur, pour qu'il ne vît pas qu'elle avait pleuré. Ce geste d'orgueil avait plu au vieux seigneur et il lui avait souri, paternellement, en lui tendant la main pour la mener à table.

– Gilles reviendra bientôt, ma mie, n'ayez crainte! lui avait-il dit. Mais il n'a jamais su résister à l'attrait d'une horde de loups.

Tout le temps du repas, il l'avait observée. Elle était bien mieux qu'il ne l'eût cru, la petite cousine! Pas jolie, certes, mais longue et fine, plus élégante et racée que vraiment belle. Ses yeux, couleur de noisette, avaient de l'éclat, sa peau était blanche et fine mais sa principale beauté était faite de ses doux cheveux d'un blond léger qui se tordaient en tresses épaisses sous l'édifice fantastique de la coiffure. Charmante, riche et possédant de belles terres, Catherine était tout à fait la petite fille selon le cœur de Craon. Il se sentit content de lui.

Catherine n'était à Champtocé que depuis peu de temps quand une surprise lui arriva, la seule bonne surprise peut-être que devait lui réserver sa vie conjugale. Un mois après son propre mariage, elle assista au remariage de Jean de Craon, veuf depuis peu, avec... sa propre grand-mère, Anne de Sillé, femme encore jeune, douce et assez effacée. La voir s'installer à Champtocé comme dame et maîtresse c'était, pour la déracinée, renouer avec le passé encore proche, retrouver la chaleur du foyer. C'était surtout une féminine et tendre présence au milieu de ces hommes qui semblaient faits du même fer que leurs armures. Une présence dont elle allait avoir le plus grand besoin pour affronter les pre-

(1) Le nom que portait alors la mousseline, tissu originaire de cette cité d'Orient.

mières difficultés de l'existence. L'Eglise, en effet, s'était insurgée contre ce mariage bâclé malgré ses lois, le déclarait nul, exigeait que les deux jeune époux se séparassent en attendant son jugement, ne serait-ce que par pénitence et pour faire preuve de son bon vouloir. La promesse formelle fut ajoutée que le mariage serait béni à nouveau, selon les règles. Gilles et son grand-père s'inclinèrent. Catherine quitta Champtocé, retourna à Thouars pour trois mois, pas plus, car les seigneurs de Champtocé étaient beaucoup trop remuants pour que les prêtres se risquassent à les faire attendre longtemps. Gilles, d'ailleurs, allait fréquemment voir sa femme envers qui il avait retrouvé ses façons d'amoureux. Pendant ce temps les émissaires galopaient à perdre haleine sur la route de Rome, dans les deux sens, pour obtenir l'accord formel du Saint-Père. Le mariage ayant été consommé et la parenté n'étant pas trop immédiate, celui-ci tint compte de l'obéissance du jeune couple, accorda sans difficultés l'autorisation. Le 21 avril 1421, le mariage de Gilles de Rais et de Catherine de Thouars était béni à nouveau, solennellement cette fois, par l'évêque d'Angers. Après la cérémonie, Catherine réintégra Champtocé.

– Nul maintenant ne nous séparera plus, lui dit Gilles quand, à ses côtés, elle franchit le pont-levis de la forteresse. Nous sommes liés l'un à l'autre pour toujours et jusqu'à ce que vienne la mort.

Elle lui sourit, heureuse de ces mots graves, mais il les avait dits sans sourire, sans même la regarder. Le ton enlevait toute nuance tendre à ces paroles qui eussent pu marquer un serment d'amour. Il semblait lointain, une fois de plus, détaché d'elle. Pourtant, cette nuit-là, il l'aima avec une fureur qui laissa la jeune femme brisée, heureuse, mais un peu terrifiée. Elle commençait à deviner qu'en ce garçon, si beau et si étrange, se cachaient des forces mystérieuses et malfaisantes. Sa nature semblait double. Il avait parfois la grâce et le charme d'un poète, presque d'un damoiseau de Cour mais, à d'autres moments, des flammes infernales jaillissaient de cette eau calme, un coin des profondeurs se montrait, ouvrant sur un abîme de cruauté sadique et d'incroyable violence. Peu à peu, l'amour fervent de Catherine se nuança de crainte.

La mode, décidément, était au mariage chez les dames de Thouars. Après Catherine, après Anne de Sillé sa grand-mère, ce fut le tour de sa mère. Veuve depuis un an, Béatrice de Montjean décida de se remarier et d'accepter l'amour et la protection d'un jeune seigneur, chambellan de la Cour du dauphin Charles, qui se nommait Jacques Meschin de la Roche Aireault. Cette protection était pour elle une nécessité autant qu'un bonheur. Elle en avait le plus grand besoin. En effet, après avoir pris Catherine, Gilles de Rais et Jean de Craon entendaient bien se faire remettre son héritage qui, selon eux, leur revenait de droit depuis que Millet de Thouars était mort. Ils convoitaient surtout les deux châteaux de Pouzauges et de Tiffauges, en Poitou, deux places fortes de tout premier plan. Mais ces châteaux appartenaient en propre à Béatrice de Montjean et celle-ci refusa tout net de les livrer, malgré la proposition que lui fit Craon de lui donner, en contrepartie, un douaire important en Limousin. Elle ignorait encore la ténacité des deux hommes et combien il était difficile de leur faire lâcher prise quand ils avaient décidé quelque chose. Elle n'allait pas tarder à l'apprendre à ses dépens.

C'est ainsi qu'elle ignorait que le capitaine de la garnison de Tiffauges, Jean de la Noé, était un homme de Jean de Craon.

Catherine était à filer la laine dans la grande salle du château quand le cortège franchit la herse et s'arrêta dans la cour. Elle avait couru à la fenêtre et, reconnaissant sa mère et sa tante, avait poussé un cri de joie. Puis elle avait voulu courir vers l'escalier pour aller à leur rencontre. Mais la main de Gilles s'était abattue sur elle, l'avait retenue :

– Demeurez...

– Mais... je vois là ma mère, ma tante Isabelle! Je veux aller leur souhaiter la bienvenue!

– Demeurez, vous dis-je. Il ne saurait être question ici de bienvenue.

Sans lâcher Catherine, il s'approchait à son tour de la fenêtre, jetait un coup d'œil au-dehors. Catherine suivit et, à sa profonde stupeur, vit que les deux femmes, au lieu d'être conduites vers les salles d'honneur, étaient dirigées vers les prisons. Toutes deux montraient des visages pâles et défaits, semblaient recrues de fatigue. Catherine poussa un cri qui était à la fois de colère et d'indignation. Elle arracha sa main de celle de son époux :

– C'est ma mère! Comment osez-vous la traiter ainsi, elle, une noble dame et qui, par mariage, vous est devenue si proche? Quelle honte, pour un chevalier!

Un lent sourire passa sur le visage sombre de Gilles, libérant l'éclair étincelant de ses dents sous la barbe sombre :

– Il ne tient qu'à elles d'être traitées selon leur rang et avec toute l'affection désirable. Je compte même sur vous pour les y engager. Votre mère, Catherine, se montre d'une incroyable obstination. Qu'elle nous cède Pouzauges et Tiffauges contre ce grand domaine limousin que nous lui offrons et tout sera dit.

– Ainsi, c'est pour une question d'intérêt que vous avez fait cela, vous, Gilles?

Le jeune homme eut un geste d'agacement. Quelle manie avaient toujours les femmes de mettre le sentiment là où il était le moins à sa place? Il était question ici d'affaires, non de cœur.

– C'est plus qu'une question d'intérêt. Nous sommes en guerre avec l'Anglais, ma mie, et vous semblez l'oublier. Depuis la mort du pauvre Charles VI, voici deux ans, ils ont fait désigner comme Roi, au mépris des droits de Monseigneur le Dauphin, l'enfant né du feu roi Henri V et de Catherine de France. Bedford, qui tient Paris, s'est nommé régent du Royaume et les Anglais pillent et ravagent nos terres. Voici un an, Bedford nous a arraché, à nous-même, les châteaux d'Ambrières et de Saint-Aubin qu'il a donnés à l'un de ses fidèles. Il faut que nos terres fassent bloc, se tiennent et puissent être défendues facilement. Nous ne pouvons prendre le risque de laisser en main féminine des points stratégiques de l'importance de Pouzauges et de Tiffauges qui coupent nos domaines en deux. Le domaine que nous offrons à votre mère est riche, elle ne sera pas lésée.

– Si elle refuse, c'est qu'elle a de bonnes raisons, répliqua Catherine.

La main de Gilles s'abattit sur son épaule et la serra, de plus en plus fort. Elle vit étinceler ses yeux d'un feu dangereux, recula, prise soudain de peur.

– Je ne vous conseille pas de l'encourager dans cette voie, Catherine. Vous irez aux prisons et vous direz exactement ce que je vous dicterai. Sinon, vous pourriez aller rejoindre votre famille. Vous ne connaissez pas les basses-fosses de Champtocé, n'est-ce pas? C'est là que j'enverrai ces dames... et vous-même si vous n'obéissez pas.

Catherine, vaincue, au bord des larmes, baissa la tête :

– C'est bien, Monseigneur. J'obéirai.

Mais c'était une femme obstinée que Béatrice de Montjean. Elle savait qu'elle ne luttait que pour le principe puisque, déjà, les deux hommes avaient pris Pouzauges et Tiffauges. Mais elle ne voulait pas céder. Ni les larmes de sa fille, ni les menaces, ni même les prières de son jeune mari, qui lui faisait dire de céder, n'en eurent raison. Les trois émissaires que Jacques Meschin avait envoyés à Gilles et à Craon pourrissaient dans l'une des célèbres basses-fosses de Champtocé. Les Craon ne cédaient pas non plus. Anne de Sillé, qui était absente lors de la capture de Béatrice, s'était jetée à son tour aux pieds de son terrible et vieil époux pour obtenir la libération de sa fille. En vain!

Les deux hommes poussèrent même plus loin les menaces. Un matin, Béatrice de Montjean, enchaînée, fut amenée jusqu'au bord de la Loire. Là, elle vit sur l'herbe, tout ouvert, un grand sac de cuir auprès de grosses pierres. On lui fit comprendre que, si elle s'obstinait, elle serait cousue dans ce sac, jetée au fleuve. Elle se contenta de hausser les épaules.

– Vous pouvez me tuer, vous ne pouvez me faire renoncer à mon bon droit!

On la ramena à son cachot. Quelques jours plus tard, les pleurs conjugués de Catherine et de sa grand-mère obtenaient enfin gain de cause : Béatrice de Montjean, affaiblie mais toujours aussi tenace, fut renvoyée à son mari. Mais les forteresses ne lui furent pas rendues. Puisqu'il avait été impossible de les lui faire céder de bon gré, les ravisseurs les gardaient de force et voilà tout.

Mais, de ce jour-là, Catherine sentit que son époux se détachait d'elle chaque jour un peu plus. Il ne venait même plus la rejoindre la nuit et, comme on ne lui connaissait aucune maîtresse, qu'aucune fille du pays n'avait jamais eu à se plaindre de lui, Catherine ne comprenait pas. Ce fut Anne de Sillé qui lui ouvrit les yeux. Elle lui fit remarquer les trop jolis pages dont son époux faisait sa compagnie habituelle, qu'il couvrait de soie et d'or :

– Gilles n'aime pas les femmes, ma mie.

Catherine pleura longtemps, amèrement, dans le silence et la solitude de sa chambre. Mais quel remède apporter à pareil malheur? Gilles, elle le savait maintenant, ne l'aimait pas, ne l'avait jamais aimée. Il l'avait épousée uniquement par amour de ses terres, par tendresse pour les deux châteaux forts. Et elle n'avait même pas d'enfant pour reporter sur lui sa tendresse inemployée.

Bientôt, d'ailleurs, il partit rejoindre le roi Charles VII, appelé par la belle-mère de celui-ci, Yolande d'Aragon, qui était aussi, comme duchesse d'Anjou, la suzeraine des Craon. Le loyalisme de Gilles, qui demeurait entier, inflexible, envers le Roi, repoussait l'Anglais de toute sa haine. Cela, cette fidélité jointe à une extrême bravoure, c'était le beau côté de Gilles, celui qui aurait pu faire de lui le modèle des chevaliers. N'avait-il pas dans son sang quelques gouttes de celui de Du Guesclin dont il était le petit-neveu? Il partit servir le Roi avec d'autant plus d'ardeur qu'il savait combien le pauvre roi de Bourges, renié par sa mère, chassé par l'Anglais, avait besoin d'aide. Gilles brûlait de mettre son épée et sa fortune au service de son maître.

Catherine demeura seule, entre ses grands-parents, dans la splendeur de Champtocé. Mais les hautes salles peintes, les tapisseries splendides, brodées d'or et d'argent, les tapis épais, les soieries somptueuses, les meubles précieux et la vaisselle d'or, tout cela n'avait plus de couleurs depuis que la haute silhouette de Gilles ne s'y mêlait plus. S'il n'y avait eu l'espoir de le revoir un jour, elle eût préféré le calme d'un couvent.

Pendant ce temps, auprès du Roi, Gilles allait faire une étrange rencontre qui marquerait sa vie d'une fulgurante mais fugitive lumière.

— Gentil Dauphin, j'ai nom Jeanne-la-Pucelle et vous mande le Roi des Cieux par moi que vous serez sacré et couronné en la ville de Reims et serez dès lors lieutenant du Roi des Cieux qui est vrai roi de France...

La voix claire passait sur les têtes des courtisans que la stupeur rendait silencieux. Elle s'en allait frapper Gilles, debout parmi les autres autour de La Trémoille qui, sous des habits somptueux, avait tenté de faire croire à Jeanne qu'il était le Roi. Elle avait secoué la tête, doucement écarté les rangs des seigneurs, et s'en était allée jusqu'à Charles VII. Il se tenait caché, dans les derniers rangs. Mais c'était devant lui et devant nul autre qu'elle avait mis genou en terre. Maintenant elle parlait et l'âme brumeuse de Gilles le Breton, naïvement avide de merveilleux, buvait ses paroles.

Pourtant cette fille venue des marches de Lorraine, qui se tenait là, devant le Roi, sans orgueil mais sans timidité, n'avait rien d'extraordinaire. Elle était grande, bien bâtie et fraîche, portait avec une grande aisance ses habits d'homme, mais ni ses traits ni sa voix calme ne dénonçaient un être supra-terrestre. Il y avait peut-être les yeux. Leur eau limpide avait une étrange profondeur et, quand ils se posaient sur vous, on avait l'impression qu'ils pouvaient descendre jusque dans les replis les plus sombres d'une âme.

Maintenant, le Roi et Jeanne s'entretenaient dans l'embrasure d'une fenêtre. Gilles les épiait, dévoré de curiosité. Que pouvait-elle dire au Roi? Quel était ce secret qu'elle lui confiait? Le visage pâle de Charles VII rougissait peu à peu en même temps que son regard morne s'éclairait. Un sourire enfin naquit sur la bouche lasse.

Quelques instants plus tard, Gilles se voyait confier Jeanne à qui il devait servir d'escorte désormais. Quand on la lui présenta, il ne sut que lui dire, sourit timidement, soudain envahi par un sentiment de bonheur comme il n'en avait jamais connu, joint à une extraordinaire sensation de pureté et de liberté. Jeanne, gentiment, lui rendit son sourire.

Dès lors, il ne la quitta plus. Orléans les vit combattre côte à côte. Pour elle, pour ne pas troubler sa limpidité, il s'obligeait et obligeait ses hommes à réprimer leur langage de soldats rudes, il tenait à l'écart sa cour de pages équivoques. Ce qu'il éprouvait pour Jeanne n'était pas de l'amour, tout au moins pas au sens brutal et charnel du terme. C'était, en quelque sorte, l'attrait de l'ange qu'il subissait. Pour lui, elle était l'envoyée du ciel sans qu'il fût possible d'en douter. Il l'aimait comme on aime Dieu, plus humainement seulement parce qu'elle était visible, qu'il pouvait la toucher, lui parler. Il suffisait qu'elle lui sourit, à sa manière paisible et douce, pour qu'il fût heureux. Depuis le 8 mars 1429, date de leur première rencontre, il se sentait un autre homme. Pour elle, il accomplit des prodiges de valeur. Elle allait jouer, en échange, un rôle dans la vie même de Catherine, seule depuis si longtemps.

Gilles et Jeanne ne se connaissaient que depuis quelques jours. Ils faisaient ensemble l'apprentissage du compagnonnage d'armes et commençaient à préparer la grande attaque contre Orléans, quand la Pucelle, un matin, déclara brusquement :

– Messire! Parmi toutes les dames qui entourent la reine Marie et la reine Yolande, je n'ai point vu la dame de Rais. D'où vient qu'elle ne se tienne pas auprès de vous, surtout à cette heure du proche danger?

Gilles s'était senti gêné. Les yeux de Jeanne le transperçaient.

– Ma femme préfère demeurer au château. Elle est... de nature tranquille, aimant peu le bruit.

Jeanne d'Arc secoua la tête, lentement :

– Elle aime peu, certainement, vous contrarier, messire Gilles, et préférerait vivre auprès de vous si vous en exprimiez seulement le désir. Il n'est pas bon que vivent séparés ceux que Dieu a unis, souvenez-vous-en!

Les paroles étaient sévères mais la voix était douce. Sous le reproche, Gilles baissa la tête comme un enfant pris en faute. Le soir même, il quittait Chinon à la tête de quelques hommes, fonçait vers Champtocé à une allure d'enfer. Le magnifique Casse-Noix, son cheval favori, était presque sur les boulets quand les tours du château furent en vue. Gilles tomba aux pieds de Catherine stupéfaite.

– Avant la bataille, ma mie, j'ai voulu vous revoir encore, fit-il sincèrement car le pouvoir de Jeanne était tel qu'il ne se souvenait plus d'être venu presque sur un ordre. (Puisqu'elle l'avait désiré, il ne pouvait pas ne pas avoir lui-même désiré ce retour.)

Catherine, riant et pleurant à la fois, tomba dans les bras de cet époux retrouvé. De toute la nuit ils ne se quittèrent pas et quand, au matin, il reprit la route, Gilles laissait derrière lui une femme heureuse.

Orléans fut délivrée et la marche triomphale vers le sacre commença. Gilles ne quittait pas Jeanne. De son côté, Catherine voyait poindre enfin les prémices de la maternité et s'enfermait dans son bonheur. Son état ne lui permit pas le voyage de Reims. Elle n'assista pas au triomphe de Gilles promu Maréchal de France par le Roi. Elle ne le vit pas, en somptueux vêtements de velours violet, d'hermine et d'or, escorter à cheval, jusqu'aux marches de l'autel, l'Ampoule Sainte qui allait sacrer le Roi. Elle n'entendit pas sonner le sabot impatient de Casse-Noix sur les dalles de la cathédrale. Elle attendait l'enfant de Gilles, sur la terre de Gilles, et ne demandait rien de plus. Au mois de décembre naquit l'enfant. Ce n'était, hélas, qu'une fille que l'on nomma Marie.

Gilles guerroyait toujours. Il était près de Jeanne quand elle fut blessée sous les murs de Paris. Mais il n'était pas là quand elle fut prise devant Compiègne par la trahison de Guillaume de Flavy... Cette capture fut pour lui un choc terrible. Il fit tout, malgré même son cousin La Trémoille à qui il avait juré fidélité et qui fut le principal artisan de la perte de Jeanne, pour la sauver. Depuis Louviers où il s'était avancé, il tenta même un coup de main sur Rouen, échoua... Le drame se poursuivit jusqu'au bout. Le 30 mai 1431, le bûcher s'allumait sur la place du Vieux Marché.

Ces flammes qui ajoutaient la gloire du martyre à la couronne déjà légendaire de la Libératrice, Gilles n'en vit pas la splendeur tragique. Elles furent pour lui la chute verticale au fond des abîmes dont Jeanne l'avait tiré. Brûlée comme sorcière, celle qu'il croyait fille de Dieu même? Celle qu'il avait presque adorée? Ainsi donc, le rêve n'était qu'un rêve, l'ange une illusion? Il n'y avait sur terre que boue, lucre, immondices. Le ciel était trop haut, nul ne pouvait y atteindre. Seul, le diable se laissait toucher, parfois... Tournant le dos au paradis, Gilles, par désespoir autant que par déception, se dirigea résolument vers l'Enfer.

Des jours noirs, lourds d'angoisse, coulaient pour Catherine derrière les murs de Champtocé. Gilles était revenu mais, dans cet être sombre, avide de plaisirs et de jouissances, dépensant follement son immense fortune, elle ne parvenait plus à le reconnaître. D'ailleurs, il ne semblait même pas la voir, la traitait presque en étrangère, ne regardait jamais sa fille.

Autour de lui se pressait une troupe d'hommes violents et cruels : Gilles de Sillé, cousin de Catherine, Roger de Briqueville, le jeune et trop beau Etienne Corrillaut. Des orgies se déroulaient à peu près chaque nuit dans la Tour Noire, dont parfois le silence nocturne apportait quelques échos jusqu'à la chambre où Catherine veillait sa fille.

Anne de Sillé était morte, le vieux Jean de Craon déclinait. Et, dans les pays, les gens chuchotaient à mots couverts, en regardant avec angoisse les tours muettes du château. Des enfants, pour la plupart de jeunes garçons, disparaissaient. On les voyait, un jour, en compagnie de l'un des hommes de Gilles et puis on ne les revoyait plus. Ou bien l'un des compagnons, Sillé ou Briqueville, venait chez les parents d'un garçon particulièrement beau, donnait des pièces d'or pour qu'on lui confiât l'enfant afin d'en faire un page. Et puis les nouvelles se faisaient rares. L'enfant, quand on s'enquerrait de lui était à Tiffauges, ou à Machecoul, ou à Saint-Etienne-de-mer-Morte, ou dans n'importe quel autre des nombreux châteaux de Gilles.

Le faste de celui-ci croissait sans cesse. Nul n'avait de serviteurs plus somptueux, une maison mieux montée. Il s'était créé une chapelle de petits chanteurs dont les voix, pures et choisies avec soin, étaient un régal pour les oreilles. La passion de Gilles pour la beauté, les choses harmonieuses et l'art semblait aller grandissant. Pour une belle reliure, pour une tapisserie parfaite, il donnait une fortune. Nul n'était plus fastueusement généreux, nul n'avait plus de goût que ce guerrier.

Le 15 novembre 1432 mourut Jean de Craon. Et là, un fait frappa Catherine. Lui qui avait aimé Gilles plus que tout au monde, qui l'avait élevé, qui en avait fait, malheureusement, ce qu'il était en lui insufflant l'esprit de lucre, la cruauté, l'orgueil sans frein, refusa à l'heure dernière de voir son petits-fils. Et ce fut à l'autre, au dédaigné, à celui qu'on ne voyait jamais, à René de la Suze enfin, que le vieux chevalier laissa son épée. Catherine, qui passa agenouillée de longues heures auprès du lit où agonisait le vieux seigneur-forban, ne comprit pas non plus pourquoi, lorsque l'on parlait de Gilles, une telle épouvante s'allumait dans son regard ni pourquoi il avait ce geste dérisoire de repousser loin de lui une vision atroce... Le vieux Jean de Craon emporta son secret dans la tombe. Mais ce secret, Catherine allait le découvrir une nuit, par hasard.

C'était une nuit d'hiver où la plainte du vent tourbillonnait sans arrêt autour du donjon. On avait dû descendre les flammes de soie qui, ordinairement, couronnaient chaque tour car la tempête les arrachait les unes après les autres. Quelques tuiles s'envolaient des toits, tombant dans la cour avec fracas. Dans sa chambre, Catherine, enfermée avec ses femmes, ne savait comment calmer Marie qui hurlait. L'enfant avait peut-être peur mais surtout elle avait de la fièvre. Très rouge, elle toussait sans cesse et Catherine ne pouvait plus contenir son angoisse. A trois ans, Marie était faible et de petite constitution.

Le mire du château était mort deux jours plus tôt. Catherine ne savait plus à quel saint se vouer quand elle se souvint des hommes que Gilles faisait venir auprès de lui à grands frais et qui, pour lui, s'occupaient d'alchimie, sa dernière passion. Certains se disaient médecins, savants en toutes sortes de choses. Peut-être l'un d'eux pourrait-il guérir Marie...

Forte de cette idée, Catherine jeta une mante sur sa robe de nuit pour se préserver du froid glacial, dans les couloirs du château, et, un flambeau à la main, se dirigea vers les appartements de son mari, refusant la compagnie d'une servante. Elle savait que Gilles ne voulait pas la voir rôder dans cette partie de la maison après la chute du jour mais ce soir l'état de Marie lui donnait tous les courages, même celui de braver la colère de son redoutable époux.

Derrière la porte de Gilles, elle s'arrêta, écouta. Un tintamarre infernal se faisait entendre derrière l'épais vantail de bois : des chants, des rires... et aussi des cris aigus, affreux. Elle frappa cependant, mais le vacarme était tel qu'on ne l'entendit pas. Alors elle ouvrit, écarta doucement le vantail, recula d'épouvante, soudain vidée de son sang.

La scène d'orgie qui se dévoilait sous ses yeux était de nature si infâme qu'elle ne peut être rapportée. Mais le centre en était un enfant qui, étendu sur la table, le ventre ouvert d'un coup de dague, agonisait en pousant d'atroces gémissements. Il y avait du sang partout.

Terrifiée, Catherine poussa un cri et, sans songer à refermer la porte, s'enfuit, les deux mains sur les oreilles. Elle savait maintenant à quoi son mari passait ses nuits!

Prendre sa fille dans ses bras et s'enfuir du château maudit fut sa première réaction, mais pouvait-elle emporter dans la tempête une enfant malade? Elle demeura jusqu'au jour agenouillée au pied du lit de sa fille, priant et pleurant toutes les larmes de son corps.

Au matin, Marie allait mieux. Mais, par ordre de Gilles, Roger de Briqueville vint signifier à Catherine d'avoir à faire préparer ses coffres. Elle devait aller vivre dorénavant à Pouzauges avec ses femmes et sa fille. Sans protester, recrue d'horreur et le cœur brisé, elle obéit, quitta Champtocé pour n'y plus revenir. Elle ne devait revoir Gilles qu'une seule fois, dans de tragiques circonstances.

Le temps passa. Installée à Pouzauges, Catherine n'avait plus de nouvelles de son mari que de loin en loin, toujours plus alarmantes. Il se ruinait peu à peu en fantaisies folles, vendant ses domaines les uns après les autres. Champtocé lui-même, le magnifique domaine, était vendu, Gilles résidait maintenant à Tiffauges et toujours la même rumeur se levait sur ses pas. Là où il était, les enfants disparaissaient. Catherine et la famille de Gilles durent lutter pour sauvegarder une partie du patrimoine.

Et puis, le 15 septembre 1440, le drame éclata. Ce jour-là se présentèrent au portail du château de Machecoul des hommes du duc de Bretagne ayant à leur tête le capitaine d'armes Jean Labbé, assisté du notaire Robin Guillaumet, agissant au nom de l'évêque-chancelier Jean de Malestroit. Gilles de Rais était arrêté.

Le procès qui s'ouvrit à Nantes découvrit un monde d'horreur. Quelque trois cents enfants avaient été tués par Gilles, dont les derniers avaient été sacrifiés au cours d'évocation du Diable. Les juges, peu sensibles cependant à cette rude époque, virent défiler devant eux la lamentable cohorte des parents des petites victimes, dont la peur ne nouait plus la langue. Tout fut découvert des orgies nocturnes, des affreuses débauches dans lesquelles Gilles se vautrait avec délices. Avec lui, un Italien du nom de François Prelati, qui l'avait berné durant des mois avec ses invocations diaboliques, avait été arrêté et plusieurs autres complices.

Gilles nia d'abord, opposa son orgueil, son mépris même à ses accusateurs. Mais, quand on l'eut excommunié, il abandonna. Son revirement fut éclatant, démesuré comme tout ce qui venait de lui. Il avoua tout et, au milieu d'un torrent de larmes, demanda pardon à tous ceux qu'il avait fait souffrir. Et ce repentir était si sincère, si visiblement venu du tréfonds de l'âme, que le jour de sa mort, ceux qui prièrent pour lui avec le plus de ferveur furent ceux-là même dont il avait tué les enfants.

Le 26 octobre 1440, Gilles de Rais et deux de ses complices étaient menés au supplice. Une immense procession à laquelle participèrent toute la ville, le clergé, les notables et Catherine elle-même, toute vêtue de blanc à la demande de Gilles qui avait imploré son pardon à elle aussi, mena les condamnés vers le lieu du supplice. Ce fut peut-être la plus grande heure de triomphe de Gilles de Rais, qui marcha à la mort en chantant des cantiques. On le pendit, puis le bûcher entassé sous la potence fut allumé. Gilles de Rais disparut dans les flammes.

Mais le corps fut retiré du brasier avant d'être consumé, remis à la famille qui l'enterra dans l'église de Notre-Dame du Mont Carmel à Nantes. Quant à Catherine, son cœur s'était complètement détaché de Gilles. L'horrible scène surprise à Champtocé avait tué en elle tout ce qui pouvait demeurer d'amour. Elle pria pour lui à l'heure de la mort mais le vit périr sans émotion. Peu de temps après d'ailleurs, elle épousait Jean de Vendôme...

LUDOVIC LE MORE
duc de Milan, le prisonnier de Loches

Le cachot était plus long que large, avec des voûtes basses et rondes. Il avait la forme d'un coffret mais ce n'était guère plus qu'un caveau où le jour ne pénétrait que par une étroite meurtrière ouverte au fond d'une sorte d'entonnoir creusé dans l'épaisseur du mur, un mur de plus d'un mètre d'épaisseur, et défendue par une double plantation de barreaux de fer épais d'un doigt. Par cette mince ouverture on pouvait apercevoir le doux ciel de Touraine mais pas la campagne; elle donnait sur un chemin de ronde...

Quand le prisonnier ouvrit les yeux, sur le lit qui occupait un coin du cachot, il gémit et se retourna vers le mur pour ne plus voir le décor sinistre. Ainsi, sa folle tentative de la veille, au lieu de lui ouvrir la liberté, n'avait fait que renforcer sa captivité. Cette prison, au lieu des deux pièces confortables qu'il avait la veille encore dans le donjon et d'où il pouvait voir la campagne environnante et les toits de la ville de Loches... Hier, il pouvait se promener dans l'enceinte de la forteresse, mais cette faveur lui serait sans doute refusée désormais. Il était condamné à pourrir dans cette geôle, lui dont la puissance et la richesse étaient si grandes quelques années plus tôt.

Péniblement Ludovic Sforza se leva, alla vers la table au centre sur laquelle on avait posé ses objets personnels et chercha son miroir cerclé d'argent. Mais la lumière était si faible qu'il fallut longtemps pour qu'il pût distinguer son propre visage, bouffi et mal rasé, aux traits empâtés par la mauvaise graisse.

La veille, profitant d'une charrette de foin entrée dans le château, il s'y était caché, avait réussi à passer les corps de garde. Mais, dans la campagne, il s'était perdu parce qu'il ne savait où aller. Son mauvais français et son accent italien avaient fait le reste. On l'avait repris, ramené au château et, cette fois, jeté dans ce cachot du Martelet, au fond des prisons qu'avait construites avec tant de soin le feu roi Louis XI. Le tenir au secret, désormais, et sous la plus étroite surveillance, tel était l'ordre qu'avait envoyé de Blois le roi Louis XII, son ennemi intime, l'homme qui, depuis la dernière bataille pour Novare, en 1500, tenait Milan et l'avait lui-même capturé, traîné de forteresse en forteresse, lui que tout un peuple à genoux acclamait naguère encore, lui le Sérénissime duc. Et il y avait six ans que ce supplice durait, six ans...

Lourdement, Ludovic Sforza alla jusqu'à la fenêtre, regarda le coin de ciel que l'on voyait, rayé de fer, s'appuya au mur. Les cris des hommes d'armes sur le rempart se répondaient d'une tour à l'autre mais, au pied des murailles une voix de femme s'éleva, une voix fraîche qui chantait :

Ma seule amour, ma joie et ma maîtresse
Puisqu'il me faut loin de vous demeurer
Je n'ai plus rien à me réconforter
Qu'un souvenir pour retenir liesse...

La voix était claire, un peu frêle et aigrelette, mais elle parut au prisonnier plus belle que tout ce qu'il avait entendu jusqu'ici. Une femme... une femme qui chantait. Il y avait si longtemps qu'il n'en avait approché une, lui qui les avait toujours tant aimées... Il ferma les yeux pour retrouver un court instant les visages charmants qui avaient embelli sa vie, qui, toujours, l'avaient entouré, comme une guirlande de fleurs et comme un rempart... C'était quand les femmes l'avaient abandonné que tout s'était mis à aller mal, mais il préférait penser à elles plutôt qu'à son duché perdu. Cela faisait moins souffrir. Il avait eu tant de peine à l'obtenir, le beau titre de duc de Milan, il avait fallu tant de soins, tant d'intrigues... tant de sang aussi, et, alors même qu'il pensait le tenir fermement, il s'était dissous entre ses mains comme une nuée ou comme une poignée de sable.

« Ma seule amour, ma joie et ma maîtresse... » chantonna le prisonnier, mais sa voix se brisa dans sa gorge. Jamais plus il ne pourrait chanter. Il retourna s'asseoir au bord du lit, la tête dans ses mains.

Le premier visage féminin qui se présenta était celui de sa mère. Beau et pur visage de femme empreint de douceur et d'énergie. Elle n'avait que seize ans, Bianca-Maria Visconti, quand elle avait épousé le condottiere Francesco Sforza, qui en avait quarante, et lui avait apporté le trône de Milan; mais elle l'avait adoré et, toujours, l'avait servi, soutenu. Elle lui avait donné sept enfants et avait accepté de bonne grâce les nombreux bâtards qu'il semait un peu partout. De ces enfants Ludovic était le cinquième, et le quatrième des fils.

C'était peut-être parce qu'à première vue rien ne l'appelait au trône qu'il avait été le favori de sa mère. Bianca-Maria aimait son esprit souple, sa culture, sa beauté aussi. Elle avait toujours eu toutes les indulgences pour ce plus jeune fils qui, auprès d'elle, se montrait si tendre quand les autres ne songeaient déjà qu'à se battre... Que d'heures elle avait passées à lisser les épais cheveux noirs de son fils. Elle aimait son visage brun aux yeux vifs, aux traits accusés, au grand nez busqué. Elle aimait aussi le regarder courir et jouer avec ses frères dans les jardins de Vigevano, heureux et insouciant comme on ne l'est qu'à cet âge, et elle l'appelait souvent pour qu'il vînt lui dire des vers, ou bavarder avec elle... en latin.

C'était le temps des jeux, des rires. On avait envoyé Ludovic en France avec son frère aîné Galéas pour parfaire son éducation à la Cour du fidèle ami de Francesco Sforza, le roi Louis XI.

Mais, dans la nuit du 8 mars 1466, Francesco Sforza mourait subitement et Bianca-Maria rappelait ses fils. Galéas devait monter sur le trône et ses frères prendre rang dans les princes italiens. Le malheur avait commencé à frapper.

Galéas était un prince raffiné, somptueux et élégant, intelligent aussi mais autoritaire et d'une folle cruauté. Le joug de sa mère n'avait guère tardé à lui peser et, peu après, Bianca-Maria mourait à Melegnano d'un mal mystérieux. On parla de poison à mots couverts et Ludovic pleura toutes les larmes de son corps. Il n'aimait guère son frère mais, après la mort de leur mère, il se mit à le haïr. D'autant plus que Galéas, peu désireux de voir ses frères se poser en concurrents possibles, se hâtait de les éloigner. C'est ainsi que Sforza-Maria prenait possession du duché de Bari, à l'autre bout de l'Italie, qu'Ascanio, qui était dans les ordres, s'installait au siège épiscopal de Pavie, que les autres retournaient en France où d'ailleurs ils devaient représenter leur frère au mariage par procuration qui allait le lier à la propre sœur de la reine de France, la blonde Bona de Savoie. On les vit à Amboise, le 10 mai 1468, couverts d'or et de pierreries, s'incliner devant la nouvelle duchesse.

Bona de Savoie était jeune et belle, mais Ludovic ne l'avait jamais beaucoup appréciée.

– Une sotte, disait-il à son confident, Galeazzo Sanseverino... Ses yeux bleus sont doux mais vides. Que son époux disparaisse et elle ne saura jamais garder Milan.

C'était une incontestable vérité mais tant que vécut Galéas, Bona n'eut rien d'autre à faire qu'être une bonne épouse, toujours aimable, qui évitait soigneusement de contrarier son époux, même quand il l'entourait de soins. Galéas couvrait Milan de bâtiments et d'échafauds, donnait des fêtes brillantes et ordonnait de barbares exécutions. Par ses ordres un malheureux paysan qui avait braconné un lièvre sur ses terres fut condamné à le manger tout entier, tel quel, avec la peau... et en mourut. Un prêtre fut enterré vivant avec le cadavre d'un homme qu'il avait refusé d'administrer. D'autres victimes furent livrées aux chiens. Milan frémissait mais ne disait rien. Ludovic regardait...

Le chemin du trône se déblayait singulièrement devant lui, tout à coup. Le lendemain de Noël 1476, le duc Galéas fut assassiné par trois fanatiques comme il se rendait à l'église Saint-Etienne pour entendre la messe. Il laissait un fils, le petit Jean-Galéas, âgé de huit ans, aux mains de Bona éplorée. Mais celle-ci, nature faible et influençable, laissait tout pouvoir au vieux chancelier de son époux, Cicco Simonetta qui, sage et prudent, voulut renvoyer les frères loin de Milan. Sforza-Maria retourna à Bari, Ludovic fut exilé à Pise, Ascanio à Pérouse, Tristan en France et Ottavio aussi. Mais à nouveau la mort faucha : Ottavio se noya dans l'Adda; Sforza-Maria mourut de maladie; Ascanio, étant d'Eglise, n'était pas gênant. Au mépris de l'exil, Ludovic revint en cachette à Milan. Un complice lui ouvrit le château et la porte du jardin de la duchesse où Bona se promenait. En le voyant, elle sursauta :

– Vous ici? Comment êtes-vous entré?

Il mit le genou en terre et leva sur elle un regard caressant :

– Madame et ma sœur, en grâce je vous supplie de m'écouter. Si j'ai bravé vos défenses, c'était par tendresse fraternelle... Je ne peux plus supporter de vous savoir ici, seule, livrée à des hommes sans scrupules qui vous pillent et vous volent, qui détournent de vous votre propre famille, vos soutiens naturels et ceux de votre fils, notre jeune duc...

– De qui voulez-vous parler? Qui sont ces serviteurs infidèles? Vous ne songez pas, je pense, à notre cher et sage Cicco...

– Justement si, Madame, j'y songe. C'est un vieux filou et je vous le prouverai en temps voulu. Mais je vous en conjure, laissez-moi revenir auprès de vous, rendez-moi votre confiance... et votre amitié. Ne savez-vous pas que je vous ai toujours beaucoup aimée?

Ludovic, quand il le voulait, savait charmer. Sa voix prenait des inflexions basses, profondes, qui troublaient les femmes en même temps que le regard hardi de ses yeux noirs les envoûtait. Bona n'échappa pas au sortilège. Elle tendit au jeune homme sa main chargée de bagues étincelantes :

– Oublions le passé, mon frère, et vivons en bonne intelligence. Mais je ne vous tiens pas quitte envers Cicco. Pour accuser il faut des preuves.

– Vous en aurez, promit-il en baisant le bas de la robe de brocart argenté de la duchesse.

Il apporta, en effet, des aveux complets, mais n'ajouta pas que le vieux Cicco, enlevé par ses soins et longuement torturé, n'avait guère été en état de lui résister. Bona, sans songer même à s'informer, signa l'arrêt de mort de son plus fidèle serviteur. Cicco Simonetta fut décapité. Celui-ci, en apprenant la réconciliation de Bona et de Ludovic, avait deviné ce qui allait suivre.

– Duchesse Illustrissime, avait-il prophétisé, je perdrai sans doute la tête mais vous perdrez la régence...

Le vieux Cicco dans sa sagesse avait vu juste. L'étape suivante que Ludovic se proposait de franchir était l'élimination pure et simple de Bona et, pour cela, il avait un moyen tout trouvé.

Bona, jeune et influençable, avait subi le charme d'un beau sculpteur, Antonio Tassino, vaniteux et fat, qu'elle couvrait d'or et de brocarts et dont elle avait fait son amant. Un amant singulièrement arrogant qui osa, un jour, faire faire antichambre au redoutable duc de Bari – Ludovic avait, en effet, recueilli l'héritage de son frère Sforza-Maria et était devenu duc de Bari. C'était une lourde erreur : Ludovic gouvernait maintenant la ville à la place de Cicco. Le beau sculpteur s'étant permis de remettre une des portes de la ville à un sien parent, Ludovic ne laissa pas passer l'occasion; il l'exila. Tassino fut conduit aux frontières.

Bona, folle de douleur, vint se traîner à ses pieds.

– Ne me l'enlevez pas... Son crime peut se racheter. Sans lui, je ne saurais vivre.

– Nul ne vous défend de vivre avec lui, ma chère sœur. Je ne peux le rappeler à Milan... mais rien ne vous empêche de le suivre. Ne savez-vous pas que je veillerai sur votre fils comme sur mon propre enfant? Pourquoi renonceriez-vous à être heureuse? Partez...

Bona ne se le fit pas répéter. Elle quitta Milan aussitôt sans se rendre compte, la folle, qu'elle se fermait ainsi le chemin du retour. Une duchesse qui oublie ses devoirs au point de courir après son amant ne peut assumer la régence. D'ailleurs, arrivée à Abbiategrasso, elle trouva une troupe armée qui lui fit comprendre que le voyage était fini : on l'enferma au château d'où elle ne devait plus sortir.

La régence était enfin aux mains de Ludovic. S'il ne tenait pas encore la couronne, du moins tenait-il Milan.

Ce fut à cette époque que l'amour entra vraiment dans la vie de Ludovic. En l'an 1480, il rencontra Cécilia Gallerani. Elle était la plus belle fille de Milan, la plus savante aussi. Une âme de poète dans un corps de nymphe. Celui que l'on appelait maintenant Ludovic le More, moins à cause de son teint basané qu'en raison de ses armoiries qui portaient un mûrier – moro en italien –, s'enflamma subitement la toute première fois qu'il la vît...

Elle se tenait parmi les dames de la noblesse, dans la tribune qui avait été dressée pour elles dans la cathédrale de Milan. Sous leurs yeux se déroulaient les fastes du couronnement du jeune duc Jean-Galéas, dans le flamboiement des cierges et des chapes tissées d'or. Escorté par l'appel vibrant des longues trompettes d'argent, environné des nuages de l'encens, l'enfant ducal, son oncle à ses côtés, s'avançait dans la nef, titubant presque sous le poids des robes et du manteau de velours blanc brodé d'or et d'argent.

Ludovic, grave, impassible en apparence, marchait, les yeux fixés sur le maître-autel au pied duquel attendait l'archevêque, autrement dit son jeune frère Ascanio. Il ne pensait à rien, sinon qu'un jour, il en était certain, une cérémonie semblable se déroulerait dont il serait le héros... Mais soudain, comme attiré par un aimant, il tourna la tête. Son regard se fixa sur un étroit visage aux yeux immenses et ardents qu'enchâssaient comme un écrin des bandeaux noirs et luisants où scintillaient des pierreries. Il vit deux lèvres minces mais rouges qui lui souriaient et frémit des pieds à la tête.

De tout le reste du couronnement il ne vit rien, se contentant de désigner la belle inconnue à son poète favori, Bernardo Bellincioni. Celui-ci sourit :

– Elle se nomme Cécilia Gallerani, Monseigneur... On la dit secrètement éprise de Votre Grâce... Elle fait de fort jolis vers.

– C'est toi qui vas en faire, et vite... et des meilleurs. Regarde-la bien et tâche de peindre ce que j'éprouve avec les plus vives couleurs de la passion.

Bernado s'inclina en souriant :

– Monseigneur peut me faire confiance. Monseigneur sera satisfait.

Le soir même, en effet, la belle Cécilia trouvait dans sa chambre un sonnet et un bouquet de diamants dans un écrin de velours. Le sonnet implorait un rendez-vous pour le lendemain.

Bellincioni n'avait pas menti en disant que Cécilia était éprise de Ludovic en secret. Elle l'avait aimé de loin, sans oser tenter de l'approcher, mais puisqu'il la demandait, la jeune fille n'eut pas le courage de lui résister longtemps. Huit jours plus tard, à la nuit close, le poète Bellincioni introduisait secrètement la belle poétesse dans les appartements privés du régent.

Ce ne fut pas une passade. Ludovic le More était réellement tombé amoureux fou de Cécilia. La possession ne fit qu'augmenter cet amour et, deux ans plus tard, il faisait prier le maître de Florence, Laurent de Médicis, de lui envoyer l'un des excellents peintres dont sa ville était riche. Laurent le Magnifique lui envoya un peintre inconnu qui se doublait d'un habile ingénieur et qui savait faire toutes choses au monde. C'était un homme grand et majestueux, d'une extraordinaire beauté physique et dont le regard semblait toujours aller au delà des choses humaines. Il se nommait Léonard de Vinci...

Ludovic l'installa à Milan et lui confia, en tout premier lieu, le portrait de sa bien-aimée(1). Il nageait en plein bonheur, coulant des jours passionnants, consacrés à l'embellissement de Milan et à l'enrichissement de ses collections, des nuits passionnées dans les bras de Cécilia. Le peintre devint son ami, son serviteur le plus fidèle car son génie universel le rendait apte à tous les travaux. Ensemble ils strièrent la campagne de canaux d'irrigation qui lui donnèrent une extraordinaire fertilité. Et le temps passait, merveilleux et doux...

Vint celui où il fallut marier le jeune duc. Celui-ci avait, à l'instigation de son oncle, pris des goûts de vie violente et débauchée. Il ne s'intéressait pas aux affaires de l'Etat mais le peuple l'aimait et Ludovic n'avait pas osé le supprimer. Il fallait lui trouver une épouse.

En janvier 1489, Jean-Galéas épousait Isabelle d'Aragon, la petite-fille du roi de Naples. C'était une jolie fille, longue et souple comme une liane, avec un visage triangulaire sous de magnifiques cheveux blond foncé, des yeux graves. Mais quand ces yeux-là rencontrèrent ceux de Ludovic, il éprouva la désagréable sensation que cette jeune fille ne serait jamais son amie. Elle était, dès l'abord, et il le sentait bien, une ennemie parce qu'il la sentait avide de pouvoir, énergique. S'il n'y prenait pas garde, cette Isabelle était de taille à secouer l'indolent Jean-Galéas et à l'obliger à prendre lui-même le pouvoir que détenait Ludovic.

Il songea alors à lui-même. Depuis 1480, il était théoriquement fiancé à la seconde fille du duc de Ferrare, la petite Béatrice d'Este, âgée alors de cinq ans. Elle devait avoir maintenant une quinzaine d'années et Ludovic pensa qu'il serait bon pour lui de fonder une famille. Il venait d'avoir quarante ans, il n'était que

(1) Ce portrait, *La dame à l'hermine,* se trouve à Cracovie dans la collection Czartorisky.

temps... et le regard d'Isabelle d'Aragon lui faisait comprendre que ce serait prudent.

Assis dans un grand fauteuil, le More regardait un buste de marbre posé sur une table devant lui et que le sculpteur venait tout juste de dévoiler. Il représentait une très jeune fille aux joues rondes, aux lèvres fortes et au petit nez pointu, avec des épaules étroites et une poitrine plate, mais avec un grand air de dignité, extraordinaire chez une enfant si jeune.

– Ainsi, fit enfin le duc de Bari, c'est là Madame Béatrice d'Este, ma fiancée? C'est un portrait fidèle que tu m'as fait là, Cristoforo?

Le sculpteur Cristoforo Romano s'inclina et sourit :

– Fidèle quant aux traits, Votre Grâce. Mais mon ciseau ne saurait rendre le charme et la gaieté qui se dégagent de la princesse. Elle semble être faite de vif-argent. Nul ne peut lui résister... Il faut la voir.

– Tu as peut-être raison car, telle que tu me la montres, elle semble seulement une gentille enfant... sans plus.

– Voyez-la, Monseigneur. Je jure que vous serez conquis.

– Je veux bien te croire.

Jetant une bourse d'or à l'artiste, il s'éloigna, appuyé sur l'épaule de son ami Galéas Sanseverino, qui était aussi son principal chef de guerre. Celui-ci, comme tous les soldats, avait son franc-parler :

– Si vous épousez Béatrice d'Este, qu'allez-vous faire de la belle Cécilia? Dès son arrivée ici, votre femme entendra parler d'elle par les bonnes langues de la ville.

– Aussi ai-je pris une décision, soupira Ludovic. Non sans peine d'ailleurs car il m'est pénible de la remettre à un mari, même factice. Mais il est impossible de faire autrement.

– Qui comptez-vous lui faire épouser?

– Le vieux comte Bergamini. Il fermera les yeux moyennant une forte somme en or. Car tu penses bien que je ne veux pas abandonner ma merveilleuse Cécilia pour cette gamine aux grosses joues.

Le 21 janvier 1490, Béatrice d'Este faisait à Milan sa joyeuse entrée et, à sa grande surprise, Ludovic le More s'éprit sur-le-champ de la « gamine aux grosses joues ». C'est que Cristoforo Romano n'avait pas menti. La pierre froide était incapable de rendre la vie intense qui se dégageait de cette fillette hardie et joyeuse. Elle était une flamme sans cesse en mouvement et il émanait d'elle, de ses vifs yeux noirs surtout, un charme irrésistible. Elle avait une manière à elle de regarder, avec un sourire mi-timide mi-moqueur, son imposant époux, éblouissant d'or et de pourpre, qui lui donnait envie tout à la fois de la battre et de l'embrasser.

Ils devaient s'entendre merveilleusement tous deux, aimant à un degré égal le faste et le pouvoir. Et si Béatrice n'avait pas la beauté de sa sœur, la belle et célèbre Isabelle d'Este, marquise de Mantoue, elle avait un appétit de vivre qui la rendait éblouissante, et une énergie qui débordait de son petit corps mince et vigoureux...

Mais elle était aussi terriblement jalouse et Ludovic n'allait pas tarder à s'en apercevoir.

– Cette femme est votre maîtresse! cria Béatrice en tapant du pied. Ne le niez pas, je le sais. De même que je sais que l'enfant qu'elle vient de mettre au monde est de vous.

Elle était rouge de colère et la résille d'or, ponctuée de rubis, qui était censée retenir ses épais cheveux, glissait dangereusement de côté.

– Béatrice, mon cœur, qu'allez-vous chercher là? fit

Ludovic d'un ton conciliant. Quelle idée! La comtesse Bergamini est mariée et le comte...

– ... est un vieux débris comme tout Milan le sait! Ne vous donnez pas la peine de mentir. Cela vous abaisse et me déplaît. Je vous dis que je sais. Je n'ai d'ailleurs pas l'intention de créer un scandale, mais je tiens à vous dire ceci : choisissez, Ludovic. Elle ou moi. Si vous continuez à voir cette femme, je retourne chez mon père et je demande au Saint-Père d'annuler notre mariage!

– Vous ne ferez pas cela. Vous savez bien que je vous aime... et que je n'aime que vous.

– Alors prouvez-le-moi en ne mettant plus les pieds au palais Bergamini.

Bon gré, mal gré, il fallut bien que le duc s'exécutât. Béatrice, il le savait, était fort capable de mettre sa menace à exécution. Il tenait à elle et ne voulait pas la perdre, surtout depuis qu'il savait qu'elle attendait un enfant. Si c'était un fils, un héritier, il pourrait, avec plus de chance, lutter contre le couple Galéas-Isabelle qui en avait un depuis quelques mois. Bientôt, il le savait, il faudrait lutter ouvertement ou presque contre le duc en titre car les relations se tendaient de plus en plus entre les deux couples. Et Béatrice y était pour une large part.

Elle connaissait Isabelle d'Aragon depuis longtemps, ayant vécu de nombreux mois à Naples dans son jeune âge. Mais, depuis qu'elles vivaient côte à côte, les deux jeunes femmes faisaient visiblement de gros efforts pour se supporter. L'orgueil de Béatrice souffrait de ne pas être la première dans la ville et Isabelle jalousait le faste et le luxe de Béatrice qui dépassaient de beaucoup le train, assez modeste, qui était le sien. Ludovic, s'il couvrait sa femme d'or et de pierreries, se montrait plutôt ladre quand il s'agissait du duc et de la duchesse de Milan. Et c'était lui qui tenait les cordons de la bourse.

Il leur avait assigné, comme résidence, le château de Pavie, à quelques kilomètres de Milan, alors que lui et Béatrice occupaient le grand château de Milan. Le jeune duc, personnellement, ne se plaignait pas. Il pouvait tout à son gré chasser, courir les filles, et n'en demandait pas plus. Mais la fierté d'Isabelle souffrait de plus en plus. De violentes altercations l'opposèrent à Ludovic, qu'elle accusait de vouloir éliminer son neveu, mais n'obtint d'autre résultat que de bonnes paroles et des protestations.

En désespoir de cause, elle porta ses plaintes à Naples où le redoutable roi Ferrante, son grand-père, reçut la lettre accusant Ludovic et réclamant justice.

Or, le roi Ferrante de Naples n'était pas homme à endurer aisément une offense faite aux siens et le duc de Bari savait qu'il serait sans doute obligé de faire face à une guerre si les choses ne s'arrangeaient pas. Il détestait la guerre. Pour l'éviter, il pensa que le mieux était de fournir une occupation sérieuse au roi de Naples.

Sur ses ordres, ses agents en France s'en allèrent rappeler au jeune roi Charles VIII les droits que ses ancêtres lui avaient légués sur le trône de Naples. L'astucieux Ludovic savait à qui il s'adressait. L'esprit farci de romans de chevalerie, le jeune Roi ne rêvait qu'expéditions lointaines, croisades et gloire militaire. Il fit savoir au duc de Bari qu'il partirait bientôt pour l'Italie afin de reprendre par les armes l'héritage ancestral.

Ludovic se frotta les mains et se crut sauvé, mais, auprès de lui, Béatrice ne désarmait pas.

— Il est malade, déjà... le faire mourir ne serait qu'un jeu. J'ai sous la main ce qu'il faut, chuchota la jeune femme.

Ludovic cessa un moment d'arpenter son grand cabinet et regarda sa femme. Elle se tenait debout auprès d'une fenêtre, toute droite dans une robe de velours brun ouverte sur un jupon de satin blanc brodé de grosses perles, assorties à celles qui ourlaient sa coiffure. Il lui sourit d'un air malheureux :

– J'ai peine à me résigner à ce geste, mon cœur... Je n'aime pas faire couler le sang.

– Quand on veut régner, on fait ce qu'il faut. Si vous étiez un homme, vous n'hésiteriez pas un instant. D'ailleurs, qui vous parle de faire couler le sang? Un poison rapide dans quelque fruit ou dans le vin... Il est ridicule que vous, qui avez la réalité du pouvoir, ne portiez pas le titre ducal!

Les premières fois que Béatrice avait abordé le sujet, Ludovic s'était défendu de l'écouter, il avait repoussé avec vigueur la proposition criminelle, mais la jeune femme le sentait faiblir à chaque fois et n'en revenait à la charge qu'avec plus d'âpreté. Elle finit par obtenir gain de cause.

En octobre 1494, le jeune duc Jean-Galéas mourait au château de Pavie. Il avait bu un verre de sirop que lui avait offert l'astrologue de Ludovic, Ambrogio da Rosate.

Le roi Charles VIII, aux pieds de qui Isabelle s'était jetée pour implorer son secours sans rien en obtenir, foulait le sol italien sous les pas de ses chevaux et marchait sur Rome où son approche frappait de terreur le pape Alexandre VI Borgia. Mais à Milan, les fêtes du couronnement de Ludovic et de Béatrice battaient leur plein. Comme l'avait espéré le More, le conseil de ville avait préféré lui remettre la couronne que vivre encore l'interminable minorité d'un duc enfant. A Pavie, Isabelle d'Aragon s'épuisait en larmes. Son époux était mort et une armée étrangère marchait contre les siens. Elle ignorait que dans les rangs de cette armée marchait celui qui serait son vengeur, celui qui n'était encore que le duc d'Orléans mais serait, un jour proche, le roi Louis XII.

Béatrice attendait un second enfant et cette attente était pénible. La jeune femme maigrissait, devenait irritable et s'emportait pour un rien. A mesure que son corps se déformait, son visage jaunissait, se creusait... Malgré les avis des médecins alarmés, elle refusait de renoncer à ses chasses et à ses promenades à cheval. Elle avait toujours été une intrépide amazone et montait à cheval bien mieux que son époux. Celui-ci, malgré son inquiétude, n'osait lui interdire ce dangereux plaisir qu'elle revendiquait avec hauteur.

L'amour de Ludovic pour sa femme était toujours aussi profond mais, pour le moment, manquait un peu d'aliments. Il aimait les femmes belles, rieuses, et Béatrice était juste le contraire durant cette attente.

C'est alors qu'il remarqua l'une des demoiselles d'honneur de sa femme dont la beauté rappelait un peu celle de Cécilia, devenue une amie de tout repos que même Béatrice avait fini par accepter. Elle se nommait Lucrézia Crivelli et le duc se mit à lui faire une cour pressante autant que discrète.

Tout d'abord Béatrice ne s'aperçut de rien. Lucrézia était sa favorite et elle la réclamait toujours auprès d'elle. Il était naturel, dans ce cas, que la jeune fille fût toujours entre elle et Ludovic. Et, tant que Ludovic n'en fut qu'aux travaux d'approche, Béatrice ne se douta de rien. Mais la belle Lucrézia n'avait aucunement l'intention de laisser attendre longtemps le puissant maître de Milan. Elle accepta et ses hommages et le petit palais qu'il lui offrit sur la place du Dôme. Bien entendu, les commères de Milan s'occupèrent d'elle...

On était le 2 janvier 1494 et une couche de neige épaisse couvrait Milan. Il faisait très froid. Les valets du château ne cessaient d'empiler d'énormes bûches dans les vastes cheminées et l'on avait tendu des tapisseries sur le moindre morceau de muraille pour garantir du froid les habitants. La duchesse Béatrice semblait ne jamais pouvoir se réchauffer ce jour-là.

Depuis le matin, elle arpentait sa chambre nerveusement, enveloppée d'une robe de drap vert entièrement fourrée de zibeline qui jaunissait encore son teint plombé et rendait énorme sa silhouette déformée par la grossesse presque à terme. Elle semblait aussi large que haute mais aucune de ses femmes ne se fût avisée de le lui dire.

Sombrement, au début de l'après-midi, elle avait regardé son mari quitter le château à cheval, suivi d'un seul écuyer, et sa naine Prisca, qui l'observait, l'avait vue se tordre les mains et mordre ses lèvres de rage. Une demi-heure plus tard, elle avait commandé sa litière et une forte escorte armée.

Sans vouloir s'expliquer, emmenant une seule dame d'honneur, elle s'était enveloppée d'une pelisse également fourrée de zibeline et avait pris place dans la litière.

— Nous allons place du Dôme, avait-elle dit au chef de l'escorte. Je vais rendre visite à donna Lucrézia Crivelli que l'on dit souffrante.

En effet, quelques minutes plus tard, la litière dorée s'arrêtait devant le palais de Lucrézia. Béatrice appela le commandant de son escorte.

— Entourez cette maison avec vos hommes et ne laissez sortir personne, même le duc. Vous m'en répondez sur votre tête!

Laissant l'homme pétrifié, Béatrice avait pénétré dans l'élégante demeure, appuyée sur sa dame d'honneur. Lucrézia, accourue, la reçut sur le palier du grand escalier de marbre, pliée en deux en une profonde révérence.

— Votre Grâce... Un tel honneur!

Béatrice, en constatant qu'elle était plus blanche que sa robe d'intérieur, sourit méchamment :

— On m'a dit que tu étais malade, je suis venue aux nouvelles... Et en même temps je voulais visiter ta nouvelle demeure. Tu es bien logée, il me semble. Montre-moi le chemin...

Visiblement, Lucrézia s'attendait à tout sauf à cette visite domiciliaire. Elle précéda sa maîtresse, plus morte que vive, sachant trop ce que cela signifiait. Ses domestiques lui avaient dit que sa maison était cernée et elle ne savait où cacher Ludovic. Elle l'avait, à tout hasard, enfermé dans sa garde-robe, au fond des toilettes heureusement encombrantes. Il avait presque aussi peur qu'elle.

Lentement, sans lui faire grâce d'un détail, Béatrice visita chaque pièce; elle commentait chaque chose, chaque peinture, le moindre objet, mais ce fut dans la chambre qu'elle s'attarda le plus. Sa main gantée de peau souple poussa négligemment une porte peinte où volaient des amours.

— Ta garde-robe, je suppose? Montre-moi tes robes. Tu sais combien j'adore les chiffons.

Lucrézia, mourante, dut s'appuyer à la tapisserie pour ne pas défaillir en voyant Béatrice ouvrir les coffres, sortir des robes. La duchesse cherchait quelqu'un et le visage de Lucrézia l'avait renseignée. Bientôt, elle eut une certitude. Sous une tapisserie, elle vit soudain dépasser le bout d'une botte de maroquin vert et se raidit... Au prix d'un violent effort sur elle-même, elle parvint à retenir le geste qui la poussait à écarter cette tapisserie mais son orgueil la sauva. Elle, Béatrice d'Este, ne pouvait s'abaisser à découvrir en flagrant délit le duc de Milan comme n'importe quel bourgeois!

D'un geste nerveux elle rejeta la robe qu'elle tenait.

– Rien de fort beau... Celui qui t'entretient est bien ladre... C'est misérable, ici...

Puis, sans un regard à la malheureuse Lucrézia écrasée, elle saisit le bras de sa suivante et sortit. Elle tremblait comme une feuille malgré ses fourrures.

Revenue dans sa litière, elle se fit conduire à Sainte Marie des Grâces. Elle avait besoin de prier pour se calmer et elle aimait cette église que venait de construire Bramante. Un long moment, elle pria dans le sanctuaire puis gagna le réfectoire du couvent. Sur un échafaudage, Léonard de Vinci travaillait à une grande fresque qui représentait la Sainte Cène...

– Ne bougez, messer Léonardo, lui dit-elle gracieusement tandis qu'il dégringolait en hâte et s'agenouillait devant elle. Je viens en voisine... laissez-moi seulement admirer.

– Un regard de Votre Grâce est à lui seul une précieuse récompense, fit le peintre avec respect.

– Je crains que vous ne me flattiez, messer... mais ceci est magnifique... vraiment très beau. J'aimerais être sûre d'en voir la fin...

D'un geste triste, elle ferma la bouche de Léonard qui allait protester :

– Non, ne dites rien... Je sais que je n'en ai pas pour longtemps. Je suis malade, mon ami... très malade. Dieu vous garde!

Figé de surprise et pris d'un sombre pressentiment, le grand peintre regarda s'éloigner la petite silhouette emmitouflée. La robe glissa dans l'ombre du cloître et disparut. Il ne devait jamais revoir Béatrice vivante.

Rentrée au palais, elle se coucha, prise de douleur. Quelques heures plus tard, devant Ludovic désespéré et bourrelé de remords, Béatrice mettait au monde un enfant mort et expirait.

Une larme coula sur la joue du prisonnier à l'évocation de ces heures cruelles. Il avait cru mourir de désespoir. Cette perte le laissait désarmé et, dans son esprit superstitieux, il avait eu le pressentiment que Béatrice avait emporté avec elle sa chance. Elle avait été son étoile...

Et, de fait, il en avait été ainsi. Tout avait été de mal en pis. Oh, pas tout de suite. Il avait connu quelques belles heures auprès de Lucrézia dont le génie de Léonard avait tiré un merveilleux portrait(1) mais plus rien n'avait été comme autrefois. Et l'orage grondait.

Le 7 avril 1498, le roi Charles VIII de France s'assommait à une porte trop basse au château d'Amboise et son cousin Louis d'Orléans montait sur le trône. Pour Ludovic, c'était une catastrophe. Le nouveau Roi le haïssait d'autant plus que, petit-fils d'une Visconti, il pouvait revendiquer le duché de Milan.

Ce fut ce qui se passa. En 1499, accompagnées de César Borgia, les armées de Louis XII descendaient en Italie, s'emparaient de Milan. Le duc dut s'enfuir emportant son trésor. Il alla chercher refuge en Autriche chez l'empereur Maximilien, qui avait épousé sa nièce, Bianca-Maria Sforza. L'exil fut bref. Les Milanais révoltés parvinrent à chasser les Français de la ville, Ludovic revint en triomphateur. Mais ce ne fut qu'un court répit. Les troupes françaises augmentées de Suisses étaient trop puissantes pour lui. Son armée se débanda devant Novare. Il tenta alors de fuir déguisé en Suisse, fut reconnu, livré à Louis XII.

Celui-ci fit enfermer en France, au château de Lys-Saint-Georges, en Berry, celui qu'il appelait avec mépris « signor Lodovico » tandis que son frère, le cardinal Ascanio, était incarcéré à Pierre-Encise.

(1) *La belle Ferronnière* qui est au Louvre.

Ludovic le More resta quatre ans en Berry. On le transféra ensuite à Loches où, après sa tentative d'évasion, il fut tenu au secret. Durant deux longues années, il devait occuper le caveau du Martelet, passant son temps à peindre sur les murs à l'aide de pinceaux et de couleurs qu'il avait obtenus. Il peignait ses armes, un casque et aussi une sorte de signature « Celuy qui n'est pas contan... » encore visible aujourd'hui.

Au bout de ces deux ans, apprenant que sa santé était délabrée, Louis XII le relâcha. Mais le superbe duc de Milan n'était plus qu'un vieillard rongé par la maladie. Lorsque s'ouvrirent les lourdes portes du château de Loches, et qu'il vit s'étendre devant lui l'air libre, le grand soleil, il tendit les mains comme s'il voulait étreindre tant de merveilles. Mais la joie fut trop forte pour son organisme usé. Il s'écroula, mort...

Le mariage de CÉSAR BORGIA

Le soleil se couchait dans une gloire rutilante qui faisait de la Vienne une rivière de flammes et rosissait les rudes murailles grises du château de Chinon ainsi que les hauts toits d'ardoise de la ville blottie à ses pieds. C'était l'un des premiers beaux jours, un jour du début de mai 1499, et la première chaleur du soleil avait répandu partout une sorte de douceur, une paix silencieuse qui semblait laisser choses et gens à l'écoute de la nature. Sur la rivière incendiée, les barques des pêcheurs glissaient sans bruit sous le cri des martins-pêcheurs ou le vol noir des hirondelles, et, dans le château qui paraissait sommeiller, on n'entendait que le choc sourd et rythmé de la hallebarde d'un homme de garde heurtant le pavé. Parfois, un dernier rayon de soleil allumait un éclair au casque d'un archer guettant au rempart. Tout était merveilleusement calme.

Pourtant, enfermé dans son appartement de la tour de Boissy, proche de la chapelle où pria Jeanne d'Arc, César Borgia semblait totalement indifférent à la paix ambiante. Entièrement vêtu de velours noir, à son habitude, il arpentait sa chambre de long en large sous les yeux inquiets de ses familiers, sans avoir soufflé mot depuis fort longtemps. Dans ses doigts, il roulait nerveusement la petite boule d'or emplie de parfum qui ne le quittait jamais. C'était une manie et, surtout lorsqu'une contrariété survenait, il malaxait indéfiniment cette boule dont les senteurs imprégnaient ses mains.

Autour de lui ses gens – Ramiro de Lorca, son majordome, Agapito, son secrétaire, et deux gentilshommes de sa suite : Jean-Jourdain Orsini et Bartolomeo Capranica – attendaient anxieusement l'explosion de colère qui couvait. Dans quelques instants, César allait saisir la première chose qui lui tomberait sous la main et la briser furieusement à ses pieds. Il y avait trop longtemps qu'il se taisait.

Déjà, il venait de s'arrêter auprès d'une table, se versait une coupe de vin d'Alicante, l'avalait d'un trait et crispait sa main sur la coupe, cherchant des yeux l'endroit où il allait l'envoyer se briser, quand des coups pressés retentirent sur la lourde porte de chêne. Sans même attendre la réponse, un homme hors d'haleine surgit comme une balle et vint tomber à genoux devant César.

– L'envoyé de Navarre vient d'arriver, Monseigneur! s'écria-t-il. Il apporte son consentement à votre mariage.

César reposa lentement la coupe qu'il tenait toujours, mais garda son air sévère :

– Comment sais-tu ce qu'il apporte?

Miguel Corella, que l'on appelait Micheletto, se releva et sourit. C'était un vilain sourire, fait exactement pour le visage ingrat et brutal de cet homme à tout faire. Nul n'ignorait que Micheletto était l'âme damnée de César, son exécuteur des basses œuvres, le confident de ses desseins les plus sombres :

– Il est bien facile de faire dire à un homme ce que l'on veut savoir. Il suffit de l'arrêter dans un endroit un peu écarté et d'employer certains arguments.

– Es-tu fou? Que lui as-tu fait? Ne sais-tu pas que nous ne sommes pas ici à Rome et que nous n'avons déjà pas trop bonne réputation?

Micheletto haussa les épaules avec une désinvolture qu'autorisait le genre de services qu'il rendait :

– Il est en bon état, rassurez-vous, Monseigneur. Je l'ai seulement prié très poliment, en appuyant la pointe de ma dague sur sa gorge, de me dire quel genre de nouvelles il apportait. Il paraît qu'elles sont bonnes et que nous allons être de noce. L'envoyé a seulement eu un peu peur. C'était un timoré, mais il ne racontera à personne sa petite mésaventure.

Un lent sourire éclaira enfin le visage sombre du nouveau duc de Valentinois. Revenant à la table, il remplit cette fois plusieurs coupes, en prit une, l'éleva et, se tournant vers les hommes qui l'entouraient, s'écria triomphalement :

– Venez, mes amis, et réjouissez-vous avec moi! Nous allons boire au prochain mariage de César Borgia avec la demoiselle d'Albret, la plus belle fille de France.

Ce n'était pas une mince victoire que celle qu'allait célébrer ainsi César. C'était, en fait, l'aboutissement d'une longue suite de manœuvres plus ou moins tortueuses, d'un patient jeu politique dans lequel s'étaient trouvés mêlés bien des intérêts supérieurs. Tout avait commencé moins d'un an plus tôt.

Les mœurs de l'Eglise étaient fort éloignées de ce qu'elles sont aujourd'hui. Second fils du pape Alexandre VI, César avait débuté dans l'existence par la carrière religieuse. Une carrière étrangement rapide et brillante : évêque de Pampelune à quinze ans, archevêque de Valence, en Espagne, à seize, il avait reçu la pourpre cardinalice à dix-sept, plus de nombreux autres bénéfices.

Mais la vie ecclésiastique, même telle qu'on la comprenait à Rome, c'est-à-dire complètement libre et fastueuse, ne satisfaisait pas César. Il rêvait de conquêtes, de gloire militaire, et se sentait l'étoffe d'un chef d'Etat. A cause de cela, il détestait mortellement son frère aîné, Juan, à qui le Pape avait remis le commandement des troupes pontificales, qu'il avait fait duc de Gandia, royalement marié en Espagne et couvert d'or et de bénéfices. Il le haïssait mais aussi le méprisait, parce que Juan n'était qu'un beau pantin vide, un superbe mannequin doré sur tranche, incapable d'utiliser les armes puissantes qui reposaient dans ses mains.

Les mauvaises langues ajoutaient également, mais tout bas, que la haine de César pour son frère trouvait aussi son origine dans l'amour hors nature que tous deux portaient à leur sœur Lucrèce. Sans doute, n'était-ce là qu'un potin particulièrement venimeux, mais le dénouement en devait être tragique. Un matin on avait retiré de l'eau boueuse du Tibre le cadavre de Juan Borgia percé de neuf blessures, et il n'y eut qu'une voix, dans Rome et l'Italie tout entière, pour accuser, sous le manteau bien entendu, le cardinal César du meurtre.

L'enquête, d'ailleurs, malgré la spectaculaire douleur du Pape, fut vite étouffée. Peu de temps après, César jetait sa soutane aux orties et obligeait son père à le rendre à la vie civile. Enfin, il allait pouvoir se tailler un royaume, mais pour cela, il lui fallait d'abord épouser une riche héritière.

Sur ces entrefaites, le roi de France Charles VIII mourut, à Amboise, en heurtant violemment son front contre une porte un peu trop basse, laissant veuve Anne, la belle duchesse de Bretagne. La couronne passa au duc d'Orléans, qui devint Louis XII. Celui-ci avait été marié, quelques années plus tôt et contre sa volonté, à Jeanne de France, la fille du terrible Louis XI, douce et sainte créature, mais contrefaite et laide plus qu'on ne saurait dire.

A peine sur le trône, Louis XII, depuis longtemps épris de la reine Anne, implora le Pape d'annuler un mariage qu'il jurait n'avoir jamais consommé. Alexandre VI, que les scrupules moraux ne gênaient guère, et son fils virent là l'occasion d'un fructueux marché. Le Pape accepterait de dissoudre le mariage du Roi et de Jeanne la Boiteuse, mais, en échange, il demandait, « pour son bien-aimé fils César », le duché de Valence en France, et la main d'une princesse royale.

Pour épouser Anne, Louis aurait vendu son âme au diable. Il accepta le marché, et César partit bientôt pour la France avec une suite d'une rare somptuosité... et la bulle d'annulation.

Il arriva à Chinon, où le Roi résidait pendant les travaux qu'il faisait faire à son château de Blois, peu avant Noël. Début janvier, Louis XII, après avoir relégué Jeanne dans un couvent, épousait Anne de Bretagne au son de toutes les cloches de Nantes. Il ne restait plus qu'à remplir envers César, déjà investi de son duché et du comté de Die en supplément, la deuxième clause du contrat : lui trouver une épouse royale. Ce fut moins facile. Aucune fille de France ne se souciait d'unir sa vie à un ancien prêtre soupçonné, par-dessus le marché, d'avoir assassiné son frère et d'être l'amant de sa sœur!

Pourtant, la politique, une fois de plus, devait entrer en jeu. Après avoir essuyé plusieurs refus, César venait de voir agréer par le régent de Navarre, Alain d'Albret, la demande en mariage qu'il lui avait adressée pour sa fille Charlotte, moyennant, bien entendu, certains avantages.

Tandis que tard dans la nuit, César et ses seigneurs, romains ou espagnols, fêtaient la bonne nouvelle, un messager couvert de poussière mettait pied à terre devant le portail du nouveau couvent de l'Annonciade à Bourges. L'heure était tardive, et il attendit longtemps avant de voir apparaître, derrière un petit guichet grillé, la figure effarée de la sœur tourière. Il ne lui laissa pas le temps d'ouvrir la bouche :

– Un message urgent de Sa Majesté pour Son Altesse Royale, Madame la duchesse de Berry.

Le ton était sans réplique, et, d'ailleurs, à la lueur de sa chandelle, la tourière pouvait distinguer, sur la poitrine de l'homme, les armes royales. Elle ouvrit donc aussitôt et courut prévenir la mère supérieure, Mme Jeanne de France, à qui son ex-époux avait accordé ce titre de duchesse de Berry. Un moment plus tard, le messager ployait le genou devant la Reine répudiée et lui tendait un rouleau de parchemin d'où pendait un grand sceau rouge au bout d'un ruban.

Sans un mot, la princesse parcourut la lettre, puis elle regarda l'homme à ses pieds.

– C'est bien! dit-elle seulement. Le Roi sera obéi.

Se tournant vers la vieille religieuse qui avait introduit près d'elle le messager, elle ajouta :

– Veillez, ma sœur, à ce que cet homme reçoive aux cuisines ce dont il aura besoin, et prévenez ma cousine Charlotte que je l'attends ici.

Le messager se retira à reculons dans un profond salut, la religieuse sur ses talons, et Jeanne demeura seule. Avec lassitude, elle appuya sa tête voilée de noir au dossier raide de son haut fauteuil. Ses yeux, rougis par les veilles et les larmes, allèrent chercher sur le mur de pierre nue le grand crucifix de bois sombre. Ce qu'elle devait annoncer à Charlotte n'était qu'une étape de plus de son calvaire personnel.

Un léger grattement à la porte la tira de sa douloureuse méditation. Une grande fille brune, dont les longs cheveux noirs tombaient presque jusqu'à l'ourlet de sa robe de chambre de velours grenat, venait d'entrer. Jeanne de France tendit la main vers elle et dit avec douceur :

— Venez ici, mon enfant. Je viens de recevoir pour vous d'importantes nouvelles. Le régent de Navarre, votre père, vient d'accorder son autorisation à votre mariage avec le seigneur, duc de Valentinois. Il vous faut retourner sans délai à Chinon, où la Reine vous attend.

Immédiatement, la jeune fille fut à genoux sur le dallage, près du fauteuil de la princesse.

— Madame, laissez-moi rester auprès de vous. Dites au Roi que je souhaite me consacrer à Dieu; que je veux, avec vous, entrer en ce couvent. Dites tout ce qu'il faudra, mais pour rien au monde je ne pourrai me résoudre à ce mariage.

L'angoisse et les larmes enrouaient sa voix et, déjà, elle posait sur les genoux de Jeanne ses mains suppliantes, mais la princesse secoua la tête tristement :

— Il le faut pourtant, Charlotte. Votre père consent et le Roi le veut. Vous ne pouvez qu'obéir.

— C'est impossible, Madame, impossible! Le Roi ne peut pas vouloir que j'épouse cet homme, ce monstre qui a tué son frère, qui a été cause de votre malheur.

— N'exagérons rien! Monseigneur de Borgia n'a rien fait d'autre qu'apporter la bulle du Saint Père. Si ce n'eût été lui, un autre s'en fût chargé. Vous ne devez pas lui en tenir rigueur.

— Le Saint Père, fit Charlotte amèrement, qui traite de cette manière la reine de France!

— C'était sans doute la volonté de Dieu, ma fille; comme c'est encore cette volonté qui va vous unir au seigneur de Valentinois.

Charlotte s'était relevée et fixait la princesse de ses grands yeux gris clair sous leurs épais cils noirs. Elle aimait profondément la douce infirme auprès de qui elle avait toujours trouvé bonté et compréhension depuis que son père l'avait envoyée s'initier aux grandes manières à la Cour de France. Fille d'honneur de la reine Anne, elle avait toujours été attirée par l'épouse de Louis d'Orléans, dont la sainteté évidente séduisait son esprit un peu mystique. Son sang navarrais bouillait dans ses veines en considérant l'ingrat visage aux yeux rougis, plus menu et plus jaune encore au voisinage de la guimpe de toile blanche qui l'enserrait. Avec quelle joie eût-elle tordu le cou du roi Louis, de la reine Anne et même du Pape qui étaient cause de son malheur...

– Pourquoi devrais-je m'incliner? répliqua-t-elle. Mon amie Charlotte d'Aragon a très bien su refuser la main du seigneur César... et avec quelle insolence. Elle répétait partout qu'elle ne voulait pas être appelée « la cardinale ». Moi non plus je ne veux pas que l'on me nomme ainsi.

Un léger sourire détendit les traits fatigués de Jeanne :

– Le roi Frédéric, son père, dont la ville de Naples est voisine des états du Pape, a toutes sortes de bonnes raisons pour décliner cet honneur, dangereux pour lui. Charlotte pouvait donc compter sur son appui pour motiver son refus. Mais je crois, moi, qu'elle se fût montrée moins... intransigeante si elle n'avait été fort éprise du jeune Guy de Laval. Le seigneur Borgia est fort beau. Rappelez-vous comme il avait bon air au jour de son entrée à Chinon. Et quel prince fastueux! Les bonnes gens ont cru un moment, en le voyant passer, à une ambassade du Grand Turc. Jamais on ne vit tant de pierreries sur un seul homme.

– Il y en avait même beaucoup trop! Cela sentait

son parvenu. Rappelez-vous, Altesse, tous ces mulets chargés de brocarts et d'or et tous ces serviteurs, ménestrels, tambourinaires, trompettes, valets de chiens et d'écurie, tous ces pages rutilants d'or frisé et de pierres colorées. Et le seigneur César lui-même, tout bardé de cordons d'or et de pierreries, avait l'air d'une châsse sur son brancard. Il brillait comme une lanterne.

Cette fois la princesse se mit à rire franchement :

– Soyez indulgente, Charlotte! Je reconnais que le duc était un peu trop doré pour notre goût français, mais c'était manière d'honorer notre Roi. Vous ne pouvez pas juger en pleine liberté d'esprit votre futur époux. Vous ne l'avez encore jamais rencontré.

Brusquement, Charlotte rougit jusqu'aux oreilles et s'écarta un peu du flambeau qui brûlait près de la princesse pour dissimuler dans l'ombre cette rougeur inattendue. Il n'était pas possible de raconter à la pieuse, à la pure et sainte Jeanne ce qui s'était passé un soir de février dans l'enceinte du château de Loches, entre l'église Saint-Ours et le logis du roi...

Anne de Bretagne, étant redevenue reine de France depuis environ un mois, avait repris les travaux de son oratoire dans le grand logis du château de Loches. Charlotte, elle, avait repris son service de demoiselle d'honneur auprès d'elle sans excessif enthousiasme... La reine Anne était jeune et belle mais sévère, et elle tenait ses filles d'honneur dans une étroite surveillance. C'est ainsi qu'aucune ne pouvait sortir du château sauf pour se rendre à l'église toute proche, et encore sous la surveillance de dames plus âgées.

Ce soir-là, Charlotte s'était attardée, après le salut, dans la crypte de l'église. Elle aimait y rester un moment, quand la nuit était tombée, parce qu'elle appréciait l'atmosphère un peu mystérieuse que dispensaient les rares lampes à huile brillant entre les lourds piliers de pierre, bas et frustement taillés. Les autres filles d'honneur étaient déjà parties, heureuses de retrouver le brillant éclairage et la chaleur du château, oubliant Charlotte, agenouillée devant l'autel.

La prière de la jeune fille devait être particulièrement fervente, car elle ne prit pas garde au temps qui passait. Quand le bedeau entra pour fermer les portes, il trouva Charlotte toujours à la même place et vint lui toucher l'épaule :

– Il est tard, Demoiselle... Je dois fermer l'église.

– Je pars. Excusez-moi, brave homme.

Aussitôt elle se leva, rabattit sur sa tête le capuchon de sa mante et sortit de l'église. La nuit était noire, sous le porche qu'éclairait seulement une torche de résine, et le vent soufflait fort, balayant le jardin entre la collégiale et le logis du roi dont on voyait rutiler les vitres de couleur. Le chemin semblait désert, et Charlotte pouvait voir briller les armures des gardes à la porte du palais. Resserrant son manteau autour d'elle pour se défendre du vent froid, elle se mit à courir le long des allées sablées contournant les plates-bandes rectilignes et bien rangées. Elle allait aussi vite que ses pieds pouvaient le faire, inquiète quant à l'accueil de la Reine, baissant la tête pour éviter la morsure de la bise. Elle ne vit pas deux hommes masqués qui venaient à sa rencontre. Quand elle heurta, en aveugle, le plus grand d'entre eux, elle poussa un cri et serait tombée si l'inconnu ne l'avait retenue d'une main ferme :

– Eh là, ma belle! Où donc courez-vous si vite?

La voix était dominatrice, distinguée, mais fortement teintée d'accent étranger, et Charlotte ne sut pas lui donner un nom. L'homme était grand, solidement découplé, et sa personne répandait un parfum étrange et fort, très musqué, trop grisant pour un homme; mais il ne la lâchait pas et, au contraire, semblait resserrer l'étreinte de ses mains.

– Laissez-moi, je vous prie, Messire. Je suis l'une des filles d'honneur de la Reine et mon service me réclame. Je suis déjà en retard.

Elle fit un effort pour se dégager, mais il ne la lâcha toujours pas :

– Une fille d'honneur? Comme c'est intéressant! Toutes les filles de la reine Anne sont jolies, à ce qu'on dit, et certaines sont ravissantes. D'où veniez-vous donc, ma belle, pour être ainsi en retard?

– De l'église où je me suis attardée. Laissez-moi, Messire, par pitié...

– Allons, allons, ne soyez pas si impatiente. Si vous êtes déjà en retard, un peu plus un peu moins... La Reine respecte trop l'église pour vous en vouloir... et moi...

– Mais que me voulez-vous à la fin? s'écria Charlotte, qui perdait patience.

– Presque rien! Voir votre visage! A votre voix, je le devine miraculeux et je ne laisse jamais échapper une femme quand le ciel l'envoie tout droit dans mes bras, comme ce soir. Micheletto, va me chercher la torche qui brûle sous le porche!

– Comment osez-vous?

De fureur, elle faillit s'étrangler. Mais elle savait à qui elle avait affaire. Le nom de Micheletto, que toute la Cour considérait à peu près comme Satan lui-même, le lui avait appris.

Le spadassin était parti en courant et revenait déjà, secouant la torche qui jetait des étincelles. Il l'approcha du groupe que formaient l'homme et la jeune fille. César la lui prit d'une main, tout en maintenant toujours Charlotte de l'autre. Elle gémit parce que les doigts durs meurtrissaient son bras. Un instant, il contempla, en silence, le ravissant visage rougissant dont les grands yeux se baissaient sous son regard ardent, derrière les trous du masque de velours noir qui couvrait tout le haut du visage.

– J'avais raison, dit-il gravement au bout d'un moment. Vous êtes très belle! On ne doit pas pouvoir oublier un visage comme le vôtre, Damoiselle.

– Maintenant que vous avez satisfaction, laissez-moi aller, Seigneur, je vous en conjure.

Elle le regardait droit dans les yeux, redressant fièrement sa tête fine, dont le béguin serti de perles brillait sous le capuchon fourré. Mais il secoua la tête et elle vit luire ses fortes dents, très blanches, entre les lèvres rouges.

– Pas encore. Il vous faut payer votre liberté, ma belle. Un baiser me semble une juste rétribution. C'est bien peu de chose.

– Pas pour une princesse royale, Messire, et vous passez les bornes. Je vous ordonne maintenant de me laisser aller. Vous entendez, c'est un ordre.

Le rire de César résonna, sardonique :

– Une princesse royale? Par la Madone, voilà une heureuse rencontre. Qui donc êtes-vous, Altesse?

Micheletto se pencha vers son maître et lui murmura quelques mots à l'oreille.

– Tiens, tiens! fit César, un éclair au fond des yeux. Ainsi c'est vous, Damoiselle, que l'on nomme la plus belle fille de France? Je reconnais que la vérité surpasse encore la réputation. Je n'en désire ce baiser que plus ardemment. Vous ne dérogerez pas en me l'accordant... Je suis...

– Je sais qui vous êtes, lança Charlotte, furieuse. Vous vous croyez un prince parce que vous êtes le fils du Pape, mais, pour moi, vous n'êtes qu'un bâtard et un larron. J'aimerais mieux mourir que vous donner ce baiser.

Elle sentit sur sa chair la main de César se crisper

sous l'insulte, mais, enfin, il la lâcha. D'un geste rapide, il arracha son masque et elle vit en pleine lumière le beau visage régulier, les traits impérieux du nouveau duc, encadrés d'une légère barbe blonde. Il était très pâle et, sous leurs épais sourcils, ses yeux noirs brûlaient de rage.

– Ecoutez bien ce que je vais vous dire ici, Princesse, dit-il lentement, réprimant sa colère au prix d'un immense effort de volonté. Ce baiser que vous me refusez en m'insultant, je vous jure sur mon nom qu'un jour prochain vous me le donnerez, de bon gré, et beaucoup d'autres avec. Je jure que vous serez à moi, car je n'aurai ni trêve ni repos avant. J'aurai tout de vous ou je ne serai plus César Borgia.

Reculant de deux pas il ôta gravement sa toque de velours noir où de gros diamants étincelaient, retenant une mince plume de héron, et en balaya le sol en s'inclinant avec grâce :

– N'oubliez pas mes paroles, Charlotte d'Albret. Vous serez à moi un jour...

Puis, entraînant d'un signe Micheletto qui avait assisté à la scène à quelques pas de là, il s'éloigna en direction de la porterie, laissant la jeune fille médusée et vaguement effrayée.

Toute la soirée qui avait suivi, le service de Charlotte auprès de la Reine avait été si distrait qu'il lui avait valu de sévères reproches, et, dans la nuit, elle avait vainement cherché le sommeil. Jusqu'au fond de son lit, clos de grands rideaux, elle avait entendu inlassablement la voix à la fois chaude et menaçante qui disait :

– Vous serez à moi...

Avec tant d'ardeur contenue! Dès le lendemain, elle demandait la permission de faire une retraite de quelques semaines auprès de la princesse Jeanne.

Quelques jours après la visite du messager royal à l'Annonciade, le 12 mai au matin, par un éclatant soleil qui répandait des flots de lumière sur la ville pavoisée d'oriflammes multicolores, le mariage de Charlotte d'Albret et de César Borgia fut célébré à Blois. La Cour venait de s'installer dans le château, dont les travaux se terminaient, pour y passer la belle saison, et le Roi avait tenu à ce que le mariage y fût la première grande cérémonie.

Ce fut une fête somptueuse. Le Roi lui-même mena à l'autel la fiancée, merveilleusement belle dans une robe de satin blanc entièrement brodée d'or, avec des manches et un long manteau d'or frisé bordé d'hermine immaculée. Des émeraudes, des perles et des diamants étincelaient à son cou, à ses poignets et sur sa coiffe de satin blanc d'où partait un léger voile étoilé d'or. Elle était aussi pâle que sa robe et ne leva même pas les yeux sur son fiancé, très beau cependant dans un pourpoint de brocart écarlate tissé d'argent avec une profusion de diamants. Celui qui attachait la plume blanche à sa toque de velours rubis était gros comme un œuf de pigeon, et chacun en resta stupéfait d'admiration.

Le cardinal d'Amboise, Grand Chancelier de France, unit lui-même les jeunes époux dans la chapelle du château, pavée de fleurs blanches, où l'on s'étouffait entre la chaleur d'un brasier de cierges et le soleil de l'extérieur. Puis un grand festin réunit tous les invités autour du jeune couple dans les nouvelles salles qui sentaient encore un peu le plâtre. Un festin qui fut somptueux et interminable, mais au cours duquel les nouveaux mariés n'échangèrent ni une parole ni un regard.

Enfin, la reine Anne prit la tête d'un beau cortège de dames caquetantes et excitées au plus haut point pour mener elle-même, par la main, Charlotte à la chambre nuptiale. On la dévêtit, la coucha dans l'immense lit à courtines de velours au milieu d'un vacarme de rires et de bavardages, puis deux dames ouvrirent la porte à un autre cortège mené par le Roi qui conduisait l'époux. Alors, seulement, chacun se retira et ils demeurèrent seuls.

Assise, très droite, dans le grand lit, les mains croisées sur ses genoux et les yeux obstinément baissés, Charlotte attendait que César parlât. Depuis que les portes s'étaient refermées sur le cortège royal, il était resté adossé au chambranle, regardant la jeune fille, rougissante dans sa robe de nuit toute plissée et largement décolletée. Au battement précipité de sa gorge, il pouvait juger de son émotion et de sa gêne. Aussi ne fit-il aucun geste pour aller vers elle.

Au bout d'un moment, il demanda d'un ton très doux :

– Me permettez-vous de m'approcher de vous?

Pour toute réponse, elle hocha la tête de haut en bas, mais rougit plus fort. César vint jusqu'au pied du lit et s'assit sur le bord, le dos appuyé à l'une des colonnes de bois chantourné. Brusquement, il se mit à rire, un rire si franc et si gai que Charlotte, malgré elle, leva les yeux, étonnée.

– Ma mie... En vérité, on jurerait que vous êtes un faible oiselet guetté par un affreux épervier. Est-ce que je vous fais si peur? Ou bien l'horreur que je vous inspire est-elle toujours aussi forte?

Elle ouvrit tout grands ses larges yeux gris et fixa son mari :

– La vérité vaut toujours mieux. Vous me faites très peur, Monseigneur.

– Et pourquoi donc? Est-ce... ma réputation qui en est la cause? Je vous assure qu'elle est fort exagérée, je ne suis pas un monstre comme on s'est plu à le dire.

Simplement un homme qui sait ce qu'il veut et ne recule devant rien pour l'obtenir. Je crois ne pas être le seul, en ce siècle, à cultiver ce genre de... vertu?

— Je sais que vous savez obtenir...

— Et vous m'en voulez? Quelle étrange idée. Je voudrais que vous quittiez cet air d'oiseau effrayé, Charlotte. Il ne vous va pas. Je vous préférais l'autre soir dans le jardin de Loches. Vous étiez hautaine et fière, exactement comme doit être la femme de César.

— La femme de César, fit-elle amusée. Vous ne doutez de rien à ce qu'il paraît?

— Pourquoi douterais-je? Je sais ce que je vaux; je sais aussi que je veux un empire et que je suis de taille à le conquérir. Je veux d'abord l'Italie tout entière, puis... d'autres terres encore. J'ai la puissance, l'or et la force; j'ai aussi la volonté et l'intelligence. Le monde m'appartient... nous appartient si vous voulez le partager avec moi.

Charlotte le regardait toujours, perplexe. Comme cet homme était étrange. Sa voix pouvait prendre des inflexions d'une étrange douceur ou refléter une volonté de fer. Quand on l'écoutait, rien de ce qu'il disait ne semblait impossible. Il était sans doute, bien réellement, de l'étoffe de ces bâtisseurs d'empire, de ces conquérants irrésistibles. Un homme qu'il serait peut-être passionnant de regarder vivre! Qui savait jusqu'où il saurait porter sa fortune? Brusquement, Charlotte ne trouva plus en elle cette révolte qui l'avait menée jusque-là depuis le couvent de l'Annonciade. Pourquoi donc lui faisait-il tellement peur? Il était beau, très beau même, et son sourire avait un charme redoutable... Mais le souvenir des paroles cruelles qu'elle lui avait jetées à la face lui revint et elle rougit à nouveau, plus fort que la première fois.

— Vous m'offrez de partager un royaume, Monseigneur. Et j'ose à peine vous regarder parce que j'ai le souvenir des choses offensantes... injustes, que, dans ma colère, je vous ai dites.

César quitta l'appui de la colonne pour se rapprocher de sa femme :

– Au fond, vous aviez raison, je ne suis qu'un bâtard, mais il est des sangs qui valent mieux, même en bâtardise, que d'autres légitimes. Et, si vous désirez tout savoir, j'ai oublié vos paroles. Je suis aujourd'hui trop heureux pour en garder le souvenir.

– Vous êtes... heureux?

Il s'approcha encore, prit l'une des petites mains nouées sur les genoux et la garda dans les siennes. Très doucement, il murmura :

– Très heureux. Vous êtes ma femme. Que pourrais-je demander de plus? Ah... si... peut-être. Si vous vouliez me sourire je serais le plus heureux des hommes. Ne voulez-vous pas?

Emu, il baisa la main qu'il tenait, puis, un peu embarrassé, pour la première fois, n'osa rien ajouter. Alors Charlotte murmura, taquine :

– Je croyais pourtant, Monseigneur, que vous souhaitiez mieux qu'un sourire. Vous êtes devenu étrangement modeste dans vos désirs.

Alors César fit le reste du chemin qui le séparait encore de Charlotte.

Bientôt, les chandelles s'éteignirent dans la chambre nuptiale, et les dames d'honneur, qui étaient restées pendant tout ce temps l'oreille collée à la porte, s'en allèrent tout doucement.

Le soleil suivant éclaira la naissance d'un grand bonheur. César et Charlotte offrirent brièvement à la Cour le spectacle d'une félicité parfaite, puis s'enfuirent bien vite la cacher derrière les murs féodaux du château de La Motte-Feuilly, près de Bourges.

César comblait Charlotte d'attentions si tendres, si

délicates, qu'il semble difficile de croire à l'insolent bulletin de victoire qu'il adressait à son père au lendemain de sa nuit de noces.

L'été passa. Aux premiers jours de septembre, le Roi rassembla ses armées et rappela César. Il voulait descendre en Italie reconquérir ce duché de Milan qu'il tenait par héritage de sa grand-mère, Valentine Visconti. En échange, il donnerait à César l'aide de ses troupes pour se tailler l'Etat dont il rêvait.

Par un de ces clairs matins dépouillés de nuages où les choses prennent un relief de gravure, tout rempli du chant de l'alouette sur les chaumes, César, après un dernier baiser, quitta Charlotte, dolente parce qu'elle ressentait déjà les effets d'une prochaine maternité, mais vaillante comme il sied à l'épouse d'un futur conquérant.

Tant qu'elle put voir onduler sur la route la plume rouge de son casque, elle resta sur le donjon, agitant son mouchoir. Quand il n'y eut plus sur le chemin qu'un peu de poussière lumineuse, elle descendit et s'en alla dans son oratoire pleurer en paix et prier pour les armes de son mari. Elle ne devait jamais le revoir.

Deux ans plus tard, César, qui avait conquis la Romagne, appela sa femme auprès de lui, mais Charlotte, malade, dut laisser son frère, le cardinal d'Albret, partir seul rejoindre le prince. César était alors à l'apogée de sa gloire et poursuivait ses conquêtes. Mais, deux ans plus tard encore, en 1503, le pape Alexandre VI rendait à Dieu ou au Diable son âme impénétrable, et César, malade, traqué, devait s'enfuir. Fait prisonnier, il était livré à l'Espagne, où l'attendait la forteresse de Medina del Campo. Avec la complicité d'amis, il s'en évadait, allait rejoindre en Navarre son autre beau-frère, le roi Jean, au service duquel il venait mettre son épée. En 1507, celui qui avait rêvé d'empire devait trouver une mort vaillante mais sans gloire dans une escarmouche contre un clan montagnard sous les murs de Viana où il fut enterré.

Charlotte reçut sans une larme le messager qui lui annonçait la mort de son époux. Elle prit seulement par la main sa fille, la petite Louise, et alla avec elle s'agenouiller dans son oratoire.

Après quoi elle fit tendre de velours et de satin noir tous les murs de sa demeure, deuil fastueux qui convenait à une duchesse de Valentinois, voila de crêpe son ravissant visage et s'enferma jusqu'à sa mort dans le château de son trop court bonheur.

Le dernier amour de BUSSY D'AMBOISE

Un matin du mois d'août 1579, un cavalier suivait à grande allure la petite route qui menait du village de Brain-sur-Allones à Saumur. C'était vraiment de très grand matin et il faisait à peine jour mais, à certaine douceur dans l'air, on sentait qu'il ferait une belle journée d'été.

Le cavalier, un beau garçon d'une trentaine d'années, grand, mince et de fière mine, arrêta soudain son cheval à un détour de la route d'où, entre deux boqueteaux, on pouvait voir l'imposante silhouette d'un vieux château de pierre grise flanqué de cinq rudes tours, aussi rébarbatives que possible. Mais cette vue parut réjouir le cœur du cavalier qui envoya un baiser dans cette direction.

Comme si, de la vieille bâtisse, on eût pu distinguer son geste, quelque chose de blanc apparut aussitôt au sommet d'une des tours, quelque chose qui devait être une écharpe féminine tant cela semblait léger. Aussitôt dressé sur ses étriers, le cavalier agita frénétiquement son toquet de velours noir orné d'une plume rouge et frisée puis, avec un soupir, il tourna la tête de son cheval vers Saumur, piqua des deux et disparut bientôt dans un nuage de poussière blanche.

Les paysans, armés de faux, qui le croisèrent en se rendant aux champs pour la moisson, furent bien surpris en constatant que, sans cesser de galoper, le cavalier si pressé jetait somptueusement le contenu de sa bourse dans le chemin poudreux. Ils se hâtèrent d'aller ramasser cette manne inattendue en se promettant bien d'aller le dimanche suivant, au moutier, brûler un cierge pour les amours du généreux inconnu.

Il n'était venu à l'idée d'aucun d'entre eux que ce cavalier pût être le très redouté et très peu aimé gouverneur de la province qu'il tenait pour Monseigneur le duc François d'Anjou; l'intraitable, l'arrogant, l'insatiable Louis de Clermont, comte de Bussy d'Amboise, terreur des maris, délices des femmes et la meilleure lame de France après le roi Henri III lui-même.

C'était pourtant bien Bussy qui s'en revenait ainsi, au petit matin, après une nuit d'amour qui avait été une grande victoire et le couronnement d'une difficile conquête.

Cette nuit-là, une des plus jolies femmes de France, la belle Françoise de Maridor, fidèle épouse, tout au moins jusque-là, du grand Veneur Charles de Chambes de Montsoreau, avait oublié dans ses bras ses devoirs conjugaux.

Il l'avait connue, cinq ans plus tôt, à Paris, au moment du couronnement d'Henri III, alors que la belle Françoise venait d'être nommée dame d'honneur de la reine-mère, Catherine de Médicis. Mais il n'y avait rien eu entre eux si ce n'est peut-être un regard, admiratif chez le jeune homme, curieux chez la jeune femme.

Celle-ci n'était pas encore Mme de Montsoreau. Elle était alors mariée depuis l'année précédente à Jean de Coesmes, baron de Lucé, et l'on citait ce jeune ménage parmi les meilleurs et les plus unis de la Cour. De son côté, Bussy, qui était l'amant de Marguerite de Navarre, la trop célèbre Margot, était tout à ses amours et ne s'occupait guère des autres femmes, si belles fussent-elles.

Puis Françoise, devenue veuve, avait quitté la Cour pour regagner le château de la Freslonnière, demeure de son père Olivier de Maridor. Triste demeure, s'il faut en croire les témoins du temps, dans laquelle la mère de famille, née Anne de Matignon, faisait régner, en bonne huguenote, la discipline la plus austère. Françoise n'avait plus qu'une idée : en sortir et au plus vite.

A cela une solution : le mariage. Il s'était présenté assez rapidement sous la forme des deux frères de Chambes, Jean et Charles. Tous deux, avec un bel ensemble, étaient tombés amoureux de la jolie veuve et avaient, avec non moins d'ensemble, demandé sa main. Françoise avait choisi l'aîné, Jean, beau garçon un peu hâbleur, un peu coureur mais grand amateur de beauté féminine, vaillant et plein d'allure. Le mariage allait se conclure quand le fiancé fut soudain mystérieusement assassiné. Sans se décourager, Françoise accepta alors la main et le cœur de son jeune frère, Charles, garçon timide et doux, qui l'adorait à la manière d'une idole et fut ébloui de son bonheur.

Le ménage alla s'installer au château de la Coutancière, près de Brain-sur-Allones, au cœur d'une région extrêmement giboyeuse. A part les livres, la grande passion de Charles de Montsoreau était la chasse à laquelle il excellait. A cause de cela il préférait le séjour de la Coutancière à celui, peut-être un peu plus mélancolique, de son château de Montsoreau qui mirait dans les eaux de la Loire ses tours médiévales. On ne vivait à Montsoreau que les plus durs mois d'hiver.

C'est à la Coutancière que, au printemps 1578, Bussy devait revoir Françoise. Il accompagnait alors le duc d'Anjou dans une tournée de sa province. Le duc, au retour d'un séjour à La Flèche, s'arrêta au château pour demander collation à son ami Montsoreau.

Bussy était las, à cette époque, des charmes explosifs de Margot. La beauté de Françoise le frappa. Elle s'était magnifiquement épanouie durant ces quatre ans et elle offrait maintenant une image d'une grâce infinie et d'une rare perfection.

Pas très grande, très brune avec un teint de lis et de roses, des yeux d'azur et un corps de Tanagra que ne parvenait pas à dissimuler le lourd vertugadin exigé par la mode. Bussy fut ébloui et se jura aussitôt qu'une telle merveille ne lui échapperait pas. Du moment où il la revit, il voulut Françoise de toute la force de son orgueil.

Mais elle n'était guère libre. Le mari, qui avait tout juste l'âge de Bussy lui-même, ne quittait ni ses terres ni sa femme. Comment, dans ce cas, aborder un trésor toujours gardé par un époux épris et les épaisses murailles d'une forteresse? D'autant plus que, n'ayant pas d'emploi à la Cour, les Montsoreau n'y paraissaient pratiquement jamais.

En écoutant Charles de Chambes parler chasse avec le duc François, et non seulement en parler mais en disserter, Bussy eut une idée : le poste de Grand Veneur était libre à la Cour du roi Henri, pourquoi ne pas le faire attribuer à ce seigneur si compétent et dont la noblesse ne laissait rien à désirer?

Quand ils eurent quitté la Coutancière, Bussy entreprit de faire passer son idée dans la cervelle, à vrai dire assez légère, de son maître. Le beau gouverneur d'Angers savait qu'il pouvait tout demander à François. Le duc lui avait de grandes obligations et ne jurait que par lui. Il lui souffla donc que le comte de Montsoreau était le Grand Veneur idéal, le seul capable de satisfaire entièrement Sa Majesté Henri le Troisième, qui n'était pas aussi efféminé que les mauvaises langues le voulaient bien dire et qui, outre son habileté remarquable à manier l'épée, était sans doute le plus rude chasseur de tout son royaume.

Ainsi fut fait. Le Roi nomma Charles de Chambes de Montsoreau Grand Veneur de France et lui remit l'estortuaire au cours d'une brillante chasse en forêt de Vincennes dans laquelle le nouveau dignitaire se couvrit de gloire.

Bussy exultait. La belle Françoise était maintenant seule, un peu abandonnée dans son château de la Coutancière pendant que son époux s'occupait à courir bois et forêts pour détourner cerfs et sangliers.

En mari prudent, Charles n'avait pas voulu laisser sa femme à la merci des tentations d'une Cour assez dissolue et à laquelle il ne se mêlait que durant les chasses : il avait sagement laissé la comtesse à la maison.

Bussy s'apprêtait à rentrer dans son gouvernement pour recueillir les fruits de son industrie et commencer un siège en règle. Mais François d'Anjou, qui souhaitait éperdument se couvrir de gloire et, au besoin, se tailler un royaume, l'entraîna, à sa suite, dans les Flandres sous prétexte d'apporter l'aide de son bras aux Anversois révoltés contre les Espagnols et à Guillaume d'Orange, leur chef. En fait, François espérait bien supplanter Guillaume et travailler pour son propre compte.

L'aventure dura un an, tourna mal, et François, déçu, rentra en France. Sa mauvaise foi habituelle lui fit chercher un responsable à des échecs dus uniquement à son incapacité personnelle : il trouva Bussy sous sa main, en fit son bouc émissaire et, aux yeux de toute la Cour, l'envoya en exil dans son gouvernement, c'est-à-dire à Angers... c'est-à-dire pas tellement loin de la Coutancière.

Bussy, moitié furieux de l'ingratitude de son maître,

moitié heureux de se rapprocher de Françoise, fit à Angers une entrée fracassante, dépouilla un peu les bons Angevins pour se procurer de quoi mener joyeuse vie et alla se réinstaller dans son château des Ponts-de-Cé dont il se mit à relever et à renforcer les fortifications. En même temps, il rendait de fréquentes visites à la Coutancière et y démolissait de son mieux les défenses de la belle comtesse... Cette fois il ne lui avait fallu qu'un peu plus d'un mois pour remporter la victoire. Une victoire qui l'avait ébloui, émerveillé. Alors qu'il cherchait seulement la satisfaction d'un violent désir, le beau, l'insouciant Bussy venait de rencontrer l'Amour.

En rentrant à Saumur, Bussy alla tout droit au logis du lieutenant-criminel, Claude Collasseau de la Frogerie, qui était son ami et son confident. Celui-ci habitait, dans la rue Haute-Saint-Pierre, une charmante maison à tourelles infiniment plus séduisante que l'appartement auquel sa charge lui donnait droit dans l'une des tours du château. Bussy avait pris l'habitude d'y faire de petits séjours, extrêmement pratiques grâce à la proximité de la Coutancière. Le chemin depuis les Ponts-de-Cé eût été beaucoup plus long.

Ce matin-là, Claude Collasseau arpentait la grande salle de sa maison, les mains au dos, dans l'attitude d'un homme qui se fait du souci. Son déjeuner du matin, servi sur une grande table, refroidissait depuis déjà un bon moment mais le lieutenant-criminel ne faisait pas mine d'y toucher. Quand il vit entrer Bussy, il poussa un soupir de soulagement :

– Vous enfin, Monseigneur! J'étais très inquiet de ne pas vous voir rentrer.

Bussy lui sauta au cou sans cérémonie et l'embrassa sur les deux joues :

– Mon ami, mon bon ami, comment pouvais-tu être

si inquiet alors que moi j'étais si heureux? Est-ce que ton amitié pour moi ne te l'a pas soufflé?

— Ma foi, Monseigneur, mon amitié pour vous était peut-être en défaut... Mais je vous avoue que je me demandais si vous n'étiez pas tombé dans un traquenard et j'étais tout prêt à demander une escorte et à aller aux nouvelles.

— Pauvre Claude! Le seul traquenard que j'aie rencontré est celui que m'avait tendu Amour. Ah, mon ami! Tu ne peux savoir quel bonheur est le mien! Je deviens fou, j'étouffe... je voudrais crier au monde entier que je l'aime et qu'elle est à moi.

Le bonheur, cependant, ne coupait pas l'appétit à Bussy qui, avisant la table servie pour son ami, s'installait à sa place et se taillait une large tranche de pâté. Collasseau se mit à rire et s'installa auprès de lui sur un tabouret :

— Ainsi donc, Monseigneur, vous avez ville conquise?

— C'est moi qui suis conquis, mon pauvre ami, vaincu, prisonnier, pieds et poings liés... Je suis l'esclave de sa beauté et de mon amour... Un esclave merveilleusement heureux. Jamais je n'avais rien connu de semblable.

— Même... avec la reine de Navarre?

— Marguerite? Certainement pas... C'était une charmante maîtresse mais elle n'avait pas cette pureté, cette... comment dirais-je? Cette innocence... oui c'est le mot, que Françoise apporte dans l'amour. Elle est faite pour moi comme je suis fait pour elle et, crois-moi, je sais maintenant que le plaisir est une pâle chose à côté de la joie que l'on trouve dans un véritable amour pleinement exaucé.

Cette fois, Collasseau éclata de rire. C'était un brave garçon, pas tellement malin, mais qui appréciait à sa juste valeur l'amitié d'un homme comme Bussy. Grâce à celui-ci, la vie à Saumur, si difficile jusque-là parce que la ville infestée de huguenots était peu agréable à tenir pour un bon catholique, était devenue à peu près supportable. Et puis c'était amusant de se trouver confident des amours d'un grand seigneur.

– Qui donc le croirait à Paris, Monseigneur? Bussy, le brave Bussy, l'insolent Bussy, l'inconstant, le bourreau des cœurs, amoureux, amoureux comme un jeune garçon.

– Françoise mérite l'amour d'un Roi. Et ce n'était pas tâche si facile que venir à bout de sa vertu. Je bois à la plus belle, à la plus douce des femmes!

Il levait sa coupe pleine de ce petit vin pétillant, gloire de la région, et l'avalait d'un trait. Dans sa figure tannée par le soleil, encadrée d'une courte barbe brune taillée en pointe, ses yeux bruns brillaient de joie. Claude ne put faire moins qu'emplir une coupe et lui donner raison.

– Sais-tu, reprit Bussy en reposant sa coupe sur la nappe, que j'en sais à Paris qui seraient bien surpris d'apprendre que Françoise est mienne?

– Je me doute que le mari...

– Il n'est pas question de notre Nemrod. Mais, par exemple, mon vieil ami de Thou avait gagé que je perdais mon temps avec elle et que jamais elle ne se rendrait à moi. Il disait qu'elle aimait son mari et ne le tromperait jamais. Je te demande : aimer ce grand coureur de bois, ce grand souffleur de trompe qui ne s'arrête de souffler que pour se précipiter dans ses vieux livres poussiéreux? Françoise est faite pour l'amour, pour la vie... Je savais bien, moi, qu'elle n'attendait qu'une occasion, qu'un véritable amour. Voilà qui est fait. De Thou sera bien surpris.

– Vous n'avez tout de même pas l'intention de le lui dire, Monseigneur? s'écria le lieutenant-criminel tout effaré.

– Pourquoi non? C'est mon plus vieil ami. Il sera discret.

Claude Collasseau n'aimait pas beaucoup l'idée que l'on apprît à Paris les exploits de Bussy. Il connaissait mal la Cour mais jugeait, d'après son expérience provinciale, du chemin que pouvaient faire certains bruits, même confiés à des gens rigoureusement sûrs. Hélas! Bussy tenait à ce que son ami sût son bonheur et, quand Bussy voulait quelque chose, il était très difficile de le faire changer d'avis.

Le soir même, un courrier partait pour Paris, portant une lettre au marquis de Thou. Bussy y disait peu de chose en dehors de ceci :

J'ai tendu des rets à la biche du Grand Veneur et je la tiens dans mes filets...

– Est-il vrai, Monsieur de Thou, que vous ayez reçu des nouvelles de ce cher Bussy? J'ai ouï-dire qu'un courrier à ses armes était entré chez vous ce matin.

La voix haut perchée du duc François d'Anjou alla chercher, jusqu'au fond de son antichambre, le jeune gentilhomme qui bavardait dans une embrasure avec son ami Ribeirac. De Thou s'empressa, salua :

– En effet, Monseigneur.

– Et que vous dit-il?

Un peu embarrassé, le marquis rougit légèrement et tortilla sa fine moustache pour se donner une contenance :

– Mais... qu'il est toujours le fidèle serviteur de Votre Altesse.

– ... et qu'il s'ennuie de moi à périr, n'est-ce pas? continua le prince avec ce rire sans gaieté que ses meilleurs amis trouvaient si lugubre. Allons donc, mon cher, on n'envoie pas un courrier pour si peu! Et j'ai entendu, de mon côté, certains échos qui disent que notre Bussy ne s'ennuie pas tellement en Anjou.

— Je crois Bussy assez attaché à ses devoirs de gouverneur pour trouver plaisir à bien les remplir et à servir ainsi Votre Altesse, fit de Thou avec un manque de conviction qui n'échappa pas à François.

Celui-ci rit de plus belle :

— Il y a certainement des choses plus intéressantes dans cette lettre. Ne l'avez-vous pas sur vous par hasard?

Le jeune de Thou était assez naïf et possédait encore mal l'usage des cours. Il ne savait pas bien mentir. Il se contenta de rougir :

— Si, Monseigneur.

— Montrez.

C'était un ordre, il n'y avait pas à hésiter. De Thou sortit la lettre de son pourpoint et l'offrit au prince avec un profond salut, tout en maudissant intérieurement la curiosité de ce dernier.

Quand celui-ci eut lu, il replia lentement le billet d'un air songeur puis l'agita négligemment au bout de ses doigts :

— Puis-je la garder un moment? J'aimerais la relire à loisir. Je vous la rendrai plus tard.

— Aux ordres de Votre Altesse.

Le prince se retirait dans sa chambre et tous les gentilshommes présents se courbèrent en un profond salut, balayant le sol des plumes de leur toque. Ribeirac, pour sortir, glissa son bras sous celui du jeune marquis :

— Je n'aime pas beaucoup ce subit intérêt qu'il montre pour ta correspondance, mon cher. J'espère qu'il n'y avait rien dans cette lettre qui pût nuire à Bussy.

— Non. Je ne pense pas. Bussy parle seulement d'une histoire d'amour qu'il a menée à bonne fin.

— Pas plus? Mais c'est le casuel, ça! François doit être habitué depuis longtemps et puis, avec son prochain départ pour l'Angleterre, il a bien d'autres choses à s'occuper que des amours de Bussy... Me voilà rassuré.

Ribeirac avait tort. Avec un prince aussi sombre et aussi tortueux que François d'Anjou, on ne pouvait jamais être tout à fait rassuré. Le frère d'Henri III, le seul fils de Catherine de Médicis qui n'eût point porté couronne, était jaloux, par définition, de tout et de tous. De son frère, d'abord, qu'il haïssait, et aussi de Bussy, son ami, dont il enviait la beauté, la prestance, le succès auprès des dames et jusqu'à cette vaillance folle qui lui donnait souvent l'auréole d'un héros de roman et faisait oublier son avidité et sa cruauté.

Il avait lui-même tenté sa chance, mais sans succès, auprès de Françoise de Montsoreau et, sur le moment, s'en était consolé sans trop de difficulté. Pour une cruelle, un fils de France trouvait un millier de complaisantes.

Mais d'apprendre que Bussy avait réussi là où lui-même avait échoué, voilà qui ne pouvait se pardonner! Sa jalousie s'en trouva réveillée, et aussi son désir perpétuel de vengeance. De plus, avant de partir pour l'Angleterre où il allait tenter sa chance auprès de la Reine Vierge, la grande Elisabeth, il ne lui déplaisait pas de laisser derrière lui quelques ruines et quelques larmes. Tenant toujours le billet au bout de ses doigts gantés, François s'en alla chez le Roi qui allait se coucher.

Sa Majesté Henri III, roi de France par la grâce de Dieu, était d'assez méchante humeur. La lourde chaleur qui régnait sur Paris et faisait monter du fleuve d'intolérables odeurs, le mettait toujours hors de lui. De plus, l'un de ses lévriers favoris était mort le matin même d'avoir mangé de la viande gâtée. Assis près d'une fenêtre de sa chambre dans un grand fauteuil, vêtu d'une robe de chambre de soie légère, il respirait nerveusement une petite éponge imbibée d'eau de senteur tandis qu'un coiffeur rangeait pour la nuit ses beaux cheveux noirs et peignait sa courte barbe avant de la parfumer délicatement. Le Roi ne soufflait mot et les courtisans, massés dans le fond de la chambre, n'osaient ouvrir la bouche, craignant de déchaîner l'orage sur leurs têtes.

L'annonce de l'arrivée de son frère n'était pas pour améliorer l'humeur de Sa Majesté et elle fronça les sourcils en direction de la porte par laquelle allait venir le duc.

Celui-ci entra d'un pas dégagé, salua et vint présenter ses compliments au Roi en insistant fort sur sa bonne mine.

— Laissez ma mine tranquille, bougonna Henri. Je n'ignore pas que vous ne souhaitez rien tant que me trouver pâle et défait, Monsieur mon frère.

François fit comme s'il n'avait pas entendu, alla vers la fenêtre, tripota quelques objets sur la table de toilette, saisit un flacon précieux pour l'examiner à loisir et, ce faisant, déposa, comme par mégarde, parmi les flacons, le papier qu'il tenait à la main.

— Je pars demain pour Boulogne, mon frère... Je désirais connaître les derniers ordres de Votre Majesté.

— Vous les saurez demain avant de monter à cheval, Monsieur. Pour ce soir j'ai fort mal à la tête et souhaiterais un peu de tranquillité.

— Je m'en voudrais d'incommoder Votre Majesté, fit François, gracieux. Je lui souhaite une bonne nuit. Bonsoir, mon frère.

— Bonsoir, Monsieur. Cessez de me tirer les cheveux ainsi, barbier, ou je vous fais bastonner.

Léger, gracieux, papillonnant, souriant aux jeunes

seigneurs qui le regardaient plutôt de travers, François sortit de la chambre, laissant sur la toilette royale la lettre de Bussy à de Thou.

– Donnez-moi ce papier que mon frère a laissé tomber sur cette table, ordonna Henri dès qu'il eut disparu.

Un valet s'empressa, tendit la lettre. Le Roi la prit, la lut rapidement et sourit pour la première fois.

– Tiens, tiens! fit Sa Majesté.

Comme Monsieur son frère, Henri III, ne pratiquait pas facilement le pardon des offenses. Et il n'en était pas qui lui fût plus sensible que de voir son amitié prise à la légère. C'est ainsi qu'il cherchait depuis son accession au trône le moyen de se venger de Bussy.

Quand il n'était encore que duc d'Anjou et François duc d'Alençon, Henri avait beaucoup aimé Bussy qui avait compté au nombre de ses plus intimes amis, jusqu'au jour où les Polonais étaient venus offrir à Henri le trône de Pologne. La pensée d'aller vivre dans la glaciale Cracovie n'avait pas du tout souri à Bussy. Il n'avait suivi son maître et ami que contraint et forcé, en rechignant beaucoup. Henri avait froncé le sourcil mais, indulgent, avait laissé Bussy ronchonner. Seulement, au bout de six mois, Bussy, n'y tenant plus, s'était enfui de Cracovie par une nuit bien noire, plantant là Henri à qui il avait négligé de demander son congé. Celui-ci ressentit cette fuite à la fois dans son cœur et dans son orgueil, qui était immense comme chez tous les Valois. Quand, revenu en France pour reprendre la couronne de Charles IX, il avait trouvé Bussy passé au service de François qu'il détestait, l'injure s'était aggravée. Il n'avait rien dit, se contentant de traiter Bussy en indifférent, mais il n'avait pas oublié ni renoncé à se payer un jour. Or, ce jour était venu.

Lorsque François eut pris la route de Londres, Henri convoqua son Grand Veneur.

– Peut-être trouverez-vous que nous vous rendons là un méchant service, mon cher Montsoreau, mais mettez-le, je vous prie, au compte de l'estime où nous vous tenons. Il nous semble intolérable qu'un gentilhomme de votre valeur et de votre nom soit ainsi bafoué.

Charles de Montsoreau, le visage gris cendre, ne se soutenait qu'à peine. Ses yeux hagards ne quittaient pas la lettre fatale qui tremblait légèrement dans un courant d'air sur le bureau du Roi. Il se sentait la gorge sèche, les jambes molles. Heureusement, Henri s'en aperçut.

– Asseyez-vous, dit-il en avançant lui-même un siège à son Grand Veneur. Vous êtes blême... Et tenez... buvez ceci!

Sortant d'une poche un petit flacon taillé dans une belle émeraude, il en versait quelques gouttes dans un verre d'eau qu'il avait pris sur un dressoir et tendait le tout à Montsoreau. Celui-ci prit le verre d'une main tremblante.

– Tant de bonté! balbutia le malheureux. Votre Majesté me comble!

– Nullement! Je voudrais vous aider mais je crois qu'en cette occasion, vous seul pouvez quelque chose. Vous avez certainement besoin d'un congé, je vous l'accorde... aussi long qu'il faudra.

– Sire... Peut-être vaudrait-il mieux que Votre Majesté acceptât ma démission. J'ignore jusqu'où la colère peut porter mes actes et je ne voudrais pas mettre mon souverain dans l'embarras.

Le Roi sourit, avec une perfidie aimable, puis tendit sa main à baiser :

– Du tout! Nous savons quels soins peut exiger

l'honneur d'un gentilhomme et à quel excès peut porter une juste colère. Dans certain cas, Monsieur, nous saurions fermer les yeux. Partez tranquille sur nous.

– Sire!... Que de reconnaissance!

– Allez, Monsieur. Vous êtes notre ami. Nous vous recommandons seulement quelque mansuétude envers votre épouse. Elle est femme... donc fragile.

Montsoreau quitta Paris dans l'heure suivante. Sans s'arrêter ailleurs qu'aux relais pour changer de chevaux, à demi crevés par son train d'enfer, il courut jusqu'à son domaine, la rage et le désespoir au cœur.

Françoise revenait d'une promenade dans la forêt qui entourait le parc du château sur trois côtés. Elle allait à pas lents, songeuse, ses chiens sur les talons et sa suivante à distance respectueuse. Cette fin de journée estivale était merveilleuse, douce à souhait et, vers la Loire, le soleil se couchait dans une gloire incandescente. Tout en marchant elle souriait en pensant aux doux souvenirs des nuits passées. Quatre fois Bussy était venu, très discrètement, la retrouver, et chaque fois elle avait éprouvé une joie plus profonde, plus aiguë. Auprès d'elle le terrible Bussy n'était plus qu'un amant tendre et combien amoureux. Tout en s'engageant dans la longue allée de chênes qui montait vers le château, elle se mit à fredonner la chanson que tant de femmes avaient fredonnée avant elle.

Un beau chercheur de noises
Est le seigneur d'Amboise
Tendre et fidèle aussi
Est le brave Bussy...

Mais la chanson mourut sur ses lèvres quand elle arriva dans la cour de la Coutancière. Un valet emmenait à l'écurie un cheval fourbu et couvert de poussière qui portait les harnais de son mari. Brusquement son cœur battit plus fort. Elle n'était pas préparée à se trouver aussi brusquement en face de Charles, et un pressentiment s'infiltrait en elle. Mais ce fut d'un pas ferme qu'elle entra dans la grande salle.

Au bruit, pourtant léger, Charles, qui se tenait debout devant la cheminée vide de feu, se retourna d'une pièce.

– Charles!... s'écria Françoise, en pressant le pas vers lui. Mais quelle bonne surprise!... Pourquoi n'avoir pas prévenu?

Sombrement, Montsoreau la regarda s'approcher. Quand elle fut tout près de lui, il sortit son couteau de chasse puis, saisissant sa femme d'une main, il lui appuya de l'autre le couteau sur la gorge :

– Pas de comédie, Madame. Je sais tout et ne suis venu que pour venger mon honneur.

– Charles!...

Ce fut un cri tout de suite étouffé. Françoise avait lu dans les yeux de son mari une décision sans appel et elle était trop fière pour s'abaisser à mentir. Elle se borna à courber la tête et murmura :

– C'est trop juste, Monsieur! Je vous ai manqué, je suis prête à mourir.

– Il n'en est pas question! Je ne veux pas votre vie. Mais la sienne, à lui.

– Non. Je vous en supplie, laissez-le. Moi seule suis coupable, moi seule mérite d'être punie.

– J'en juge autrement, Madame! Vous allez faire ce que je vais vous dire, et sans murmurer.

– Que voulez-vous?

Pas à pas, sans quitter du bout de sa dague la gorge fragile, il la fit reculer jusqu'à une grande table sur laquelle étaient disposées des feuilles de papier et des plumes. La crainte, malgré son courage, montait dans les yeux de Françoise. Jamais elle n'avait vu au doux Charles ce regard meurtrier.

— Asseyez-vous, ordonna-t-il, et écrivez!

Tremblante, elle obéit, disposa la feuille de papier sous sa main, leva la tête et attendit. Charles, lentement, rengaina son couteau mais, sans quitter sa femme des yeux, il ajouta :

— Ecrivez à votre amant. Dites-lui que vous l'attendez demain, vers minuit.

— Ici?... Oh! non, non!...

— N'est-ce pas ici que vous le receviez? Ecrivez, vous dis-je, ou craignez pour votre vie... qui n'épargnerait d'ailleurs pas la sienne. Dans Angers même, s'il le faut, je saurai lui tendre mon embuscade.

— Par pitié, Monsieur. Epargnez-le!

— Il ne m'a pas épargné la honte. Ecrivez, Madame, ou sinon...

Françoise était brave... mais à vingt ans on tient encore terriblement à la vie. Et puis elle espérait pouvoir avertir Bussy d'autre façon. Se résignant en apparence, elle écrivit ce qu'on lui ordonnait.

— Voilà, balbutia-t-elle enfin en rejetant la plume. Vous êtes satisfait?

— Pas encore. Vous allez me suivre maintenant, Madame.

— Où cela?

— Dans l'appartement de la tour Nord. Vous y resterez jusqu'à après-demain. Et l'on vous y gardera à vue, soyez sans crainte. Ainsi vous n'aurez pas la tentation de prévenir votre cher Bussy.

Cette fois Françoise, à bout de nerfs, fondit en larmes. Mais Charles la saisit par le bras et l'entraîna hors de la salle, vers la tour Nord.

Le destin allait se mettre en marche et ne s'arrêterait plus...

— Pourquoi minuit? fit Bussy en tournant et retournant la lettre de Françoise. Cela nous fait perdre bien des heures très douces.

Claude Collasseau leva les bras au ciel :

— Avec les femmes sait-on jamais?... Une lubie peut-être?

— Françoise n'est pas une femme à lubies. Peut-être attend-elle ce tantôt des visites dont elle craint qu'elles ne soient point parties de bonne heure?

— C'est possible, après tout, admit Claude. Mais peut-être devriez-vous vous méfier, Monseigneur. Si le mari avait appris...

Bussy haussa les épaules, alla prendre son épée sur un fauteuil et la passa ostensiblement à sa ceinture.

— Et en admettant? fit-il avec hauteur. Je suis de taille à lui tenir tête, que je sache?

Claude hocha la tête :

— Votre témérité m'effraie souvent! Pour ce soir, laissez-moi vous accompagner.

— Que crains-tu?

— Rien peut-être, et peut-être tout. Je serais plus tranquille.

Bussy éclata de rire et assena une solide bourrade dans les côtes de son ami :

— Après tout, si cela t'amuse de passer une nuit à la belle étoile... A moins que tu ne préfères t'intéresser aux suivantes de Françoise. Il y en a une surtout...

— Nous verrons sur place, Monseigneur. C'est dit : je vous suis.

La nuit, sous laquelle couvait un orage, était assez noire quand les deux hommes arrivèrent en vue des tours de la Coutancière. De gros nuages couraient au ciel au fond duquel grondaient de sourds roulements de tonnerre. Le château se devinait plus qu'il ne se voyait. Aucune lumière n'apparaissait sur l'enceinte fortifiée, un profond silence l'enveloppait et Claude frissonna malgré la chaleur moite.

– Quelle nuit! chuchota-t-il. Vrai, Monseigneur, nous serions mieux dans ma petite maison de Saumur, près d'un pot de vin.

– Trembleur! rit Bussy. Tu as peur de l'orage? Mais dans quelques minutes nous serons à l'abri, toi et moi... et au paradis encore!

– Parlez pour vous, Monseigneur. Moi, je me sens sur le chemin de l'enfer.

Silencieusement, ils franchirent la poterne, se trouvèrent dans la cour. Une seule fenêtre était éclairée, que Bussy montra à son ami.

– Tiens!... Regarde... Françoise m'attend.

La porte du corps de logis principal s'ouvrit toute seule sur un vestibule aussi noir que l'extérieur.

– On vous attend, Monseigneur, chuchota une voix. Monseigneur connaît le chemin?

– Oui. Prenez soin de mon ami.

Il s'avança tâtonnant légèrement dans l'ombre vers l'escalier qui était à peine éclairé vers l'étage. Il atteignit la première marche quand un affreux gémissement le fit retourner.

– Monseigneur! hurlait Claude. Monseigneur!... au sec!...

La fin du mot se termina dans un râle affreux et Bussy voulut courir à la rescousse de son ami mais soudain il se trouva enveloppé par une troupe d'une vingtaine d'hommes masqués qui portaient des cottes de mailles. Il mit l'épée à la main, pâlit légèrement.

– Ah... parfait! persifla-t-il : C'est un guet-apens... Alors, à nous, Messieurs. Je vois que vous avez revêtu des armures? C'est me faire beaucoup d'honneur... Mais c'est une sage précaution!

Roulant son manteau autour de son bras gauche qui

avait saisi la dague, il fonça sur les assaillants, l'épée haute. L'attaque fut si brusque que les spadassins, surpris, reculèrent. Bussy éclata de rire et attaqua de nouveau.

Un dernier râle faillit détourner son attention mais il se força à ne pas regarder. A l'entrée de la salle des gardes, un homme finissait tranquillement d'étrangler le lieutenant-criminel de Saumur. Bussy devina au bruit et froidement commenta :

— Si je ne vous tue pas, vous serez pendu pour avoir tué un lieutenant-criminel.

Il se sentait extraordinairement fort, agile, et le nombre ne lui faisait pas peur. Déjà l'un des assaillants venait de s'écrouler, la gorge percée, un autre reculait, la cuisse traversée... Bussy tenta de les faire tourner pour s'ouvrir un chemin vers la porte mais il n'y parvint pas et comprit qu'au besoin d'autres hommes pourraient entrer par là, l'attaquer par-derrière. Il recula vers l'escalier.

Il se battait comme un lion. Son épée, flamboyante sous les torches que certains spadassins avaient apportées, semblait multipliée par cent. Elle était partout, piquant, taillant, faisant face inlassablement à ce cercle infernal qui voulait se refermer sur lui. Un autre assaillant tomba, puis un autre, et encore un autre... Bussy s'était mis à rire :

— Vous n'êtes pas de taille, Messieurs... J'espère que vous avez de la réserve.

Tout en ferraillant il montait l'escalier, obligeant les assassins à se grouper et à l'attaquer de face. Un sixième dégringola les marches avec un bruit de ferraille. Et un septième, comme Bussy atteignait l'étage. Mais juste à ce moment, l'épée de Bussy frappa à faux sur l'une des cottes de mailles et se brisa comme verre... Il poussa un rugissement furieux auquel les assaillants répondirent par un cri de triomphe.

Mais ils ne le tenaient pas encore. Il se défendit d'abord avec ce tronçon d'épée, puis saisit un escabeau, l'éleva au-dessus de sa tête et l'envoya à toute volée. Un homme fut assommé, les autres s'approchèrent avec plus de fureur encore.

Bussy voulait atteindre certaine fenêtre du premier étage, qui donnait sur la cour à l'endroit où elle était le plus haut. S'il l'atteignait, il avait une chance de se sauver. Mais un coup de pointe lui ouvrit la cuisse, un autre le blessa au côté. Bondissant en arrière, il prit alors un lourd banc, l'éleva à grand-peine, le lança... Il s'écroula avec un bruit de tonnerre, entraînant trois hommes à la renverse. Profitant de cette accalmie Bussy courut vers la fenêtre, malgré la faiblesse qui s'emparait de lui, due à la perte de sang, l'ouvrit, sauta... Comme il enjambait l'appui, un dernier coup l'atteignit dans le dos. Sous la douleur, il fit un faux mouvement, tomba mal... Ses vêtements s'accrochèrent à un treillis de fer qui garnissait l'une des fenêtres du rez-de-chaussée, et il demeura là, suspendu la tête en bas, impuissant...

Alors un homme sortit en courant, s'approcha de Bussy... Il portait une arquebuse, épaula, tira... Le corps accroché eut un soubresaut, la bouche s'emplit de sang...

– Françoise!... murmura encore Bussy...

Puis il retomba, mort.

Montsoreau jeta loin de lui son arme fumante et revint lentement vers son logis.

Comme l'avait promis le roi, aucune poursuite ne fut exercée contre les coupables de ce double meurtre et plus d'un mari respira mieux quand le redoutable Bussy eut cessé de vivre. Mais plus d'une jolie femme, et même de moins jolies, pleurèrent dans le secret de leur chambre... et plus que toutes les autres la reine de Navarre qui lui gardait un doux souvenir.

Quant à Françoise... eh bien, elle reprit simplement sa place auprès de son mari, s'efforça de lui faire oublier et d'oublier elle-même la folie qu'elle avait commise... et, pour qu'il fût bien persuadé de sa repentance, lui offrit coup sur coup six enfants...

La suprême nuit du BALAFRÉ

Le soleil semblait avoir déserté le monde en ce mois de décembre 1588. Sur la ville de Blois, les jours qui se levaient ne le faisaient que tardivement, comme à regret. Pendant quelques heures, une lumière pauvre et grise, qui dissipait à peine l'ombre dans les maisons, régnait sur la ville, puis disparaissait très vite pour laisser place à une longue nuit, humide et froide. Les brouillards jaunes venus de la Loire enveloppaient continuellement la masse imposante du château dressé sur son piédestal de ruelles étroites, tortueuses où, cependant, des foules d'hommes d'armes, de seigneurs arrogants ou de clercs plus ou moins agités se déversaient sans cesse. Les auberges étaient combles et il n'y avait ni un valet ni une fille de salle qui ne fussent exténués à force de charrier victuailles et pichets de vin.

Au soir du 17 décembre, le château demeura silencieux et parut s'endormir. Le roi Henri III y logeait depuis que, trois mois plus tôt, il avait dû fuir Paris. Paris insurgé, Paris tout entier à la dévotion de Messieurs de Guise, Paris à demi fou et complètement subjugué par l'incessante propagande de la Sainte-Ligue, toujours livrée à ses intolérances religieuses. Avec le

Roi, la vieille reine Catherine était également au château. Mais la Florentine était très malade, la mort pour elle approchait à grands pas et, avec elle, des craintes séniles qui avaient fait de la vieille Reine l'alliée de ces mêmes Guise, ennemis mortels de son fils... Le silence, donc, régnait au château, troublé seulement par la chute cadencée des hallebardes, aux mains des soldats veillant aux portes. Mais dans un bel hôtel des bords de Loire la fête battait son plein.

Force gentilshommes, braillards et turbulents, se pressaient au banquet offert par le cardinal de Guise en l'honneur de son frère Henri, surnommé le Balafré à cause d'une blessure qu'il avait au visage, et que l'on nommait, sous le manteau, le roi de Paris. Là, tout n'était que lumière, chaleur, chants, cris, musique. Les fumets puissants qui s'échappaient des cuisines emplissaient toute la rue pour la plus grande convoitise d'une foule de chiens errants et de mendiants alléchés par la perspective de quelques bourses à couper. Toutes les fenêtres crachaient des flots de lumière dansante qui se reflétaient jusque dans l'eau noire du fleuve.

On était au dessert et l'on avait déjà beaucoup bu. Au haut bout de la table, le cardinal de Guise, une sorte de géant en simarre rouge, le visage enflammé par le vin, venait de se lever, une coupe pleine en main.

– Messieurs, dit-il, bientôt nous célébrerons par une autre fête, je l'espère, l'avènement de celui qui, par droit et par justice, portera alors la couronne, de mon frère Henri qui, bien mieux que le mannequin couronné qui dort au château, saura donner à ce royaume sa vraie grandeur. Messieurs, je bois au vrai roi de France, à Henri de Guise!

Une énorme ovation monta autour de l'immense table. On se leva, vacillant parfois, mais avec beaucoup d'enthousiasme.

– Vive Henri le Balafré, vive l'héritier de Charlemagne(1)... Au couvent, le Valois! Il fera un beau moine!

Une voix féminine s'éleva auprès du duc, celle d'une jeune et ravissante femme brune dont la tête fine trahissait une intelligence peu commune; Madame de Montpensier, sœur des Guise, l'ennemie acharnée d'Henri III à qui elle ne pardonnait pas d'avoir jadis repoussé son amour.

— Vous lui tiendrez la tête! s'écria-t-elle. Tandis que moi, avec ces ciseaux, je lui taillerai couronne de belle façon!

Tout en parlant elle montrait, pendus à sa ceinture, les ciseaux d'or qui ne la quittaient jamais et qu'elle destinait à tonsurer le Roi. L'enthousiasme devint alors délirant; mais celui à qui toute cette frénésie s'adressait se contenta de l'accepter avec un sourire un peu condescendant.

A trente-huit ans, et malgré la profonde estafilade qui barrait sa joue, Henri de Guise était un fort bel homme. Mesurant deux mètres de haut et taillé en conséquence, il avait un visage régulier, de beaux yeux bleus et une forêt d'épais cheveux d'un blond foncé. C'était un bretteur redoutable, un brave capitaine et un excellent homme de guerre. Malheureusement, en lui, l'orgueil commandait tout et obscurcissait parfois une intelligence qui, sans cela, eût été estimable. L'orgueil et aussi les appétits sensuels. Messieurs de Guise étaient célèbres pour leur extrême propension à l'amour, même le cardinal dont plus d'une fille d'honneur avait eu à se plaindre... ou à se louer!

Pour le moment, la passion d'Henri de Guise allait toute à une femme blonde, éclatante et plantureuse, qui se tenait auprès de lui et dont il serrait entre les siens les doigts chargés de bagues. C'était une beauté

(1) Les Guise prétendaient descendre, en effet, de Charlemagne.

célèbre que la marquise de Noirmoutiers, et cela depuis près de vingt ans. Ce qui, à cette époque, était un vrai record.

Elle n'avait guère plus de quinze ans, la jeune Charlotte de Beaune Semblançay, quand elle était entrée parmi les filles d'honneur de la reine Catherine, dans cet Escadron Volant pour l'entrée duquel la beauté était le meilleur des passeports. La beauté et une vertu peu farouche. Charlotte possédait les deux et, longtemps, elle avait été le meilleur auxiliaire de la reine-mère, séduisant tour à tour le duc d'Alençon, le duc d'Eperon et aussi, et surtout, le roi de Navarre. Entre ses jolies mains, le futur Henri IV avait été longtemps un jouet assez docile. En même temps, on l'avait pourvue d'un mari postiche, Simon de Fizes, baron de Sauve, qui était d'un naturel fort accommodant. Devenue Mme de Sauve, Charlotte n'en avait poursuivi que plus assidûment ses activités diplomatiques jusqu'au moment où, le cher baron étant mort, l'utilité d'un second mari s'était fait sentir. Cette fois, l'élu fut le marquis de Noirmoutiers, François de la Trémoille, grand batailleur, toujours par les chemins et donc peu encombrant.

Entre-temps, les ordres de Catherine de Médicis avaient fait à la belle Charlotte un devoir de séduire Henri de Guise, devoir dont elle s'était acquittée avec un zèle qui n'avait pas tardé à inquiéter la reine-mère. Non sans raison : Charlotte avait été prise, pour la première fois de sa vie, à son propre jeu. Elle était tombée follement amoureuse du duc. Mais peut-être la quarantaine qui se profilait à son horizon était-elle pour quelque chose dans cette subite faiblesse de la redoutable chasseresse d'hommes.

Assise maintenant auprès d'Henri, dans une robe de satin bleu semée de perles et outrageusement décolletée au point de ne contenir qu'à peine sa gorge célèbre, elle savourait le triomphe de son amant sans pouvoir, toutefois, se défendre d'une vague inquiétude.

– Ne les laissez pas vous couronner si vite! chuchota-t-elle en se penchant vers lui. Cela ne porte pas bonheur!

Le duc sourit avec une certaine fatuité :

– Superstitieuse, Charlotte?

– Non. Mais le Roi n'est pas encore mort, ni même moine...

– Bah! Que peut-il faire? Je le tiens et ce n'est qu'un pauvre homme, un pleutre...

Charlotte fronça légèrement les sourcils et secoua la tête. Un pauvre homme, le fils de la Florentine, ce Valois qui portait en lui le sang astucieux des Médicis, ce malade qui, au bout de ses mains débiles, sans forces, sans amis ou presque, quasi-prisonnier en son château, trouvait encore le moyen de maintenir sa couronne et le principe de royauté, d'arracher son royaume à toutes les convoitises? Un pleutre, celui qui avait été le vainqueur de Jarnac et de Moncontour, qui était peut-être encore la meilleure lame de son royaume? Parfois le manque de jugement de Guise attristait Charlotte.

– Il ne faut jamais mésestimer un ennemi, Monseigneur, dit-elle avec un soupir. Je connais bien le Roi! Croyez-moi, il est d'autant plus redoutable qu'il se fait plus humble et plus petit...

Tout en parlant, son regard allait machinalement se poser sur un convive qui, assis à l'autre bout de la table, faisait plus de bruit à lui tout seul qu'une bonne douzaine d'autres, portant sans arrêt des toasts délirants au duc de Guise. C'était un homme mince et brun dont le regard semblait bien vif pour un homme apparemment ivre. Du menton, elle le désigna :

– Cet homme là-bas? Qui est-ce?

Henri de Guise haussa ses larges épaules :

– Un acteur italien de la maison de mon frère. Il s'appelle Venetianelli. C'est un fort bon mime et un chanteur remarquable. Voulez-vous qu'il chante pour vous?

Lentement, Charlotte secoua négativement sa tête blonde. Ce visage-là l'inquiétait sans qu'elle pût définir pourquoi. Peut-être parce que l'homme était italien. Pour elle, ce mot-là s'écrivait Médicis.

– Prenez garde! reprit-elle, songeuse. Vous n'êtes pas encore le roi de France!

La marquise de Noirmoutiers aurait pu voir ses intuitions confirmées si elle avait assisté, le lendemain matin, au petit lever du roi Henri. Elle eût pu voir alors l'Italien Venetianelli, incliné très profondément devant le lit où se tenait le Roi. Les rideaux en étaient tout juste assez tirés pour laisser voir Henri encore vêtu de sa chemise de nuit. La chambre était vide, à l'exception de Nambu, l'huissier privé du Roi, et des chiens qui se chauffaient devant la cheminée. Le jour n'était pas encore venu. Toutes les fenêtres étaient masquées et un lourd silence régnait dans la chambre, à peine troublé par le chuchotement de l'homme.

En quelques secondes Henri III n'ignora plus rien de ce qui s'était dit chez le cardinal mais ne montra aucune émotion apparente. L'empire qu'il avait sur lui-même était infini. Il avait seulement un peu pâli...

Quand Venetianelli eut terminé son récit, le Roi demeura songeur un moment puis, prenant une bourse à son chevet, la lança dans les mains de l'homme qui l'attrapa d'un geste vif. Après quoi il lui fit signe de s'éloigner.

– Je te remercie. Mais veille à te taire, maintenant, et aussi à ta vie, fit le Roi en italien.

Sur un profond salut, Venetianelli se retira à reculons. Le roi Henri III demeura seul, méditant, le regard perdu dans les flammes.

Le soir même, le vieux château de Louis XII était complètement réveillé. Il ruisselait de lumières comme, la veille, l'hôtel du cardinal. C'est que la reine-mère donnait une grande fête pour les fiançailles de sa petite-fille Christine de Lorraine, avec le grand-duc Ferdinand de Médicis. La dernière fête, sans doute, à laquelle elle apparaîtrait, et ce fantôme royal, tout de velours noir vêtu mais portant des joyaux valant un royaume, avait quelque chose de tragique et d'inquiétant avec son masque ravagé par la maladie.

Presque aussi pâle était le roi Henri. Vêtu de noir, lui aussi, avec l'éclair bleu du Saint-Esprit sur son pourpoint de velours, il promenait son étroit visage de sphinx fatigué, sous le toquet agrafé de diamants, à travers les couples scintillants de pierreries et de plumes, sous le ruissellement des lumières et dans les flots de musique déversés par les violes et les luths... Il semblait chercher quelqu'un.

Au bout d'un moment, quittant la salle de bal, il passa dans son cabinet où vinrent bientôt le rejoindre le maréchal d'Aumont, le marquis de Rambouillet, puis d'Ornano et Maintenon. En quelques mots le Roi leur apprit ce qui s'était passé la veille, chez le cardinal. Un silence consterné suivit ses paroles. Ce fut Rambouillet qui retrouva le plus vite ses esprits.

– Il faut arrêter Messieurs de Guise, s'écria-t-il, et les mettre en jugement.

Le Roi haussa les épaules :

– Où trouverez-vous des gardes pour l'arrestation, des témoins pour déposer, des juges pour dicter la sentance? Ils sont plus rois que moi!...

Amèrement, le Roi se remémorait la récente séance des Etats Généraux que les Guise l'avaient forcé à réunir, les multiples humiliations dont on l'avait abreuvé, l'argent qu'on lui avait refusé alors qu'il affluait dans les coffres des Guise, à la fois de France et d'Espagne, leur alliée à qui, d'avance, ils vendaient une part du royaume. Il entendait encore les quolibets insultants quand il avait dit que lui refuser l'aide financière c'était perdre le royaume, le perdre, lui, le Roi.

– Ne soyez plus Roi! avait lancé quelqu'un...

Puis, un autre avait ricané :

– Messieurs, la marmite du roi est renversée! Faites-la donc bouillir!

Tout cela, toutes ces insultes à la majesté royale, il en tenait le compte secret au fond de sa mémoire. Il ne savait que trop à qui il les devait.

La voix du maréchal d'Aumont s'éleva :

– Sire, dit-il. Il faut tuer le Balafré!

Personne ne releva le propos. Le regard du Roi se posa successivement sur chacun de ses conseillers demeurés fidèles :

– Le tuer? Oui... Mais qui s'en chargera?

– C'est de cela, Sire, qu'il faut nous entretenir, fit d'Ornano. Et le plus tôt sera le mieux.

Dans un palais aussi ouvert à tant de courants que le château de Blois, les secrets étaient difficiles à garder. Le duc de Guise, dont on avait arraché au Roi la nomination comme lieutenant général du Royaume, en était, de plus, le gouverneur. C'est à lui que, chaque soir, on remettait les clefs. Il recevait chaque jour une foule de rapports mais n'y prêtait jamais beaucoup d'attention. Trop sûr de lui, il ne croyait que ce qu'il voyait.

Et quand, le soir du 19, en arrivant chez elle, il reçut dans ses bras une Charlotte affolée, il ne fit qu'en rire.

– Je te dis qu'ils ont juré ta perte, malheureux! s'écria la jeune femme en larmes. Le Roi a décidé de te faire tuer. Un valet de chambre que je paie grassement pour me rapporter tout ce qui se dit chez lui m'a tout rapporté de son dernier conseil secret. Il a d'abord été question de te faire arrêter...

Guise éclata de rire, un rire énorme qui fit trembler les bibelots sur les meubles.

– Oh, que c'est drôle! Me faire arrêter, moi? Et par qui? Tout le monde est pour moi!

– C'est sans doute ce qui les a retenus. Mais il est possible de trouver un assassin à gages.

– Je ne marche dans la ville qu'entouré de cent épées. Qui viendrait me chercher là-dedans?

Charlotte se tordit les mains. L'aveuglement orgueilleux d'Henri la rendait folle. Il se croyait intouchable, invincible, le fou!...

– Ecoute au moins mon espion. Il faut que tu le croies, que tu me croies...

Guise haussa les épaules et prit sa maîtresse dans ses bras.

– Tous les valets du Roi jouent double jeu. Ils vendent tous des informations plus ou moins fantaisistes dans le seul but de gagner quelques écus. Je sais bien que le Roi me hait. Mais de là à oser me tuer... Il sait trop que ma mort soulèverait tout Paris!

– Paris n'est pas stupide au point de se soulever pour un mort! cria Charlotte hors d'elle. Quand tu seras mort, Henri de Guise, Paris t'oubliera. Bien plus, il admirera peut-être celui qui, privé de tout, désarmé, aura trouvé moyen de t'abattre, toi, l'invincible, le tout-puissant!

La colère de Charlotte impressionna davantage le duc que ses larmes. Il ne pouvait nier qu'il y eût du vrai dans ce qu'elle disait.

– S'il t'arrivait quelque chose, sanglotait maintenant la marquise pendue à son cou, j'en mourrais...

Pour la calmer il l'embrassa, lui parla doucement, longuement, puis, finalement, promit d'avoir au moins une explication franche avec Henri III. Après tout, faire la paix en apparence avec lui ne pourrait qu'endormir sa méfiance. Il n'en serait que plus facile, ensuite, de le prendre dans un piège et de l'envoyer au fond d'un couvent pour le reste de ses jours.

Heureuse du résultat acquis, Charlotte, emportée par l'amour, oublia de signaler à son amant que, justement, Henri III était l'homme du monde le moins facile à prendre au piège. Il y avait du renard dans le Valois.

Le jour de la Saint-Thomas qui était le 21, Henri de Guise attendait le Roi à la sortie de la chapelle où il était allé entendre vêpres. Il lui demanda la faveur d'un entretien particulier qui lui fut gracieusement accordé. Les deux hommes s'éloignèrent côte à côte vers les jardins.

Là, Guise se plaignit amèrement d'avoir perdu la confiance de son Roi, et déclara que, dans ces conditions, il voulait résilier sa charge de lieutenant général, quitter la ville... Henri III se sentit frémir. Si Guise partait, ce serait pour rassembler ses armées, faire sa jonction avec l'Espagne, l'acculer, lui, à la catastrophe. Dans le temps d'un éclair, il vit la France déchirée à nouveau entre les catholiques fanatiques du bouillant duc et les protestants. Il comprit aussi que, de la sorte, son ennemi lui échapperait...

Alors, il se fit tout sourire, toute affection. Armant son visage, en comédien consommé, d'une exquise douceur, il déclara au duc qu'il n'y avait personne au monde qu'il aimât plus que lui et que c'était très mal de se méfier ainsi de son Roi.

– Est-ce que je ne sais pas, fit doucement le Roi, quel zèle vous avez toujours mis à me servir et combien vous avez d'affection pour moi?...

Sous le reproche non déguisé, Guise se sentit rougir.

Mais Henri semblait si triste, si abattu, que toute sa confiance en son étoile lui revint.

Le lendemain matin, il retrouva le Roi au chevet de la reine Catherine qui, prise d'une bronchite, gardait la chambre. Henri III fut à nouveau tout sourire, toute amabilité. Il offrit même à Guise des fruits confits de son drageoir. Bref, il fit si bien que, en le quittant, le duc, toute méfiance envolée, confia à son frère :

– C'est un bon homme au fond, il n'a pas l'âme méchante...

Il ne pouvait deviner que, de son côté, en regagnant son appartement, le premier soin du Roi avait été de convoquer ses fidèles, plus Loignac, chef de ses Quarante-Cinq (1), Larchant, capitaine de ses gardes, et son grand écuyer Bellegarde. Le conciliabule dura un moment.

Quand il se termina, le capitaine Larchant s'en vint trouver le Balafré pour lui exposer la situation critique des gardes du Roi qui, faute d'argent, n'avaient pas été payés depuis un moment.

– Si vous le permettez, Monseigneur, fit Larchant, ils se tiendront demain matin sur l'escalier d'honneur, quand vous vous rendrez au Conseil pour vous implorer de vous occuper d'eux...

Voir les gardes mêmes du Roi implorer son aide, quelle orgueilleuse joie pour le Balafré!...

– Qu'ils viennent, dit-il avec un large sourire. Je leur parlerai...

Larchant se retira en saluant très bas.

Après lui, ce fut le Roi qui manda le duc chez lui.

– Je désire passer la Noël au pavillon de la Noue, au fond du parc, fit le souverain, et aussi partir très tôt, juste après le Conseil qui se tiendra avant le jour. Afin

(1) Garde privée et dévouée corps et âme au Roi, composée de 45 gentilhommes gascons.

que mes équipages puissent être prêts, laissez donc les clefs du château à mon intendant.

Une fois de plus Henri de Guise acquiesça, sans se douter qu'il refermait ainsi sur lui le piège. Il se sentait d'humeur souriante, aimable, et, après avoir donné les clefs, il s'en alla, en chantonnant une ariette, dîner avec Charlotte qui l'attendait.

La table du souper était dressée dans la chambre même de la marquise. Deux couverts, des fleurs entre les bougeoirs d'argent, du gibier et des vins fins : une atmosphère de fête intime. Mais, bien qu'elle adorât ces soupers à deux, Charlotte ne parvenait pas à trouver la paix du cœur. Depuis le matin, depuis qu'elle avait vu son amant s'éloigner vers les jardins au bras du Roi, elle portait au cœur une sorte de froid profond qu'elle ne pouvait secouer. Le sourire d'Henri III lui faisait plus peur que le froncement de ses sourcils. Elle tenta de faire partager ses craintes à Guise mais, une fois de plus, il se mit à rire :

– Ah ça, mais vous voyez du mal partout, mon cœur? Il ne faut pas trembler ainsi! D'ailleurs, soyez rassurée tout à fait : Le Roi part demain passer la Noël à la Noue. Il quitte le château aussitôt le Conseil terminé. J'espère que vous voilà contente.

– Il y a le Conseil, avant ce départ, objecta Charlotte.

Du coup, le duc rit à gorge déployée :

– Et alors? Que craignez-vous? Qu'il me fasse arrêter en plein Conseil? Il n'est pas fou. Ou bien tuer? Au milieu d'une foule de gens? Allons, cessez de déraisonner et soupons. Vous êtes adorable, je vous aime... et nous avons une longue nuit devant nous.

Sur ce, le duc s'installa à table, prit sa serviette. Un papier plié soigneusement dessous s'en échappa. Etonné, il le ramassa, le lut.

– Qu'est-ce? demanda Charlotte, aussi surprise qu'intriguée.

Le duc haussa les épaules :

– On m'avertit que le Roi a juré ma perte... et que je mourrai demain.

– Mon Dieu!...

– Ah, ne recommencez pas! Tout ceci n'a pour but que de me faire trembler comme un enfant. Vous devriez changer de serviteurs, ma chère. Ces plaisanteries sont de fort mauvais goût...

Il s'était levé, allait à une table sur laquelle était disposé tout ce qu'il fallait pour écrire. Saisissant une plume, il la trempa dans l'encre et, en travers du billet, d'une grosse écriture maladroite de grand seigneur, écrivit : *Il n'oserait!...* Puis, avec un éclat de rire, il tendit le tout à la marquise.

– Soupons, maintenant, dit-il en retournant à table.

A 4 heures du matin, bien avant que l'aube de ce 23 décembre ne s'annonçât, le valet de chambre du Roi, du Halde, vint frapper à la porte de la Reine(1) chez qui le Roi avait passé la nuit. Quelques secondes plus tard, Henri III, en robe de chambre et en pantoufles, un flambeau à la main, sortait de chez sa femme pour regagner son appartement privé. A 4 heures et demie il était prêt et du Halde introduisait Aumont, Rambouillet, Maintenon et Bellegarde. Le Roi s'adressa à ce dernier :

– Tout est-il prêt?

Pour toute réponse, le Grand Ecuyer alla ouvrir une porte dérobée dans l'épaisseur de la muraille, découvrant un escalier à vis par lequel toute la troupe des Quarante-Cinq pénétra silencieusement dans la chambre royale. Au passage, le Roi regarda attentive-

(1) Louise de Vaudémont.

ment chacun des visages mais il n'y lut qu'une farouche résolution, un absolu autant qu'aveugle dévouement.

– Messieurs, dit-il d'une voix un peu rauque, le salut du Royaume et du Roi dépend entièrement de vous. Si, ce soir, le duc de Guise est encore vivant c'en est fait de la France où les protestants que soutient Elisabeth d'Angleterre et les catholiques de la Ligue à Philippe d'Espagne recommenceront à s'entre-déchirer. Ma vie, à moi, ne compte pas! Je sais qu'en faisant ce que nous allons faire je la sacrifie à plus ou moins longue échéance (1). C'est le royaume qui importe.

Pour toute réponse, un tonitruant « Vive le Roi » ébranla les murs.

– Plus bas, Messieurs. Ma mère dort sous nos pieds et elle aime fort Messieurs de Guise. Je vous remercie.

Bellegarde, portant des poignards et des épées, venait d'apparaître.

– Messieurs, dit-il, qui en veut?

Silencieusement les Quarante-Cinq s'armèrent puis allèrent prendre les postes qui leur avaient été désignés. Pendant ce temps, les gardes de Larchant s'installaient tout au long du grand escalier d'honneur, sous couleur de présenter leur supplique au duc, en réalité pour lui couper toute retraite vers l'extérieur. Le piège était tendu. On n'attendait plus que le gibier.

Jean Péricard, valet d'Henri de Guise, avait eu beaucoup de mal à éveiller son maître à 6 heures du matin. Henri n'avait regagné son appartement que passé 3 heures, après une folle nuit dans les bras de Charlotte. La belle marquise, partagée entre l'amour et l'angoisse, semblait ne pouvoir se rassasier de son amant. En rentrant chez lui Henri tenait à peine debout.

(1) Les Guise devaient, en effet, armer le bras de Jacques Clément, l'assassin du Roi.

Quand il se leva, il avait les yeux lourds de sommeil, le cœur barbouillé, les jambes faibles, mais il se laissa habiller sans protester autrement que pour maudire le Roi de ce conseil par trop matinal. Péricard protesta en voyant que son maître s'apprêtait à sortir seulement vêtu de son pourpoint de satin gris.

– Il fait un temps affreux, Monseigneur! Prenez au moins un manteau.

Henri de Guise bâilla à se décrocher la mâchoire et haussa les épaules :

– Il n'y a que la cour du château à traverser. Un peu de pluie me fera du bien et me réveillera.

Mais la pluie était plus sérieuse que le duc ne le pensait. Elle tombait, glaciale, d'un ciel noir comme de l'encre. Dans la cour du château, le duc, suivi de Péricard, se mit à courir. Il heurta presque un homme qui, lui aussi, courait, mais dans l'autre sens. C'était M. de la Salle, un de ses fidèles. Reconnaissant Guise, il s'accrocha à lui :

– N'allez pas au Conseil, Monseigneur! Le Roi médite quelque chose contre vous...

Guise, mal réveillé, était de mauvaise humeur. Il secoua avec impatience les mains qui le retenaient.

– Je suis guéri depuis longtemps de cette crainte, mon ami, dit-il nerveusement. Laissez-moi passer, vous me faites tremper.

L'autre s'écarta, confus et découragé. Il hésita un instant à courir chez Mme de Noirmoutiers mais les fenêtres des appartements des dames d'honneur étaient noires. Et puis il était trop tard. Le duc atteignait l'escalier de François Ier. Le claquement des hallebardes, sur les marches de pierre, signala son entrée. Avec un soupir, La Salle regagna son logis. On n'arrête pas le destin...

Dans la vaste salle du Conseil, il ne faisait guère plus

chaud que dans la cour. Il n'y pleuvait pas mais c'était toute la différence. Dans l'immense cheminée, le feu ne voulait pas flamber. Le bois, humide, fumait désagréablement.

Se promenant de long en large, les mains dans leurs manches pour tenter de se réchauffer, les conseillers parlaient à voix basse. Il n'y avait encore là que le maréchal d'Aumont, Maintenon, Rambouillet et d'O. Henri de Guise ne put s'empêcher de froncer le sourcil devant cette assemblée d'amis du Roi. L'idée du guet-apens, un instant, lui vint. Il fit un pas vers la porte. Mais justement, par cette même porte, le cardinal de Guise faisait une entrée fracassante et superbe, à son habitude. Son Eminence ne concevait pas que l'on pût se déplacer, même au petit matin, sans faire quelque bruit dans le monde. Avec lui entraient le cardinal de Vendôme, le garde des Sceaux Montholon et l'évêque de Paris, Monseigneur de Condi. Des conversations particulières s'engagèrent car le Roi tardait à paraître.

Dans son habit trop mince pour la saison, Guise frissonna. Il se sentait la tête lourde, l'estomac vide et les jambes tremblantes. Il payait les folies de sa nuit. Se penchant vers Péricard qui lui servait de secrétaire, il lui demanda :

– Allez jusqu'à mon appartement et rapportez-moi mon drageoir. Il contient des raisins de Damas qui me feront du bien.

Péricard disparut vivement tandis que son maître, avisant sur un dressoir une coupe de prunes confites de Brignoles, en croquait quelques-unes pour vaincre la faiblesse qui le gagnait.

Décidément, il ne se sentait pas bien. Pris d'un brusque saignement de nez, il eut tout juste le temps de porter son mouchoir à ses narines et s'approcha du feu.

– Comme le Roi tarde! murmura-t-il comme pour lui-même.

– Vous êtes souffrant, mon frère, fit le cardinal. Vous devriez rentrer au logis. Je vous excuserai.

Le ton signifiait clairement qu'il y avait peu d'égards à garder avec le Roi. Henri de Guise secoua cependant la tête et voulut répondre mais, à cet instant, la porte de la chambre du Roi s'ouvrit, livrant passage au secrétaire d'Etat Revol.

– Monsieur, fit Revol d'une voix mal assurée, le Roi vous demande. Il est dans son Cabinet Vieux.

Avec un soupir, le duc se dirigea vers la porte mais, au passage, emporta le drageoir qui contenait les prunes. Il ignorait que Péricard, arrêté au retour par les soldats de garde, n'avait pu venir le rejoindre. Près de quitter la salle du Conseil, il se retourna, fit un geste nonchalant de la main.

– Adieu, messieurs! fit-il avec un sourire moqueur.

Puis il passa chez le Roi.

Un instant plus tard, les conseillers terrifiés purent entendre des cris, des gémissements, des bruits de lutte qui partaient de l'appartement royal. Le cardinal voulut se précipiter, trouva la route barrée par deux gardes...

– Ah!... s'écria-t-il. Voilà mon frère qu'on tue!

Mais le maréchal d'Aumont et Retz avaient tiré leurs épées :

– Ne bougez, monsieur, si ne voulez mourir!

Epouvanté, le cardinal demeura immobile, l'oreille au guet. Un quart d'heure plus tard la nouvelle que le duc de Guise était mort franchissait la porte du Conseil. Dans la chambre du Roi, au pied du lit, un grand cadavre achevait de répandre son sang par une foule de blessures. Debout devant lui le Roi le regardait, le visage figé.

– Me voici roi de France, murmura-t-il... Enfin!

L'un des meurtriers fouillait les poches d'Henri, en tirait un papier qu'il tendit au Roi. C'était le début d'une lettre adressée au roi d'Espagne :

« Pour entretenir la guerre civile en France, il faut 700000 écus d'or tous les mois... »

Henri III sourit. Il n'avait guère besoin de cette preuve supplémentaire de trahison. Sa conscience ne lui faisait aucun reproche.

Une heure plus tard, Charlotte, folle de désespoir, apprenait la mort de celui qu'elle aimait. Elle courut chez Catherine de Médicis mais elle trouva la vieille Reine frappée de terreur au fond de son lit. La Florentine comprenait que son règne à elle était bien fini, et celui de ceux dont elle avait voulu faire les successeurs de son fils. Ce successeur, elle le savait maintenant, serait le Béarnais détesté. La mort de Guise ouvrait à Henri IV le chemin du trône de France.

Le lendemain, le cardinal de Guise, à son tour, était tué par ordre du Roi.

La mort d'Henri de Guise marqua pour Charlotte de Noirmoutiers la fin de la vie brillante qu'elle avait tant aimée. Quelques jours plus tard, le 5 janvier, la reine Catherine de Médicis s'éteignait à son tour dans sa chambre du château de Blois.

Ayant perdu son amant et sa souveraine, Charlotte de Noirmoutiers s'en alla finir dans la retraite et l'austérité une vie que l'amour n'avait même pas eu le temps de racheter.

STENKA RAZINE
le cosaque révolté

Une atmosphère pesante, irrespirable régnait, en ce printemps 1668, sur la grosse ville persane de Recht, sur les bords de la mer Caspienne. La colère rentrée, la fureur grandissante du peuple fermentaient à mesure que le temps passait et que se prolongeait dans la ville le séjour des cosaques-pirates si imprudemment accueillis par le gouverneur. Des hommes à demi sauvages, ignorant la pitié et même la plus élémentaire civilisation, qui se comportaient comme en pays conquis, semant la désolation et la mort.

C'était à ces choses pénibles que songeait, cette nuit-là, Boudar-Khan, le gouverneur de Recht. Debout sur la terrasse de son palais, face à la mer, il écoutait les bruits incertains qui montaient du trou noir des rues entrelacées serpentant à ses pieds. Il lui semblait déceler une étrange fermentation, comme si la ville, pareille au fauve qui s'étire et bâille avant de bondir, essayait ses muscles et ses poumons. Un cri soudain déchira la nuit, suivi de jurons et d'éclats de rire féroces. Le gouverneur sursauta. Si les ordres... et aussi les troupes qu'il avait demandées à Ispahan n'arrivaient pas, il savait bien qu'il ne pourrait bientôt plus contenir ses dangereux hôtes.

Un pas glissa sur les dalles de marbre et un homme au turban blanc en forme de citrouille s'inclina devant Boudar-Khan qui poussa une exclamation de joie :

– Ali!... Enfin te voici. Quelles nouvelles m'apportes-tu d'Ispahan? Que dit Sa Majesté?

Le nouvel arrivant, un petit bonhomme preste à la figure lunaire mais au regard vif, s'inclina à nouveau :

– Notre Shah bien aimé, qu'Allah protège, te fait dire qu'il n'augure rien de bon de la présence chez toi des cosaques de Don, révoltés. Il te conseille la prudence. Un envoyé du tsar Alexis Mihailovitch est arrivé, ces derniers jours, pour mettre en garde notre maître contre les agissements de leur chef, l'ataman Stenka Razine, que l'on dit faux et débauché.

– Je sais tout cela! coupa le gouverneur avec impatience. Mais va-t-on nous envoyer des troupes?

– Il te faut encore prendre patience. Cela ne tardera guère. Bientôt l'amiral Menedy-Khan prendra la mer avec une flotte de soixante-dix navires pour venir à ton aide.

– Menedy-Khan? Mon futur beau-père?

Ali s'inclina avec un large sourire :

– Mais oui! En apparence, cette flotte, qui sera somptueusement chargée, aura pour mission de t'amener ta fiancée, la belle Shézadé, comme il était convenu depuis longtemps. En fait, elle amènera des soldats... et sera, comme tu peux en juger, beaucoup plus nombreuse qu'il n'était prévu à l'origine.

– Et... quand Menedy sera-t-il sous nos murs?

– D'ici à une lune, je crois... Tu vois que ta patience sera courte...

– La mienne, oui, fit le gouverneur en laissant peser un regard songeur sur les terrasses et les coupoles que la lune argentait. Mais je crains que, si courte fût-elle, elle ne soit encore trop longue pour les gens de Recht. Les hommes de Stenka Razine pillent, volent et violent sans arrêt. La colère monte et je n'ai malheureusement pas assez d'hommes, ni pour mater les cosaques ni même pour contenir la ville si elle se réveille...

– Peuh!... Des marchands, des portefaix, des artisans!...

– Non. Des hommes exaspérés. Leur haine pour les cosaques de Stenka grandit à chaque heure...

Pendant ce temps, l'homme dont le gouverneur se préoccupait tant menait joyeuse vie dans un bouge du port, près de l'entrée du bazar dont il avait fait son quartier général. A quarante-trois ans Stephane Timofeievitch Razine, dit Stenka Razine, était un homme de taille moyenne mais extrêmement vigoureux. Malgré les marques de petite vérole qui grêlaient son visage, il avait beaucoup d'allure et cachait sous un aspect brutal une réelle finesse et un courage à toute épreuve. Blond aux yeux gris, il arborait fièrement de longues moustaches qui encadraient sa bouche au pli inflexible. Jamais, même après avoir englouti d'innombrables cruches de vin, il ne perdait le contrôle de lui-même et son coup d'œil était infaillible. Les paysans du Don et de la Volga, sur lesquels il régnait en maître, en avaient une telle peur qu'ils disaient qu'un seul de ses regards pouvait changer en pierre et qu'il avait le pouvoir de se rendre invisible.

Mais, pour l'heure présente, cet homme extraordinaire se vautrait dans la débauche avec la satisfaction du porc dans une mare à purin. La ceinture dénouée, le cafetan ouvert, ses pieds bottés posés sur une table, il tenait d'une main une fille par la taille et de l'autre une cruche pleine de vin du Daghestan qu'il s'occupait à vider. Ses hommes, formant un large cercle hurlant que les quinquets à huile éclairaient bizarrement, frappaient à tour de bras dans leurs mains pour rythmer la danse d'une esclave Turkmène qui évoluait dans ce cercle infernal, vêtue seulement d'un voile attaché à ses cheveux noirs. Le vacarme était assourdissant et ne permettait même pas d'entendre le cri des guetteurs sur les tours des remparts proches.

Dans tout ce tintamarre, seul un homme restait calme, sombre même, et tendait l'oreille pour saisir les bruits extérieurs. Frolka, le frère de Stenka, était inquiet et sentait le sol lui brûler les pieds. Soudain il n'y tint plus, alla à son frère, lui arracha la fille qu'il envoya sans plus de façon sur les assistants :

– Je t'en prie, Stenka, écoute-moi. Nous devrions reprendre la mer, aller plus loin. Je sens monter la révolte. Si ces gens se déchaînent bientôt contre nous...

– Tu n'as qu'un cœur de lièvre! rugit l'aîné. Et ces gens qui te font trembler sont tout au plus des moutons bons à tondre... et qui se laisseront tondre. N'ai-je pas d'ailleurs offert nos services au Shah Abbas? Pourquoi partirions-nous?

– Pourquoi restons-nous? Il y a d'autres villes, d'autres terres à piller. Celle-ci sera bientôt exsangue, saignée à blanc...

Le visage du chef s'éclaira d'un sourire finaud :

– Ça ne durera pas. Bientôt elle regorgera de richesse. N'as-tu pas entendu dire que cet animal de Boudar-Khan attendait sa fiancée? Une fille magnifique, à ce qu'on dit, et qui lui apportera une fortune. Si tu veux le savoir, c'est elle que j'attends. Ensuite nous repartirons... mais ensuite seulement.

– Tu es fou, Stenka, fou à lier. Cette fille sera sans doute escortée puissamment. Les troupes de Boudar-Khan en seront renforcées d'autant. Nous ne serons plus les plus forts...

D'une bourrade, Stenka envoya son frère à terre.

– Tu m'ennuies! fit-il avec humeur. Je t'ai déjà dit que j'avais horreur des jérémiades. Nous resterons ici. Je veux cette fille et sa fortune.

Avec un soupir, Frolka retourna dans son coin tandis que Stenka s'emparait d'un nouveau pot de vin et d'une autre fille. Il n'avait pas peur mais il sentait que cette folle vie de rapines et de meurtres n'amènerait rien de bon. Depuis un an, ne dansaient-ils pas tous sur un volcan?

Un an plus tôt, Stenka, libéré de l'armée du tsar par la fin de la guerre russo-polonaise, était revenu sur le Don avec ses cosaques. Il ramenait avec lui la haine et le désir de la vengeance. Son frère aîné, pour une faute de discipline, avait été pendu sur les ordres du prince Dolgorouki. Son cœur flambait de rage contre le pouvoir établi. De plus, sur le long chemin qui l'avait conduit depuis Moscou, il avait vu l'effroyable misère du peuple, les serfs écrasés de travail et abreuvés de coups de fouet par des boyards insolents, les longues colonnes de déportés que l'on emmenait pourrir dans les mines ou traîner les navires tout au long de la Volga. Enfin, sur le Don, il avait vu affluer les bandes misérables de ceux qui avaient pu échapper à la tyrannie des boyards, les esclaves en fuite, les soldats sans emploi, les paysans terrifiés. De tout cela, il avait formé une troupe sauvage et hétéroclite avec laquelle il tenait en échec le tsar et ses troupes et qu'il augmentait sans cesse. C'est ainsi qu'il avait attaqué un jour un convoi de condamnés, de marchands, de soldats et de moines qui descendait vers la Caspienne. Une heure plus tard, après un combat sans merci, il avait ajouté trois cents hommes à sa troupe...

Avec ces éléments disparates mais animés de la même haine, il avait pris les villes de Tsaritzine et d'Astrakhan, semant la terreur et la liberté partout où apparaissait sa flottille de barques légères et son étendard rouge. Après plusieurs mois de cette vie folle, il était entré tout vivant dans la légende et l'on se contait ses exploits dans toutes les isbas de la vallée de la

Volga. Il était l'Invincible, le Justicier, l'ami des humbles, la terreur des grands... Mais il était avide de richesses, de conquêtes. A cause de cela il avait monté cette expédition vers la rive persane de la Caspienne et était entré dans Recht après avoir ravagé le Daghestan. Non, selon Frolka, cette vie ne pouvait durer et il était mauvais de s'obstiner à demeurer en Perse. Tôt ou tard on aurait maille à partir avec le puissant Shah Abbas II...

Frolka ne pensait pas que les événements dussent lui donner raison si tôt. Lorsque la nuit atteignit son milieu, la ville s'éveilla insensiblement. Par un, par deux, des hommes armés sortirent des maisons. Un cosaque tomba, poignardé dans le dos, puis un autre, puis d'autres encore. Bientôt on les vit fuir à travers le dédale des ruelles étroites, rendues encore plus obscures par la nuit. Sous les passages couverts, des hommes dissimulés les guettaient, profitaient de ce que beaucoup étaient ivres. En une heure la ville fut en effervescence et le massacre organisé.

Dans sa taverne, Stenka avait été surpris par un parti d'hommes décidés à en finir, mais lui et ses lieutenants s'étaient défendus avec acharnement. A grands moulinets du sabre courbe qu'il maniait mieux que les Turcs, il s'était frayé un passage, pour lui et ses hommes.

– Tous aux navires! hurlait-il tout en ferraillant et en reculant centimètre par centimètre.

Quand le jour se leva et que le soleil barbouilla de rose les neiges de l'Elbrouz, la flottille des cosaques avait pris le large avec les quatre cents hommes rescapés du désastre de Recht. Les voiles multicolores se gonflaient au vent du matin et, à leurs bancs, les rameurs regardaient la mer s'embraser.

– Où allons-nous? demanda Frolka à son frère.

Celui-ci, debout contre le grand mât, regardait la

côte persane, les yeux durs, la rage au cœur. Comme son cadet ajoutait : « Allons-nous enfin rallier Astrakhan? », il tourna vers lui sa fureur :

– Non! J'ai dit que je voulais cette fille! Nous allons faire voile sur Ferbat qui est une trop petite cité pour se défendre efficacement. Là, nous attendrons la fille de Menedy-Khan et nous l'attaquerons. Le convoi ne peut pas faire autrement que passer à proximité de Ferbat pour gagner Recht.

Le soir même la flottille des cosaques attaquait Ferbat dont tous les hommes en âge de porter les armes furent impitoyablement massacrés. Les hommes de Stenka avaient sur le cœur la mort de leurs compagnons. Les gens de Ferbat payèrent pour ceux de Recht.

– Les voilà!...

Le cri, lancé du nid-de-pie, fit jaillir Stenka de sa cabine. En effet, dans le brouillard léger du matin, les lourdes galères persanes se dessinaient sous leurs voiles, dorées, bleues et rouges que le vent léger gonflait. Un sourire éclaira le visage sombre de l'ataman des cosaques :

– Enfin... Cette fois nous tenons la fortune!

Son lieutenant, un borgne nommé Krivoï Serguei qui se tenait près de lui, hocha la tête :

– La flotte est plus nombreuse que nous ne pensions. Regarde : la mer est pleine de navires jusqu'à l'horizon...

– Nous n'en serons que plus riches! D'ailleurs, ils sont moins bien armés que nous qui avons bombardes et arquebuses, et moins rapides. Avertis les autres navires que nous allons attaquer. Formation habituelle!...

Les légers navires, sous la poussée des avirons vigoureusement maniés, volèrent sur l'eau à la rencontre des lourds vaisseaux. Comme des mouches ils les entourèrent, se mettant à plusieurs pour attaquer chacun d'eux, tandis que d'autres bateaux, demeurés à l'écart, faisaient parler les bombardes.

L'effet de surprise joua. En deux heures de combat tout fut fini. Les galères persanes n'avaient pu manœuvrer. Assaillis de toutes parts, les hommes de Menedy-Khan résistèrent de leur mieux, se firent tuer sur place mais, un à un, les navires coulèrent par le fond. Trois navires seulement furent épargnés, dont l'un portait l'amiral et sa fille...

La cabine de Shézadé ressemblait à la grotte d'Ali Baba en réduction. Des coffres entrouverts, qui laissaient déborder des soieries multicolores et des joyaux, l'encombraient, laissant tout juste la place à une immense couche tendue de soie bleue et de mousseline d'or au fond de laquelle une forme féminine se tenait tapie, enroulée dans de multiples voiles aux tons d'aurore. Cette silhouette rose était la seule occupante des lieux quand Stenka Razine y entra. Les servantes en avaient été arrachées et l'on entendait, sur le pont, leurs cris et les rires des hommes.

– Viens ici! lança le cosaque depuis le seuil.

Un frisson secoua la jeune fille à la vue de cet homme hirsute, couvert de sang, et dont la main n'avait pas encore lâché le cimeterre souillé. Au lieu d'obéir, elle se recula encore dans l'ombre des draperies soyeuses comme si elle eût souhaité y disparaître. Lentement Stenka s'avança, arracha d'un mouvement sec les rideaux qui formaient une cage translucide, se pencha, saisit une cheville cerclée d'or et tira violemment à lui. La forme rose s'écroula sur les tapis, à ses pieds, avec un gémissement. Il se mit à rire :

– N'aie donc pas peur. Montre-moi ton visage. Tu n'as rien à craindre... si tu es aussi belle qu'on le dit.

Comme la jeune fille, effondrée à terre, ne faisait

aucun mouvement, il se baissa, l'obligea à redresser la tête et, d'un geste vif, ôta le voile épais qui l'enveloppait. Une masse soyeuse de cheveux d'un noir bleu coula sur ses mains tandis qu'il contemplait, ébloui, le plus ravissant visage qui fût. A la manière d'un enfant apeuré, Shézadé tenait étroitement clos ses yeux mais ne pouvait dissimuler ses longues paupières bistrées et ourlées de cils épais, sa bouche éclatante comme une fleur, son petit nez menu et la chaude teinte dorée de sa peau. Elle avait si peur que ses lèvres tremblaient et que quelque chose remua dans le cœur durci du cosaque. Se penchant, il posa doucement ses lèvres sur celles de la jeune fille qui se raidit entre ses bras comme si elle avait reçu une décharge électrique. Deux grosses larmes roulèrent sur les joues mates.

– Ne pleure pas, murmura Stenka. Je ne te ferai aucun mal! Par saint Etienne, tu es plus belle encore que je ne croyais! Personne ne te touchera... que moi, si tu veux.

Sans doute n'était-ce pas là le langage auquel s'attendait la jeune Persane car elle ouvrit soudain, tout grands, ses yeux qui apparurent d'un bleu sombre, profond et tout semé de points d'or. Les larmes qui les noyaient les rendaient encore plus brillants.

– Mon père... murmura-t-elle.

– Sois sans crainte. On ne le tuera pas. Il va être remis sur une barque afin qu'il puisse regagner la côte. Je ne suis pas assez fou pour tuer un ministre du Shah. Mais toi...

– Moi?...

– Je vais faire voile vers mon pays. Je t'emmènerai car déjà je sens qu'il ne m'est plus possible de me séparer de toi. Pardonne-moi...

Soudainement, un sourire inattendu illumina le joli visage :

– Je n'aimais pas Boudar-Khan à qui mon père me

conduisait. En un sens, tu es le bienvenu, pirate, puisque tu m'assures que mon père sera sauf...

— J'en fais serment...

Gracieuse, Shézadé se dégagea des bras qui la serraient, se releva et rejeta une partie des voiles qui l'enveloppaient, révélant une silhouette impeccable sous une tunique vaporeuse et d'amples pantalons de mousseline. A son tour, elle considérait l'homme resté accroupi à ses pieds.

Il n'était pas beau, avec ce visage grêlé, mais il était mieux que ça. On sentait en lui la volonté, la force virile, et son regard ardent faisait courir dans les veines un agréable frisson. D'un doigt léger elle effleura la joue tachée de sang :

— Viens. Je vais laver ton visage afin de mieux te voir...

Comme elle versait l'eau d'une aiguière dans une cuvette émaillée d'oiseaux fantastiques, la porte de la cabine s'ouvrit violemment, livrant passage à Krivoï le borgne. Couvert de sang, lui aussi, il était violacé par le vin qu'il avait bu.

— Que fais-tu, Stenka? beugla-t-il. Tu es assez demeuré dans ce trou. Nous allons couler le navire mais, avant, il est temps que tu amènes la fille pour qu'elle soit tirée au sort, comme le reste du butin...

Instantanément, le chef fut sur pied. Son regard foudroya le borgne.

— Tu as bu, Krivoï, sinon tu te souviendrais que nul n'a vécu assez pour se souvenir d'avoir donné des ordres à Stenka Razine. La fille est à moi, je la garde! Mais je vous abandonne tout le reste du butin. Elle seule me suffit. Maintenant, sors...

Mais, au lieu d'obéir, Krivoï s'avança de deux pas, dévisageant Shézadé avec curiosité :

— Je comprends qu'elle te suffise. Elle est diablement belle... mais ce n'est pas juste pour moi et pour les autres. Prends-la si tu veux mais passe-la-nous ensuite...

La main de Stenka s'abattit sur le col de son second qu'il empoigna tandis qu'il levait son sabre.

– Le premier qui osera y toucher, hurla-t-il, je le fendrai en deux de la tête aux talons! Tu m'as compris? Quant à toi, je t'ai déjà dit une fois de sortir. Ne me le fais pas répéter... Je regagnerai le « Faucon » quand bon me semblera...

En grognant comme un chien battu, le borgne recula, le dos rond... Il connaissait assez son chef pour savoir qu'il ne fallait pas le pousser à bout quand il avait dans les yeux cette flamme meurtrière.

– C'est bon, fit-il. Comme tu voudras...

La porte se referma sur lui tandis que Stenka, rejetant son sabre, se tournait vers sa captive, les bras tendus...

Depuis huit jours, l'étrave mince du « Faucon » fendait les eaux gris-bleu de la Caspienne en direction d'Astrakhan. La flottille, lourdement chargée de butin, suivait et l'on n'avançait que lentement. Mais, parce que la bataille contre Menedy-Khan avait diminué encore le nombre de ses hommes, l'ataman avait décidé de regagner l'estuaire de la Volga où, pensait-il, il pourrait jouir enfin de ses richesses et vivre à sa guise au milieu de ce peuple libéré qui lui était si soumis. Quant à l'amour, il s'en gorgeait depuis huit jours. Il n'avait, en effet, guère quitté sa cabine, laissant son frère et Krivoï diriger les navires. Enfermé avec Shézadé, il vivait un rêve fou...

Une fois par jour seulement, il apparaissait, se faisait rendre compte de la marche des navires, puis, raflant boisson et nourriture, il retournait s'enfermer chez lui, aveugle et sourd à tout ce qui n'était pas son amour pour Shézadé. Il coulait en lui, cet amour, comme un fleuve de lave que rien n'arrête, que rien n'éteint. Et Stenka n'imaginait pas qu'il pût y avoir autre chose pour lui et pour elle que cette étroite pièce qui enfermait un univers. La simple porte qui les séparait du monde avait la puissance d'un sortilège, la force d'un enchantement...

Seulement, cette porte toujours close faisait grandir chaque jour un peu plus de colère chez les compagnons de l'ataman...

– Nous n'avons plus de chef, disaient entre eux, avec amertume, les hommes du « Faucon ». Cette femme nous l'a pris tout entier... Elle a mangé son âme et son esprit...

Sournoisement, Krivoï entretenait ces rumeurs. Il n'avait pas pardonné à Stenka sa sortie violente et encore moins d'avoir gardé pour lui seul cette fille merveilleuse qu'il s'était mis à désirer de toutes ses forces.

– Tout cela ne serait pas arrivé, glissait-il à mi-voix, si Stenka avait suivi l'ordre habituel : les captives en commun. Pourquoi donc nous a-t-il frustrés du plaisir que celle-là nous aurait donné?

– En abandonnant sa part du butin, intervenait Frolka, mon frère a payé sa captive. Vous n'avez rien à dire...

– Et nous ne dirions rien non plus si la belle ne l'accaparait pas comme elle le fait. Plus rien n'intéresse Stenka, pas même notre sort commun, rien que la possession de sa Persane. Il nous sacrifierait tous pour un sourire d'elle...

– Dire que je ne l'ai même pas vue! soupirait le petit Vania, le mousse. Elle est vraiment si belle?

– Le tsar lui-même n'a jamais rien contemplé de plus beau, dit rageusement Krivoï. Stenka pense sans doute qu'elle est trop belle pour nous...

Les hommes grinçaient des dents et regardaient avec

une rancune sans cesse grandissante la porte rouge qui ne s'ouvrait jamais...

Le temps et les navires marchaient. Bientôt les vertes étendues marécageuses du delta de la Volga se présenteraient devant les proues rongées de sel. Les premiers canards sauvages avaient survolé la flottille. On approchait du but du voyage.

Mais, à la fin d'une nuit, à l'heure où le ciel est le plus noir et où la brume se lève sur les eaux, une petite barque où s'agitait un fanal jaune vint doucement se ranger contre le flanc rugueux du « Faucon ». Un jeune garçon, qui l'occupait seul, grimpa lestement à bord et demanda à voir le chef.

– J'ai craint longtemps de ne pas vous trouver, fit-il, haletant d'avoir trop longtemps poussé sur ses avirons. Il faut que je voie Stenka Razine...

– Comment as-tu su que nous arrivions? demanda Krivoï.

Le jeune homme haussa les épaules :

– Je suis d'Astrakhan et, dans le marais, les nouvelles vont vite. Vous êtes signalés depuis que vous avez doublé la presqu'île d'Apchéron. Mais où est l'ataman? Il faut que je le voie. Les nouvelles que j'apporte sont graves...

Le poing de Frolka alla ébranler la porte rouge si vigoureusement qu'enfin Stenka apparut, les yeux lourds de sommeil :

– Que me veut-on?

– Ecoute celui-ci qui est venu d'Astrakhan t'apporter de graves nouvelles, lança Krivoï. Il est temps que tu t'occupes d'autre chose que d'une femme!

– Parle! fit Stenka sans daigner relever l'insolence.

Les nouvelles, en effet, étaient graves. Les voïévodes, chassés d'Astrakhan et de Tzaritzine par les cosaques révoltés, étaient allés porter leurs plaintes à Moscou.

Un nouveau voïévode, le prince Prozorovsky, avait été nommé et il était venu occuper Astrakhan avec douze mille strelitz. D'autre part, une flotte de trente-six galères, aux ordres du prince Lvoff, attendait Stenka à l'entrée du fleuve...

Quand le jeune homme eut fini de parler et qu'il jeta les yeux autour de lui, il ne vit que des visages blêmes où la peur brûlait au fond des yeux creux et coulait en larges gouttes de sueur. Jamais la poignée d'hommes qui restait à Stenka ne pourrait résister à pareille force et, au fond de toutes les pensées, se levait la forme sinistre de la hache qui les attendait.

– Que comptes-tu faire? demanda enfin Krivoï, rompant un lourd silence.

L'ataman haussa les épaules et jeta à son second un regard mi-moqueur, mi-méprisant :

– Que puis-je faire d'autre que vendre chèrement notre peau? Nous ne sommes pas de taille contre les galères de Lvoff qui doivent porter pas mal d'hommes...

– Quatre mille strelitz, souffla le messager bénévole.

Stenka Razine se mit à rire :

– Quatre mille? Peste! On fait cas de nous!... Eh bien, nous n'en combattrons que mieux et notre fin n'en sera que plus héroïque...

Déjà il se détournait, faisait un pas vers sa cabine. Mais Krivoï s'interposa :

– Il y a mieux à faire. Ta princesse persane peut, peut-être, nous valoir la vie sauve. Elle est la fille de Menedy-Khan, que tu as libéré. Par sa mère elle est la nièce du Shah. C'est une bonne prise. Pourquoi ne pas la livrer à Lvoff en échange de la vie sauve... Pour lui aussi elle sera un précieux otage...

– Je t'ai déjà dit qu'elle était à moi! coupa Stenka glacial.

Mais l'autre avait lancé :

– N'en as-tu pas assez joui? Il est temps de penser à nous. Ce garçon va repartir avec sa barque. Il ira dire à Lvoff que nous possédons un otage de prix qui lui sera livré contre promesse de la vie... Livre-nous cette fille.

– Oui... reprirent en chœur tous les hommes. Livre-la-nous!

Le regard de l'ataman se posa sur les faces haineuses de ces hommes qu'il croyait dévoués jusqu'à la mort. Sur toutes, il put lire une affreuse concupiscence qui lui souleva le cœur. S'il leur livrait Shézadé, ils ne se contenteraient pas de l'enfermer en lieu sûr pour la livrer à Lvoff... Et Lvoff lui-même, qu'en ferait-il? Lequel de tous ces hommes résisterait à l'envie de se gorger de cette beauté sans rivale?... Hautain, il jeta :

– Non!...

Les yeux brûlants de rage, Krivoï marcha sur lui :

– Prends garde! Tu es seul et nous sommes tous d'accord. Nous pourrions décider de te livrer avec ta belle. Là, nous serions sûrs de l'impunité...

Le poing de l'ataman partit, atteignit la face grimaçante du borgne qui s'écroula en crachant ses dents. Puis il regarda tous ses hommes, un à un, dans les yeux, avec un mépris qui fit baisser plus d'un regard. Seul, Frolka, que deux hommes maintenaient, put le regarder en face.

– Vous n'êtes que des chiens!...

La porte rouge retomba sur lui. Il s'appuya de tout son poids au vantail, les mains au dos, et regarda Shézadé. Elle dormait, pelotonnée dans ses voiles déchirés sous la lumière pâle d'une veilleuse, parmi les coussins amoncelés de la couche en désordre. Et ainsi, avec le léger sourire qui entrouvrait ses lèvres, elle parut à Stenka plus belle que jamais. Son cœur se gonfla à la fois d'amour et de fureur, et aussi de dégoût en l'imaginant aux mains de Krivoï et des autres... Pourtant, il ne pourrait pas longtemps arrêter leur ruée furieuse. Tout à l'heure, quand Krivoï les aurait suffisamment chapitrés, ils se rueraient sur la cabine. La porte serait enfoncée... Lui, Stenka, pourrait en tuer quelques-uns mais il succomberait sous le nombre. Eux aussi savaient se battre!...

Levant les yeux, il vit, par le sabord ouvert, que le jour se levait, gris. Le cri d'un oiseau de mer passa au-dessus de sa tête et, dans les écharpes du brouillard, il vit les premiers herbages des marais. On allait entrer dans le delta où Lvoff le guettait...

Un poing furieux ébranla la porte.

— Décide-toi, Stenka, ou bien nous enfonçons cette porte!...

Il ne répondit pas, se baissa en soulevant dans ses bras la jeune femme endormie. Elle gémit doucement, ouvrit vaguement les yeux puis sourit en le reconnaissant. Ses deux bras se nouèrent autour du cou de Stenka et elle laissa rouler sa tête sur son épaule, lourde de sommeil. Il résista au désir de l'embrasser, pour ne pas l'éveiller tout à fait. Puis, d'un pas ferme, il marcha vers la porte.

Quand elle s'ouvrit, il vit qu'ils étaient toujours là, tous, massés près du grand mât, avec leurs figures tirées par la peur, que le petit jour faisait grises.

— Regarde!... lui lança Krivoï. Voilà la flotte russe!

En effet, de la brume surgissait une forêt de voiles timbrées de l'aigle bicéphale. Krivoï voulut s'avancer pour saisir la jeune femme endormie mais un regard terrible de Stenka le cloua sur place :

— Arrière... Arrière vous tous!

Il ne la maintenait plus contre lui que d'un bras. Au poing de l'autre, un pistolet avait fait son apparition. Les hommes reculèrent... Alors il s'avança jusqu'au bordage du navire, évitant de regarder l'eau grise qui clapotait. Rapidement il posa ses lèvres sur les douces paupières closes puis eut un grand geste. On entendit un petit cri, on vit quelque chose de rose qui semblait s'envoler, puis il n'y eut plus rien que le bruit de l'eau qui se refermait sur le seul amour de Stenka. Les hommes, stupéfaits, n'avaient pas fait un pas...

Toujours sans regarder la mer où il craignait de voir flotter un voile rose, Stenka jeta son pistolet puis se croisa les bras :

– Livrez-moi maintenant, si vous en avez le courage...

Mais les cosaques se détournèrent silencieusement et s'en allèrent prendre chacun leur poste de combat.

Or, le prince Lvoff ne venait pas capturer Stenka Razine. Eu égard à l'éclatante victoire navale qu'avec des forces minimes il avait remportée sur Menedy-Khan, le tsar Alexis lui offrait son pardon s'il voulait reprendre sa place dans l'armée moscovite...

L'histoire de Stenka Razine pourrait s'arrêter là, avec le retour d'un soldat dans la masse d'une armée. Mais, ayant sacrifié, inutilement, la seule femme qu'il eût jamais aimée, il lui restait au cœur un amour : celui de la liberté. Avec les troupes envoyées de Moscou, les paysans du Don et de la Volga étaient retombés sous le joug. Que faire, dans ce cas d'un pardon qui détruisait le combat de jadis? Il renia bientôt sa soumission, rallia quelques compagnons, reprit la bataille...

Il y eut des hauts et des bas, des jours de victoire et des nuits traquées. Il sillonna sans répit le Don et la Volga, les rives de la Caspienne. Et partout la flamme rouge qui claquait à la pomme du mât du « Faucon » soulevait la révolte. Quant à Stenka lui-même, il était devenu semblable à un fauve déchaîné. Il tuait pour le plaisir de tuer, massacrait sans merci les otages qui lui tombaient sous la main et fit même noyer sous ses yeux un envoyé du tsar...

Mais tout a une fin et la partie était trop inégale, d'autant plus que ses succès et la réputation de héros légendaire qu'on lui faisait avaient déchaîné bien des jalousies. Et c'est une troupe de cosaques qui prit d'assaut, un matin d'avril 1671, le fort Kagalnik, sur le Don, où il avait installé son quartier général. Livré aux troupes tsaristes, il fut enchaîné et envoyé à Moscou dans une cage, avec son frère Frolka.

Soumis à d'affreuses tortures, il ne parla pas, ne livra personne.

Condamné à être écartelé par quatre chevaux, il subit son supplice sans même une plainte, devant la foule énorme qui encombrait la place Rouge à Moscou. C'était le 6 juin 1671.

Condamné à mourir de la même abominable manière, mais le dernier, Frolka défaillit à la vue du corps démembré de son frère, gisant dans son sang au milieu de la place. Quand on voulut le saisir, il se débattit, cria, implora...

Alors Stenka, que l'on croyait mort et qui n'était plus qu'un tronc sans bras ni jambes, releva la tête par un effet surhumain.

— Tais-toi, chien!... jeta-t-il seulement.

Puis il mourut.

Précepteur chez la BRINVILLIERS

Le jeune homme ouvrit tout doucement la porte de sa chambre mais ne sortit pas. Il avança seulement la tête dans le couloir obscur et tendit l'oreille. L'hôtel semblait tranquille. On entendait seulement, lointains et très atténués, venant des sous-sols, de légers tintements d'argenterie et de vaisselle : les domestiques, occupés à ranger après le repas du soir.

A l'église Saint-Paul, toute proche, 11 heures sonnèrent. Le jeune homme compta les coups de l'horloge, puis sembla se décider. Ses souliers et sa chandelle à la main, il referma sa porte sans la faire grincer et s'avança vers l'escalier. Mais, arrivé là, il fit une nouvelle pause, indécis sur la conduite à tenir, n'osant même pas s'avouer à lui-même combien il avait peur. Ce rendez-vous nocturne que lui avait donné, dans sa propre chambre, à minuit, la marquise de Brinvilliers, sa maîtresse, ne lui inspirait pas confiance. Il sentait un piège.

Il y avait un peu plus de deux ans que le jeune Briancourt était entré au service de la marquise comme précepteur de ses enfants mais, tout de suite, il en était tombé éperdument amoureux. Toute petite, menue et frêle, avec un teint de porcelaine, d'immenses yeux d'azur et une magnifique chevelure châtain doré, abondante et soyeuse, Mme de Brinvilliers avait une beauté de bibelot précieux et son premier sourire avait attaché à elle ce jeune homme naïf et enthousiaste, tout frais émoulu de son collège avec son bagage de sciences et d'humanités.

Très vite d'ailleurs on lui avait fait savoir que son sentiment était compris, accepté... et que l'on ne détestait pas du tout cette idée. Le marquis, aux armées du roi Louis XIV, était souvent absent. La marquise soupirait fort ostensiblement, surtout les soirs de clair de lune... Un de ces soirs-là, dans le parc du château d'Offémont, la belle propriété de M. d'Aubray, père de la dame, le jeune Briancourt, ébloui, avait reçu dans ses bras la belle Marie-Madeleine, défaillant à demi... à cause de la chaleur qui était fort lourde. Il s'était empressé de lui prodiguer des soins attentifs, avait dégrafé d'une main tremblante le corsage férocement baleiné et avait reçu en récompense un regard noyé de langueur tandis qu'une bouche humide et fraîche s'offrait à la sienne. Le clair de lune et la chaleur avaient fait le reste.

Les jours qui avaient suivi avaient été pour le naïf jeune homme autant de moments arrachés au Paradis. Le parc d'Offémont vit maint tendre rendez-vous. Pourtant la maison traversait des heures cruelles. A quelques mois de distance, le père de la marquise, puis ses deux frères moururent dans des circonstances si mystérieuses et au milieu de telles douleurs qu'à l'office les domestiques avaient parlé de poison à mots couverts. Mais Briancourt, tout à sa passion, ne prêtait aucune attention aux événements extérieurs. Il ne voyait que Marie-Madeleine et les heures passionnées qu'il vivait auprès d'elle.

Pourtant, son ciel d'été devait être troublé une première fois quand il se rendit compte que sa belle avait un amant en titre, avoué, déclaré et si bien proclamé à la face de tous que M. d'Aubray avait cru bon de mettre un terme momentané au scandale en réclamant contre le galant une lettre de cachet et en l'envoyant réfléchir quelques mois à la Bastille. Cet homme, le chevalier de Sainte-Croix, était redevenu un familier de la maison et la marquise ne lui refusait rien. On ne voyait que lui à l'hôtel d'Aubray.

Cette découverte avait été cruelle au cœur aimant du jeune homme mais elle n'était rien à côté de celle qui l'attendait le soir où, fou de jalousie, il avait laissé entendre à sa maîtresse qu'elle devait choisir entre Sainte-Croix et lui-même. Il n'était pas près d'oublier ce qui s'était passé.

Tandis qu'il dépeignait, en termes violents et passionnés, la souffrance qu'il éprouvait de cet état de choses, la marquise s'était approchée de lui, avait noué ses bras blancs autour de son cou et avait appuyé sa tête sur sa poitrine.

– Tu as tort d'être jaloux, avait-elle soupiré. C'est toi que j'aime et toi seul. Il y a bien longtemps qu'il n'y a plus rien entre Sainte-Croix et moi, et je te jure que je ne te trompe pas.

– Alors, chasse-le!... Tout au moins n'accepte plus de le recevoir autant. Il est ici tout le temps; jour et nuit. Il y commande même autant et plus que Monsieur le Marquis. Moi, j'en deviens fou.

– Là... là... calme-toi! Ne prends donc pas les choses tellement au tragique. Je ne peux pas chasser cet homme. Je dois continuer à le recevoir, et à le recevoir bien... Je... je lui ai de grandes obligations...

– Des obligations? Mais de quel ordre? Tu lui dois de l'argent?

– D'abord, oui. Je lui dois de l'argent... Mais aussi autre chose. Sainte-Croix et moi sommes liés par des choses qui ne se peuvent délier.

Elle s'était détachée de lui, avait fait quelques pas en croisant étroitement sur sa gorge son peignoir de batiste, lâche et transparent. Il l'avait suivie, reprise dans ses bras :

– Ne peux-tu me dire ce qu'il en est? Je pourrais peut-être t'aider? Qui sait. Je ferais n'importe quoi pour toi, tu le sais bien. Je t'aime, Marie-Madeleine, je t'aime au point de renoncer pour toi au salut de mon âme.

Une étrange lueur avait alors brillé dans les yeux bleus de la jeune femme. Elle avait caressé d'un air pensif le front de son amant :

– C'est peut-être bien du salut de ton âme qu'il sera question si tu insistes pour savoir la vérité.

– Je suis prêt. Je ne crains rien, affirma-t-il avec passion.

– Eh bien, écoute. Après tout, il y a entre nous assez de preuves d'amour pour que je puisse te faire confiance... Sainte-Croix, tu le sais, s'occupe d'alchimie et de médecine. Or, pendant son séjour à la Bastille, il s'est beaucoup lié avec un Italien, un certain Exili, qui est fort expert en poisons. Il est aussi entré en relations avec un Suisse, nommé Glaser, qui possède une recette merveilleuse pour faire passer les gens de vie à trépas. Grâce à ces gens, Sainte-Croix est devenu très habile dans la confection des poisons.

L'étrangeté du discours fit perler une petite sueur au front du jeune homme tandis qu'une vague terreur s'insinuait dans son âme :

– Tout ce que tu dis là est effroyable! Mais je ne comprends pas quel lien il peut y avoir entre toi et les poisons que fabrique le chevalier...

Marie-Madeleine s'échappa des bras que d'ailleurs il avait laissé retomber et s'étira voluptueusement tout en détachant les épingles de ses cheveux. Dans le miroir éclairé par deux candélabres chargés de bougies, elle sourit à son amant.

– T'es-tu jamais demandé sérieusement comment sont morts mon père et mes deux frères? dit-elle doucement.

Ce sourire, Briancourt le revoyait, aussi net que dans le miroir, tandis qu'il hésitait sur le bord de l'escalier qui menait à l'étage inférieur. Sur le moment, il avait cru à une boutade mais il lui avait bien fallu se rendre à l'épouvantable évidence quand il avait compris que la Brinvilliers et son complice méditaient encore de supprimer la veuve de l'un des frères et l'unique sœur de Marie-Madeleine afin de lui assurer la totalité de l'héritage paternel.

Il avait alors mis tout en œuvre pour éviter ces deux crimes. Il avait menacé la marquise de la dénoncer et averti les futures victimes du danger qu'elles couraient. Sainte-Croix et la marquise avaient renoncé mais Briancourt avait eu de ce moment la nette sensation qu'il n'était plus en sûreté à l'hôtel d'Aubray. Une première tentative d'empoisonnement avait été faite contre lui par un valet nommé Bazile qui s'occupait de le servir à table. Mais il s'en était aperçu à temps et avait fait tant de bruit qu'il avait obtenu le renvoi de Bazile.

Depuis, il n'y avait pas eu d'autre alerte. Sainte-Croix lui faisait bon visage et Marie-Madeleine s'était montrée si repentante, si tendre et si amoureuse, depuis le renvoi de Bazile, que ses soupçons s'étaient assoupis; mais il avait évité d'aller rejoindre sa maîtresse dans sa chambre, la nuit, comme par le passé. Jusqu'à ce soir...

Aucune lumière ne montait de la cage de l'escalier. Briancourt ne faisait pas de bruit en glissant le long des larges marches de pierre blanche. Mais il lui fallait passer devant la porte du marquis et devant celle de Mlle de Villeray, la suivante de Marie-Madeleine, et il retint sa respiration. Le clair de lune, filtrant à travers les hautes fenêtres, formait des silhouettes fantastiques avec les meubles et les tentures.

Briancourt n'était point brave, il le savait, et ne parvenait pas à comprendre comment il s'était laissé entraîner à accepter ce rendez-vous nocturne. Il est vrai que la marquise avait fort bien su s'y prendre. Elle avait fait entièrement retapisser sa chambre, y avait fait installer un beau lit somptueusement tendu de brocart et avait insisté, avec des mines d'enfant gâtée, pour qu'il vînt passer la nuit dans ces merveilles. La nuit... Mais pas avant minuit parce qu'elle voulait faire des comptes, dans la soirée, avec son intendant. Ce qui avait surtout rassuré le jeune homme c'est que le marquis était chez lui ce soir-là. Donc il n'avait pas grand-chose à craindre.

Malgré tout, poussé par une dernière méfiance, il avait décidé de ne pas attendre minuit mais d'aller se poster un moment avant dans la galerie vitrée sur laquelle donnaient les fenêtres de Marie-Madeleine.

Briancourt passa sans accident les deux portes qu'il craignait, monta quelques marches, souleva une tenture et se retrouva dans la fameuse galerie. Elle était vide à l'exception de plantes vertes dans de grandes jarres de faïence. Par les grands vitrages, la lune entrait à flot et il faisait clair comme en plein jour mais un rayon de lumière jaune, venant de l'autre façade, montrait que les rideaux étaient mal fermés chez la marquise.

Dans la rue Neuve-Saint-Paul il y eut un roulement bruyant : les roues de fer d'un carrosse. A travers les vitres, Briancourt vit le valet La Chaussée traverser la cour et entrer dans la loge du portier où brûlait une chandelle. Puis il n'y eut plus aucun bruit.

A pas de loup, le jeune homme s'approcha de la porte-fenêtre aux rideaux mal joints et regarda dans la chambre. C'était une belle pièce, de grandes dimensions et luxueusement décorée de brocart bleu pâle. Un immense lit à courtines de même étoffe en occupait la plus grande partie avec une coiffeuse surchargée de flacons et de boîtes auprès de laquelle brûlait une torchère. Une grande cheminée occupait le fond de la pièce mais, à cause de la saison, la marquise l'avait fait fermer par des volets de bois.

Au milieu de la chambre, Briancourt vit la marquise qui passait une robe de chambre, debout auprès du lit sur la table de chevet duquel un autre flambeau brûlait, projetant des ombres dansantes sur l'étoffe chatoyante.

A quarante ans – elle les avait eus quelques jours plus tôt, le 22 juillet de cette année 1671 –, Marie-Madeleine Dreux d'Aubray, marquise de Brinvilliers, était toujours aussi belle qu'à vingt ans. Sa taille était aussi mince que celle d'une jeune fille, sa gorge ronde et bien attachée, ses jambes fines, nerveuses, et sa peau n'avait rien perdu de son éclat. Un instant cet éclat éblouit le jeune homme, lui rappelant tant d'heures pleines de charme.

Mais, comme la demie de 11 heures sonnait à l'église, il vit Marie-Madeleine faire avec agitation quelques tours dans sa chambre, puis, saisissant un flambeau, aller à la cheminée dont elle poussa l'un des volets. Un homme, mal vêtu d'un buffle déchiré et de chausses trouées, en sortit. Son visage disparaissait sous un feutre crasseux qu'il enleva tandis que la marquise se jetait dans ses bras...

Briancourt retint un cri, à la fois de colère et de stupeur. A la lumière dansante des chandelles, il venait de reconnaître la chevelure noire, le teint bronzé, le nez aquilin, les yeux noirs et la fine moustache du chevalier de Sainte-Croix. Il dut se retenir au chambranle de la fenêtre pour ne pas se ruer aussitôt dans la chambre. Devant lui, sous ses yeux, les deux amantscomplices s'étreignaient avec une ardeur qui en disait long sur leurs sentiments réciproques. Mais enfin, Marie-Madeleine se dégagea la première et montra la pendule à Sainte-Croix.

– Il ne va plus tarder maintenant, dit-elle. Je lui ai dit de venir à minuit.

– Tu es sûre qu'il viendra?

Elle eut un mouvement d'épaule qui fit ondoyer sa chevelure rejetée sur son dos.

– Naturellement il viendra. Tu as ce qu'il faut?

Pour toute réponse, Sainte-Croix tira de sa ceinture une longue lame, aiguë et tranchante, dont l'acier jeta des éclairs bleus. Le sourire qui accompagnait cette démonstration était tellement sinistre que Briancourt se sentit pâlir. Un nuage passa devant ses yeux et il lui sembla que les murs dansaient autour de lui une infernale sarabande. Une folle panique s'empara de lui et il s'enfuit à l'autre bout de la galerie, vers l'escalier.

Tout son être se résumait en une idée fixe : s'enfuir, quitter au plus vite cette maison, retourner à Aubervilliers, chez les pères de l'Oratoire où il serait en sûreté.

Sans souci du bruit qu'il faisait, il dégringola l'escalier, atteignait déjà la porte du vestibule quand une silhouette trapue se dressa devant lui, barrant le passage :

– Où donc Monsieur le Précepteur court-il si vite, à cette heure? fit la voix obséquieuse de La Chaussée.

– Laissez-moi passer. J'ai à sortir!

La terreur du malheureux garçon s'était accrue en reconnaissant le valet dont, grâce aux confidences de la marquise, il n'ignorait plus le rôle infâme joué dans la mort de Messieurs d'Aubray. Mais La Chaussée ne lui livra pas le passage et se carra au contraire davantage, les mains aux hanches, jambes écartées.

– On est bien pressé, il me semble? Est-ce que Monsieur le Précepteur ne sait pas que personne ne doit quitter l'hôtel la nuit sans l'aveu de Madame la Marquise ou, à la rigueur, de Monsieur le Marquis? D'ailleurs, le quartier n'est pas sûr, Monsieur le Précepteur pourrait faire de mauvaises rencontres.

L'ironie épaisse qui passait dans la voix vulgaire du valet mit un comble à la fureur du jeune homme mais il comprit qu'il ne serait pas le plus fort. Sous sa livrée galonnée d'or, La Chaussée offrait des muscles de lutteur. Il semblait décidé à tout pour l'empêcher de sortir et Briancourt comprit qu'il était battu.

– C'est bien! fit-il avec tout ce qu'il put rassembler de dignité. Nous parlerons de ceci demain avec Madame la Marquise.

La Chaussée esquissa une révérence burlesque tandis que le jeune homme remontait lentement l'escalier.

– Toujours à la disposition de Monsieur le Précepteur!

Revenu au premier étage Briancourt hésita un instant puis reprit résolument le chemin de la galerie. Il venait de penser que, si la marquise voulait le faire égorger par Sainte-Croix, il aurait plus de défense dans cette chambre, proche de celle du marquis et des enfants, que dans la sienne propre.

Comme il frappait doucement à la porte-fenêtre, l'horloge de Saint-Paul sonna minuit.

La grande torchère avait été soufflée et seul le flambeau qui brûlait auprès du lit éclairait encore la chambre. Les yeux inquiets du jeune homme allaient de la cheminée sombre et menaçante au fond de la pièce, à Marie-Madeleine, étendue dans son grand lit de satin bleu, ses longs cheveux éparpillés sur l'oreiller. Assis sur le bord d'un tabouret, il faisait mine d'enlever ses chaussures mais si lentement que la marquise s'écria impatientée :

– Mais enfin, que fais-tu? Dépêche-toi de te déshabiller voyons, et viens te coucher que nous éteignions cette lumière!

La lumière?... Briancourt comprit que l'autre, derrière son volet de bois, attendrait que la lumière soit soufflée et que l'amour ait apporté sa fatigue dans ses veines pour sortir de sa cachette. On le tuerait sans doute pendant son sommeil pour éviter les cris, le bruit. Puis La Chaussée ferait disparaître son cadavre.

Brusquement, au lieu de se déshabiller, il se leva et se mit à marcher de long en large dans la chambre. Etonnée de cette attitude, Marie-Madeleine se redressa sur un coude et le considéra avec colère.

– Ah ça, Monsieur, êtes-vous fou? N'avez-vous pas entendu ce que je vous ai dit? Déshabillez-vous et venez me rejoindre. Je n'aime pas attendre et, en vérité, vous avez l'air si triste et si morose que je regrette vraiment les bontés que j'ai pour vous.

Il arrêta son va-et-vient juste en face du lit et murmura tristement :

– Que vous ai-je fait, Madame, autre que vous donner tout mon amour, pour que vous soyez cruelle au point de vouloir me faire assassiner?

Marie-Madeleine bondit hors du lit, les yeux flamboyants, et, pour toute réponse, sauta sur lui toutes griffes dehors, cherchant à le saisir à la gorge par-derrière pour paralyser ses mouvements et l'étrangler. Elle était extraordinairement souple et, malgré sa petite taille, d'une extrême force nerveuse. Avec stupeur, Briancourt vit soudain devant lui un démon déchaîné. Alors, il se dégagea d'une brusque bourrade qui envoya la femme sur le lit, puis courut à la cheminée dont il frappa le volet :

– Sortez, Monsieur de Sainte-Croix! s'écria-t-il. Mais écartez-vous de moi sinon j'ameute toute la maison.

Comme une flèche, le chevalier sortit de sa cachette. D'un coup d'œil il évalua la situation, vit la chambre éclairée, la marquise étendue sur le lit à demi étourdie, Briancourt prêt à crier... Le coup était manqué. Prenant ses jambes à son cou, il s'éclipsa rapidement par la galerie. Un instant plus tard, le grondement sourd de la porte cochère qui retombait signalait qu'il avait gagné la rue. Le précepteur revint vers Mme de Brinvilliers.

Elle avait repris tout son empire sur elle-même. Tapie, plutôt qu'étendue sur le lit, elle regardait approcher son amant. Quand il fut près d'elle, il s'inclina et murmura :

– Je crois qu'il vaut mieux que je me retire, Madame... Et même il serait préférable que vous me donnassiez mon congé. Je vous jure que vous n'aurez rien à craindre de moi : je saurai me taire.

Malgré lui, il détournait les yeux pour ne plus voir ce regard bleu, angélique et presque enfantin, qui avait encore tellement de pouvoir sur lui... Mais Marie-Madeleine se laissa soudainement glisser à ses pieds, entoura ses jambes de ses deux bras et se mit à pleurer.

– Ne me quitte pas, je t'en supplie, ne t'en va pas... J'ai été folle, je crois... C'est lui, c'est Sainte-Croix. Il m'avait fait croire que tu t'apprêtais à nous livrer... Il disait que tu étais dangereux... Que c'était toi ou nous... Que sais-je encore? Il m'a terrifiée avec toutes les horreurs qu'il me disait. Alors, j'ai consenti... J'ai accepté de te tendre ce piège, mais mon cœur saignait. Tu ne peux pas savoir ce que j'ai souffert. Il me semblait vivre dans un rêve et, à ma joie de te garder vivant, je vois bien que je t'aime toujours et même plus que jamais.

Briancourt secoua la tête :

– Relevez-vous, Madame... Il est peut-être vrai que vous avez des regrets mais je ne peux pas vous croire.

– Tu ne peux pas me croire?

Aussi prestement qu'elle s'était jetée à genoux, Marie-Madeleine se releva, courut, dans un grand envol de batiste brodée, jusqu'à sa coiffeuse, ouvrit un coffret couvert de velours rouge que le jeune homme n'avait appris à connaître que trop bien et en tira une petite fiole qu'elle brandit dans un geste théâtral.

– Regarde ce breuvage... C'est du vitriol romain... Puisque tu ne veux pas me croire, je vais le boire. Je tomberai morte à tes pieds pour expier le crime d'avoir un instant souhaité ta mort. Tu me croiras peut-être après.

Sans même attendre la réponse, elle fit sauter le bouchon d'or et porta la fiole à ses lèvres. Mais Briancourt avait été plus rapide. Se jetant sur elle, il lui arracha la fiole après une courte lutte et la jeta dans la cheminée que Sainte-Croix, en s'enfuyant, avait laissée ouverte.

– Vous ne ferez pas ça... Je vous le défends.

Une violente émotion le bouleversait. Il ne comprenait plus cette femme étrange et belle, perverse et attendrissante, qu'il aimait toujours d'un ardent amour malgré ses crimes et la peur qu'elle lui inspirait. Elle avait bien réellement voulu mourir, il en était sûr. Le liquide mortel touchait presque les lèvres quand il lui avait arraché la fiole.

Toujours accrochée à lui, à demi évanouie dans ses bras, la marquise pleurait à petits coups nerveux, hoquetant légèrement en essayant de reprendre sa respiration. Elle était devenue terriblement pâle et les minces ailes de son nez se pinçaient. Doucement, Briancourt l'enleva dans ses bras et alla la déposer sur le lit où elle se laissa aller.

– Calmez-vous, murmura-t-il. Vous savez bien que je vous pardonne. Je vais rester auprès de vous, puisque vous le voulez, mais jurez-moi que vous n'essaierez plus jamais de porter atteinte à vos jours. Ne chargez pas votre âme de ce dernier péché qui serait sans pardon... Vous me le jurez?

– Je te le jure... Mais reste, reste avec moi... Je ne peux pas supporter l'idée de te voir partir. Reste ici, mon chéri... reste...

Elle l'attirait à elle, irrésistiblement. Les larmes avaient brusquement cessé, laissant les beaux yeux plus brillants que jamais. Un parfum subtil, assez épicé, se dégageait de tout son corps et Briancourt sentit que sa tête s'égarait. Il crut revivre la première nuit dans le parc d'Offémont... Jamais Marie-Madeleine n'avait été si belle...

L'horloge de Saint-Paul sonna 1 heure...

La nuit d'amour se prolongea jusqu'à l'aurore. Quand le coq chanta dans la basse-cour du couvent des Célestins tout proche, Briancourt regagna à pas de loup sa chambre au second.

Plusieurs jours passèrent ainsi, paisibles en apparence, coupés de nuits passionnées au cours desquelles le jeune homme crut retrouver toute l'ardeur des premiers temps de leur amour.

Le marquis n'était toujours pas gênant. Sitôt le repas du soir terminé, il se retirait dans sa chambre, tandis que le précepteur allait veiller au coucher des enfants et que la marquise se retirait au salon pour jouer au tric-trac ou aux échecs avec Sainte-Croix. Car, dès le lendemain de l'assassinat manqué, le chevalier était réapparu à l'hôtel d'Aubray pour y jouer son rôle de commensal habituel, toujours aussi élégant et désinvolte. Quand il le regardait, assis en face de lui à la table chargée d'argenterie, Briancourt se demandait s'il n'avait pas rêvé la scène de la cheminée... L'autre d'ailleurs se contentait de sourire, secret et un peu ironique.

Le calme et la tranquillité étaient presque revenus

dans le cœur du jeune homme quand, un matin, il retrouva d'un coup toutes ses terreurs.

Il revenait, comme chaque matin, de prendre le frais sous les tilleuls de la place Royale dont il admirait les harmonieux pavillons roses et blancs, tout juste âgés d'une soixantaine d'années. Il marchait lentement, écoutant les cris des marchands et des porteurs d'eau, des étuvistes et des chevriers, quand, juste comme il tournait le coin de la rue Beautreillis et la rue Neuve-Saint-Paul, deux coups de feu partirent d'une maison. L'une des balles lui enleva son chapeau, l'autre perça son justaucorps, causant une légère éraflure au côté... Plus mort que vif, le malheureux garçon se jeta à terre, mais rien d'autre ne vint. Des commères s'attroupèrent autour de lui, le relevèrent, l'époussetèrent, et l'une de ces dames poussa la bonté jusqu'à aller ramasser son chapeau et le lui rendre.

– On l'a échappé belle, mon petit monsieur! dit-elle. Un pouce plus bas et vous étiez raide mort!

– Je... Oui, en effet. Merci, madame!... Et pourriez-vous me dire d'où le coup est parti?

– Ma foi non, fit avec regret la femme que le mot de « madame » avait agréablement flattée. Tout ce que j'ai vu, c'est vous qui tombiez et une fumée qui venait de la gauche, mais c'est à peu près tout.

Les maisons qui s'élevaient à gauche semblaient toutes parfaitement innocentes. A certaines fenêtres on apercevait des ménagères qui battaient leurs tapis et leur literie. Aucune ne montrait d'homme armé d'un fusil ou d'un pistolet... Les autres âmes charitables qui avaient porté secours au jeune homme n'en avaient pas vu davantage et, avec beaucoup de saluts et de remerciements, Briancourt prit sa course vers l'hôtel d'Aubray.

Il n'y resta que le temps d'un coup de brosse, de prendre un autre chapeau, un peu d'argent. Puis il se dirigea d'un pas rapide vers certaine boutique du faubourg Saint-Antoine, tenue par un vieux fripier chez qui les duellistes de la place Royale avaient coutume de vendre les armes de leurs adversaires vaincus. Là, pour une somme raisonnable, il put acquérir une paire de pistolets en bon état qu'il accrocha à sa ceinture sous son habit. Après quoi, assurant son chapeau sur sa tête de l'air d'un homme qui a pris une décision sérieuse, il reprit sa course, passa la Seine et ne s'arrêta que devant la porte d'une maison à pignons d'aspect assez biscornu, située au N° 4 de l'impasse Maubert.

C'était une maison étroite, à petites fenêtres qui ne devaient livrer qu'un jour avare. Une porte en bois sombre l'ouvrait au-dessus de marches glissantes et rien n'indiquait qu'elle fût habitée, mais l'épaisse fumée qui s'échappait de la cheminée montrait clairement qu'il y avait quelqu'un. Sainte-Croix, dont c'était là le laboratoire secret, devait être occupé à l'une de ses infernales mixtures. A cette seule évocation, Briancourt sentit le cœur lui manquer mais la pensée de ses deux pistolets lui rendit courage et c'est d'une main assez ferme qu'il souleva le heurtoir de bronze.

Assis sur le coin d'un fourneau de brique, présentement éteint, Sainte-Croix regardait avec amusement le jeune homme qui s'efforçait de faire bonne contenance mais dont les yeux inquiets tournaient sans cesse autour de lui, examinant les fioles, les cornues, les creusets et les nombreux bocaux qui, avec une infinité de bouquins poussiéreux, encombraient la pièce. Le jour ne pénétrait que par une étroite fenêtre remarquablement sale et, même en plein midi, le secours d'un flambeau était nécessaire.

– Ainsi, dit-il enfin de sa voix lente, assez agréable, vous avez trouvé le courage de venir affronter le diable dans son antre? Vous êtes plus courageux que je ne croyais, mon jeune ami.

Le ton moqueur rendit son assurance à Briancourt qui enfonça son chapeau sur sa tête et s'efforça de prendre un ton menaçant :

– Je suis seulement venu vous dire, Monsieur le spadassin, Monsieur l'homme qui tire des coups de feu sur les gens en plein jour, que je ne suis pas disposé à me laisser tuer sans protester. J'ai là – et il tapa sur ses pistolets – de quoi tenir n'importe qui en respect, savez-vous?...

L'énergie du ton manqua faire sourire Sainte-Croix qui se contenta de s'incliner gravement :

– Si je comprends bien, vous venez me provoquer en duel, Monsieur Briancourt? En ce cas, et bien que je sois innocent des torts que vous m'imputez, je serai à votre disposition, au jour et à l'heure qui vous seront agréables, disons... derrière l'Hôpital Général. Je vous y donnerai toutes les satisfactions que vous voudrez.

Mais ce n'était pas là le compte de Briancourt :

– Je ne suis pas venu pour me battre, Monsieur. Ce n'est pas là mon fait. Je suis homme de science, point homme d'épée, et n'ai point le goût sanguinaire. Je voulais seulement vous faire savoir qu'il vous faudrait, dorénavant, y regarder à deux fois avant de vous attaquer à moi. J'ai de quoi vous répondre.

– Je vois, fit gravement Sainte-Croix; et je m'en souviendrai à l'occasion! Peste, mon jeune ami, quel vaillant guerrier vous eussiez fait!... Mais il est une chose que je tiens à vous dire : je n'ai pas tiré sur vous, ni ce matin ni jamais. Et d'ailleurs je n'ai encore jamais tué personne.

– Pour le coup, c'est trop fort. Nierez-vous que vous étiez caché, l'autre soir, dans la cheminée de la marquise avec l'intention de me tuer dès que je serais endormi?... Je vous ai vu, de mes yeux vu, quand vous lui avez montré cette longue dague avec laquelle vous vouliez m'égorger.

– En effet, elle m'avait demandé de vous supprimer. Mais je n'avais l'intention que de vous assommer, de vous blesser légèrement, puis de vous sortir de l'hôtel et de vous hisser dans une voiture bien rapide qui vous eût emmené vous faire égorger ailleurs. C'était le seul moyen de vous sauver : sembler entrer dans les vues de la Marquise.

– Quoi? Vous voulez dire que...

– Que je voulais vous sauver? Mais oui. Je savais depuis longtemps que vous étiez condamné pour en avoir trop entendu. J'avais décidé de vous soustraire à cette mort... Comme je m'efforce d'y soustraire le Marquis.

– Le Marquis?

Les jambes du malheureux jeune homme lui refusant brusquement leur service, il se laissa choir sur un tabouret de bois, oubliant totalement pourquoi il était venu. Il répéta :

– Le Marquis? Mais qui le menace?

Le chevalier haussa les épaules et prit sur la table une fiole de verre épais qu'il se mit à essuyer soigneusement avec un chiffon.

– Qui d'autre que sa femme? La Marquise, mon cher, s'est mis en tête de m'épouser. Or, la chose est impossible tant que le Marquis vivra. Voilà donc pourquoi sa mort a été décidée. Depuis six mois, elle lui verse du poison... presque régulièrement.

– Mais il devrait être mort depuis longtemps. Depuis six mois?

– Il devrait, en effet, être mort depuis longtemps, fit Sainte-Croix en riant, si je ne lui versais le contrepoison aussi régulièrement que sa femme lui verse le poison. Je ne tiens nullement à voir disparaître le cher Marquis. Aussi, je le désempoisonne au fur et à mesure.

Il éprouve bien quelques malaises, mais légers et sans suite.

La stupeur arrondit les yeux du jeune homme. Cette histoire était encore plus incroyable que terrifiante.

– Pourtant, dit-il d'une voix qui n'était plus qu'un souffle, vous aimez Madame de Brinvilliers et vous êtes son amant depuis longtemps, bien avant moi... Et même, en même temps que moi, ajouta-t-il avec amertume. Vous devriez être enchanté de l'avoir à vous seul.

Le chevalier cessa de rire et hocha la tête, sombrement :

– Qui souhaiterait épouser une telle femme? Je l'ai aimée, oui... Mais maintenant j'ai peur d'elle! Tenez... Autant que vous-même! Maintenant, si vous voulez me permettre un bon avis : partez. Partez tout de suite et le plus loin possible. Je ne pourrai peut-être pas toujours vous éviter un sort fatal : témoin ce matin. Alors, allez-vous-en... et vite.

Briancourt laissa tomber sa tête dans ses deux mains, sans souci du chapeau qui roula à terre.

– Je ne sais plus, gémit-il. Je ne sais plus du tout où j'en suis! Elle me fait terriblement peur, je la crains comme Satan lui-même mais, Monsieur le chevalier, je l'aime toujours. Il suffit qu'elle pose d'une certaine façon ses grands yeux bleus sur moi pour que toute volonté m'abandonne. Je ne me souviens plus que des heures merveilleuses que j'ai connues avec elle au château d'Offémont. Je voudrais tant l'y ramener. C'est une terrible chose que d'aimer une femme pareille!

– Vous êtes perdu, si vous demeurez, s'écria durement le chevalier. Partez, vous dis-je, tant que vous êtes vivant... Il n'est que temps! Ne rentrez même pas à l'hôtel... Qui vous dit que cette nuit, vous ne serez pas égorgé dans votre propre lit? Qui vous dit que le poison ne vous sera pas versé au prochain repas? Elle a juré votre perte, comme celle de tous ceux qui la gênent ou qui en savent trop...

— Alors, vous? N'en savez-vous pas plus que tout le monde?

Sainte-Croix eut un rire amer et montra du doigt un petit coffre posé sur une étagère, entre deux in-folio déchirés.

— Moi, je suis son complice, son fournisseur. Elle a besoin de moi et, de toute façon, j'ai là de quoi la mener à l'échafaud. Tant que ce coffre sera entre mes mains je ne craindrai rien de la Brinvilliers. Sa perte y est enfermée. Quant à vous, c'est maintenant que vous allez quitter Paris. Ne retournez pas à l'hôtel de la rue Neuve-Saint-Paul. Je vous ferai parvenir vos affaires là où vous irez. Si vous n'avez pas d'argent, je vous en donnerai, mais partez! Courez au marché aux chevaux, achetez-en un et crevez-le avant ce soir si besoin est, mais vous ne verrez pas un autre matin si vous revoyez ce soir Madame la marquise de Brinvilliers...

Ce soir-là, Briancourt quitta Paris. Bien lui en prit car sa fuite lui évitait, outre un sort impitoyable, d'être pris dans la chute de la marquise au même titre que tous ceux de la maison. Réfugié à Aubervilliers, chez les pères de l'Oratoire, il apprit, un an plus tard, la mort subite, et naturelle d'ailleurs, du chevalier de Sainte-Croix. Le fameux petit coffre tomba aux mains de la police malgré les efforts désespérés que fit la Brinvilliers pour le récupérer. Ces efforts demeurant inutiles, elle abandonna tout et s'enfuit d'abord en Angleterre puis à Liège, dans un couvent où le célèbre policier Desgrez devait s'introduire, déguisé en abbé. Sous couleur d'un rendez-vous galant, il parvint à lui faire quitter cet asile, l'enleva et la ramena à Paris, les chaînes aux mains.

Briancourt, le cœur serré, dut témoigner à son

procès et ne put que dire la vérité... qui n'était pas à la décharge de l'accusée.

Au soir du 16 juillet 1676, alors que toute la douceur d'un crépuscule glorieux couvrait d'or les toits de Paris, la Brinvilliers, condamnée à être décapitée, puis brûlée, fut conduite, en chemise et la corde au cou, à Notre-Dame pour y faire amende honorable, puis en place de Grève pour y subir son châtiment. Les rues étaient noires de monde, ainsi que les toits et les fenêtres. La ville et la Cour se pressaient en masse pour voir mourir cette grande dame qui était aussi une criminelle hors de pair.

D'une fenêtre du pont Notre-Dame, Briancourt, les larmes aux yeux, vit passer, assise sur de la paille dans un petit tombereau qui servait ordinairement à l'évacuation des ordures ménagères, celle qu'il avait aimée plus que de raison mais dont il avait eu encore plus peur. Le parc d'Offémont était loin!

A une fenêtre voisine se tenait la plus spirituelle des femmes de Paris. Quand le supplice fut terminé, Mme de Sévigné rentra chez elle, trempa sa célèbre plume dans l'encre et écrivit à sa fille :

Son pauvre petit corps a été jeté, après l'exécution, dans un fort grand feu et les cendres au vent; de sorte que nous la respirerons et qu'il nous prendra quelque humeur empoisonnante dont nous serons tous étonnés...

La mort de la Brinvilliers fut, en effet, le prélude de l'une des plus terribles affaires du règne de Louis XIV, celle dont les remous devaient monter jusqu'aux marches du trône et qui allait porter, devant l'Histoire, le nom d'*Affaire des Poisons*.

MIGUEL DE MAÑARA
l'immortel Don Juan

L'unique torche, presque consumée, qui éclairait le couloir était déjà loin. Le sombre boyau inconnu paraissait n'avoir pas de fin...

Tout en ferraillant, en déjouant à mesure les attaques des trois épées qui l'attaquaient, Miguel de Mañara reculait lentement, prudemment, tâtant du pied avant de le poser, cherchant la porte qu'il pourrait ouvrir. Il était inquiet, mais il n'avait pas peur. Il se sentait merveilleusement dispos, heureux presque... Après l'amour, il n'aimait rien tant que la bataille.

Des hommes qui l'attaquaient, il voyait surtout les formes noires et l'éclair des épées. Il entendait les souffles qui s'écourtaient. A mesure que la lumière baissait, il ne distinguait même plus la barbe blanche du père offensé.

Il recula encore d'un pas, sentit une résistance, tendit sa main gauche en arrière, cherchant la poignée de la porte qu'il espérait. Il ne rencontra qu'un mur lisse... Le couloir finissait en cul-de-sac. La voix du comte d'Olmedo lui parvint, toute proche :

– Arrière, vous autres!... Maintenant il ne peut plus m'échapper! Il est à moi...

Avec une vigueur renouvelée dont on l'eût cru incapable, le vieux comte bondit en avant, l'épée haute, et Miguel évita de justesse d'être cloué au mur. Une sueur légère mouilla son front.

– Laissez-moi passer! fit-il les dents serrées.

Un éclat de rire lui répondit :

– La seule sortie, c'est l'enfer qui t'attend, larron, bandit!...

– Laissez-moi passer, vous dis-je!... Sinon vous le regretterez...

Pour toute réponse, le comte attaqua plus vigoureusement et don Miguel songea qu'il fallait en finir. Si brave et habile aux armes que fût le vieux seigneur, Miguel savait qu'il était plus fort que lui. Il était la meilleure lame de toutes les Espagnes et, jusque-là, il n'avait joué qu'un jeu défensif. Mais, cette fois, il y allait de sa vie, et Miguel tenait énormément à sa vie.

– Vous l'aurez voulu, fit-il.

Il esquiva, bondit en avant à son tour. Dans sa main, la fine lame tolédane siffla comme un serpent, fila en avant, rencontra quelque chose... Il y eut un gémissement aussitôt suivi d'un râle gargouillant. Le comte d'Olmedo tomba comme une masse, la gorge traversée...

Sans s'y arrêter, Miguel fonça sur les deux valets qui gardaient toujours l'entrée du couloir :

– A vous, maintenant! Place, les amis!...

Mais les deux hommes terrifiés s'enfuyaient déjà. Miguel s'arrêta à la porte et se retourna. Le corps du comte faisait une tache plus noire au fond du corridor sombre mais aucun son ne sortait plus de ce corps... Miguel haussa les épaules et courut jusqu'à la chambre de Thérésa...

Debout au milieu de la pièce, accrochée à l'une des colonnes du lit dévasté, la jeune fille, ses cheveux noirs croulant sur ses épaules nues, frissonnait de terreur dans sa longue chemise blanche. Elle fit un pas vers lui en le voyant paraître.

– Miguel!... fit-elle d'une voix faible, tendant une main suppliante.

Il ne lui accorda pas un regard, tira un mouchoir de soie de sa poche, essuya soigneusement sa lame sanglante avant de la remettre au fourreau, jeta le mouchoir, chercha sa cape et s'en enveloppa. Alors seulement il regarda Thérèsa :

– Je viens de tuer ton père, ma chère... Il vaut mieux que je parte!

Thérésa porta la main à sa bouche d'un geste terrifié, courut à lui et s'accrocha à son épaule :

– Ne me quitte pas, Miguel, ne me laisse pas seule... J'ai peur!

Il ricana, secoua son épaule.

– Rester ici? Tu es folle... J'ai tué ton père, te dis-je!

– Cela m'est égal! s'écria-t-elle farouchement. C'est toi que j'aime... Quand reviendras-tu? La nuit prochaine?

– Jamais!...

Ce fut dit doucement, avec une sorte d'ironie un peu méprisante. Thérésa recula jusqu'au lit.

– Jamais? Mais... Je t'aime et... toi aussi tu m'aimes! Tu le disais tout à l'heure!

– Tout à l'heure était tout à l'heure. Maintenant, tu n'as plus de mystère pour moi... Je ne t'aime plus. Adieu Thérésa!...

Sourd au cri d'animal blessé qu'elle poussait, il sauta sur le balcon, poussa la grille des *rejas* qui mettaient à la fenêtre une dentelle de fer noir, sauta sans s'occuper de la hauteur et se reçut comme les chats, en pliant le jarret. Puis, s'enveloppant dans son manteau, il prit sa course à travers les rues de Séville endormie...

Son ombre noire raya les murs blancs que la lune faisait blafards. Il enfila d'étroits boyaux, des passages ouverts, glissa le long de hauts murs qui emprisonnaient des jardins... Il ne rencontra à cette heure nocturne qu'un chien fouillant dans les détritus du ruisseau et, au coin de la *calle* Sierpes, le *sereno* qui balançait sa lanterne, inutile par cette nuit claire.

– Il est 2 heures après minuit, chanta l'homme de sa voix cassée. Dormez dans la paix de Dieu, gens de Séville!...

Miguel le croisa sans ralentir sa course. Le *sereno* s'arrêta, se retourna pour suivre des yeux la silhouette noire, enveloppée d'un manteau que l'épée relevait parderrière. Il sourit tout seul, cligna de l'œil et haussa les épaules, indulgent.

– Bonne nuit... Don Juan! cria-t-il avant de reprendre son chemin vers l'aube.

Don Juan!... Il y avait plusieurs années déjà que tout Séville appelait ainsi don Miguel de Mañara y Leca y Colona y Vincentelo, jeune homme né d'une des plus grandes familles d'Espagne dont l'origine se cherchait en Corse et remontait à L'Empire romain.

La chose avait commencé à la suite de la représentation d'une pièce qui faisait fureur en Espagne : *Le burlador de Séville,* de Tirso de Molina, à laquelle avait assisté le jeune Miguel alors âgé de quinze ans. Le héros, Juan Tenorio, adoré des femmes, haï des hommes, courant la vie en semant son chemin de cœurs brisés, de larmes et de sang jusqu'à ce qu'il trouve son châtiment au festin de pierre auquel le convie la statue du Commandeur, avait frappé prodigieusement l'âme ardente du jeune homme.

– Je serai don Juan!... s'était-il écrié en sortant du théâtre.

Et il avait tenu parole. En trois ou quatre ans, il avait pris au piège de son charme presque toutes les jolies femmes de Séville, abandonnant chaque conquête dès le don final, prenant son plaisir n'importe où sans considération de frères, de mari ou d'amants, réduisant au désespoir jusqu'à ses amis, tuant au besoin qui l'attaquait... Mais sa légende grandissait, affolant les femmes dont les imaginations s'enfiévraient à la seule évocation de son nom, à la seule vue de sa silhouette au coin d'une ruelle. La haine aussi grandissait...

La puissance et la fortune de don Tomas de Mañara, le père de Miguel, riche armateur fort bien vu du roi Philippe IV, avaient jusque-là réussi à protéger Miguel contre la colère royale. Mais la mort du comte Sanchez de Linden y Olmedo, Grand d'Espagne, fort aimé du Roi et, de plus, homme dont chacun s'accordait à louer la douceur et la vie exemplaire, allait changer tout cela.

– Il faut que vous ayez quitté Séville avant le jour, Miguel, dit sévèrement don Tomas de Mañara. Cette fois le crime est trop grand... Je ne pourrai rien pour vous.

– Le comte m'attaquait! s'emporta Miguel. Je n'ai fait que me défendre.

Mais don Tomas secoua la tête :

– Non, Miguel!... Vous aviez pris l'honneur de sa fille, il était en droit d'exiger votre vie en paiement. Si vous restez ici, vous êtes perdu. Les *alguazils* vous arrêteront au lever du soleil et je ne pourrai rien pour vous sauver du supplice. Partez!

Don Miguel regarda son père avec désespoir. L'idée de quitter Séville lui était intolérable mais il connaissait assez don Tomas pour savoir qu'il ne parlait jamais à la légère.

– Où irai-je?

Le doigt de don Tomas pointa vers le pourpoint noir de son fils, droit vers la croix écarlate brodée à hauteur du cœur :

– Vous êtes chevalier de Calatrava, Miguel... et l'on

se bat en Flandres. Allez dire adieu à votre mère et partez. Vous n'avez perdu que trop de temps...

Dona Jéronima embrassa son fils sans un mot. Depuis qu'il s'était engagé dans le fatal chemin de la débauche, elle avait sans cesse tremblé, prié pour lui. Elle savait que, tôt ou tard, ceci viendrait et, si son cœur se brisait de ce dernier coup, du moins y était-elle dès longtemps préparée. Elle se borna à tracer un signe de croix sur son front courbé, puis retourna s'agenouiller au pied du grand Crucifix de son oratoire.

Quand le soleil alluma ses premiers feux aux eaux lourdes du Guadalquivir, quand le poing ferré des soldats de l'alcade vint ébranler le portail du palais Mañara, Miguel avait déjà couvert dix bonnes lieues à cheval.

Il s'engagea dans l'armée sous un faux nom et rejoignit, devant Anvers, le comte de Haro, non sans jalonner à nouveau son chemin de visages de femmes qu'il oubliait l'instant suivant. Mais, si Miguel de Mañara était un amoureux forcené et sans scrupules, il était aussi l'un des hommes les plus braves de son temps. Sa conduite aux armées, principalement au siège de Berg-op-Zoom, fut si éclatante que don Jorge de Haro voulut savoir qui était exactement ce garçon étrange qui se battait comme un roi sous un nom modeste. Il trouva très vite la vérité et, plein d'admiration pour la bravoure du jeune homme, écrivit personnellement au Roi pour lui narrer les hauts faits de Miguel et obtenir son pardon.

Ce qui fut fait... Quand la guerre cessa en Flandres, Miguel revint à Séville et les filles se reprirent à rêver de don Juan.

Cinq ans encore, il devait mener la vie qu'il aimait, sans plus de souci des conséquences, changeant de maîtresse après deux ou trois jours, semant à nouveau sa route de larmes et de sang. Mais nul n'osait plus s'attaquer à lui ni porter plainte contre le héros officiel qu'il était. Son audace ne connut plus de bornes et il s'attaqua même aux couvents, cherchant à débaucher les moniales et... y réussissant parfois, au nez et à la barbe de la Très Sainte Inquisition.

Sa mère, dona Jéronima, mourut de chagrin. Il la pleura amèrement mais retourna ensuite, avec plus d'acharnement, à ses plaisirs. C'est alors, durant le printemps 1651, qu'il devait rencontrer enfin celle qui devait être son seul amour.

La chaleur était accablante et la corrida avait été dure. Laissant le *rejon,* la courte lance de combat, fichée dans le cadavre inerte de son dernier taureau, Miguel sauta de cheval sous un tonnerre d'applaudissements et jeta la bride aux mains de son valet.

– J'étouffe... souffla-t-il, haletant, en passant le doigt entre son cou et la raide collerette blanche. Je vais chercher un peu de fraîcheur au fond du jardin. Veille à ce qu'on me laisse en paix...

En effet, un soleil cru frappait durement le sable de l'enceinte où les jeunes nobles éprouvaient leur courage contre les noirs taureaux andalous. Dans les tribunes enrubannées, sous les toiles de tente qui tamisaient la lumière violente, les belles de la ville battaient des mains, agitaient leurs écharpes et cherchaient par tous les moyens à attirer son attention. Mais, pour une fois, Miguel se sentait las, écœuré de ces conquêtes trop faciles, de toutes ces femmes qui ne demandaient qu'à courir avec lui à leur perte. A vingt-cinq ans, il se sentait aussi vieux que le monde...

Haussant les épaules, il se dirigea vers le jardin frais, véritable fouillis de fleurs et d'arbres fruitiers, piqué de cyprès noirs, qui descendait jusqu'au Guadalquivir. Au loin, on apercevait les murailles rousses de Séville et la statue dorée de la Foi, brillant comme un joyau au sommet de la Giralda, la tour mauresque de la cathédrale. Un *vaquero* chantait quelque part sur la berge... Miguel enfila lentement une allée couverte au bout de laquelle chantait une fontaine dans une vasque d'*azulejos*...

C'est seulement quand il déboucha devant la fontaine, qu'il aperçut la jeune fille. Il s'arrêta, prêt à battre en retraite. Mais elle ne l'avait pas vu.

Assise sur la margelle colorée, elle tendait vers la fontaine des mains menues et très blanches, sans souci de mouiller un peu l'immense robe azurée qui l'habillait et que serrait à la taille, en accusant l'extrême finesse, une large ceinture de satin blanc, assortie au ruban qui retenait la masse de ses cheveux dorés... Elle souriait toute seule à la fraîcheur de l'eau.

Miguel allait se retirer sur la pointe des pieds quand elle se retourna et lui envoya la fin de son sourire.

— Bonjour, fit-elle en riant. Est-ce que je vous fais peur?

Elle devait être très jeune, quinze ans tout au plus, et elle avait le plus ravissant visage qui soit, un teint éblouissant de blancheur et d'immenses yeux couleur de ciel. Miguel retint un mouvement de surprise. Il n'avait jamais vu cette adorable enfant et sentit son instinct de chasseur s'éveiller. Il s'avança vers elle.

— Bonjour. Qui donc êtes-vous, *donecita?* Je ne vous ai jamais vue à Séville.

La petite se mit à rire joyeusement et planta ses yeux candides jusqu'au fond des ardents yeux noirs du jeune homme.

— Sans doute parce que je n'habite pas Séville. Je suis de Grenade, mais mes parents ont une propriété par ici et nous avons été invités à cette fête. Mon père est don Diego Carillo de Mendoza. Et vous, qui êtes-vous?

Miguel s'inclina profondément. Le nom était illustre, celui d'une grande famille, et d'ailleurs tout, dans cette petite, proclamait la grande race.

– On me nomme Miguel de Mañara et...

Un franc éclat de rire lui coupa la parole et l'abasourdit.

– Oh! s'écria la jeune fille. C'est donc vous que tout le monde appelle don Juan? Oh, que c'est drôle!

– Comment? drôle?

Miguel était aussi peu habitué que possible à produire un effet de ce genre. En général, les filles se troublaient, rougissaient, minaudaient ou s'abritaient derrière une attitude pleine d'orgueil... mais aucune, jusqu'ici, ne lui avait éclaté de rire au nez.

– Comment donc m'imaginiez-vous, señorita?

– Je ne sais pas... Très sombre, je crois, avec un visage effrayant... Je crois que je vous imaginais un peu à l'image du diable. Mais vous n'êtes pas du tout aussi terrible que ça. Vous avez même l'air assez gentil... et aussi un peu triste.

Elle le regardait ingénument, avec amitié, souriait sans arrière-pensée en laissant toujours sa main tremper dans la fontaine.

– Ma vie n'est pas gaie, dona... Au fait, vous ne m'avez pas dit votre nom tout entier?

– Je m'appelle Jéronima.

Lentement, Miguel s'assit sur la margelle, auprès d'elle, très lentement... comme s'il craignait de rompre un charme.

– Ma mère aussi s'appelait Jéronima... Elle était belle aussi... comme vous.

– Vous ne l'avez plus?

Miguel secoua la tête gravement :

– Non... et je crains de lui avoir fait beaucoup de peine dans sa vie!

– Pauvre don Miguel!... Il vous faut penser qu'elle

est maintenant très heureuse et puis, si elle savait que vous l'aimiez, la peine a dû lui sembler légère. Il ne faut pas être triste, don Miguel... Il est très facile de changer sa vie si l'on n'en est pas satisfait. Il suffit de vouloir...

– Vous croyez?...

Instinctivement, il avançait la main, cherchant la menotte abandonnée près de lui, mais Jéronima, d'un geste très naturel, la retira pour repousser une mèche de ses cheveux dans le ruban. Elle lui sourit d'un air encourageant.

– J'en suis sûre!... Vous devriez essayer. Je pourrais vous aider si vous vouliez.

– M'aider?

Tout de suite sur la défensive, prêt à fuir, il se reculait déjà, persuadé que c'était là un nouveau piège tendu. Mais le sourire de Jéronima était désarmant de candeur et son regard semblait enfermer tout le ciel. Elle se remit à rire devant son air effarouché :

– Bien sûr... Nous pourrions être amis.

Cette offre d'amitié, si franche et si spontanée, faite par une enfant délicieuse à ce garçon que toutes les femmes redoutaient et appelaient à la fois, devait bouleverser le cœur desséché de don Juan. Le visage si clair de Jéronima s'imprima en lui avec tant de force qu'il effaça tout le reste et, au fond de l'intransigeante piété qu'il avait gardée malgré tous ses débordements, piété qui était faite autant de fanatisme et de superstition que de sincère amour de Dieu, il crut voir en elle l'envoyée du ciel qui l'arracherait à ses turpitudes. Brusquement il se mit à l'aimer, bien plus, à l'adorer à la fois comme une femme et comme un ange... Du jour où il la rencontra, aucune autre femme, jamais, ne reçut plus sa visite nocturne. Sa silhouette célèbre, drapée de noir, cessa de hanter les ruelles, et les *rejas* de fer forgé ne s'ouvrirent plus à l'appel d'une guitare pleurant dans la nuit. Don Juan voulut être digne de celle qu'il désirait parce que, pour la première fois de sa vie, le mariage lui semblait la seule chose digne de Jéronima.

Il la revit plusieurs fois à des réceptions dans Séville et, très vite, il fit connaître ses intentions envers elle. Ce fut, dans toute la ville, de la stupeur, du dépit aussi et, chez les Mendoza, de l'angoisse. L'idée de donner sa claire Jéronima à cet homme, que beaucoup disaient voué à Satan, ne souriait aucunement à don Diego. Mais Jéronima avait, elle aussi, ingénument, donné son cœur à Miguel et, quand son père tenta de lui faire comprendre quel genre d'homme elle souhaitait épouser, elle se contenta de sourire et répondit :

– Pourquoi le craindrais-je, mon père, puisqu'il regrette vraiment sa vie passée, puisqu'il en montre une sincère contrition?

– Peut-on croire à cette contrition?

Jéronima vint à son père, prit sa main et la baisa doucement :

– Monsieur mon père... c'est une question que Dieu lui-même ne pose pas au pécheur qui implore sa miséricorde. Voulez-vous être plus intransigeant que le Seigneur lui-même?

Il n'y avait pas grand-chose à répondre à cela et, d'autre part, l'alliance avec la riche et puissante famille de Mañara tentait assez don Diego. Après tout, Jéronima était la première et la seule jeune fille à qui don Miguel n'eût rien demandé d'autre que sa main... Les Mendoza acceptèrent.

Le dernier jour du mois d'août 1648, dans la grande cathédrale de Séville embrasée par des milliers de cierges et croulant sous les fleurs, don Miguel de Mañara épousa Jéronima de Mendoza sous les yeux de toute la noblesse d'Espagne. Les mantilles de précieuse dentelle, ce jour-là, cachèrent bien des larmes de regrets sur de jolis visages pâlis et, jusqu'au fond des couvents, le carillon de toutes les cloches de la ville alla émouvoir étrangement les saintes filles vouées à Dieu parce que don Juan venait de jurer fidélité à une seule...

Les grands bonheurs sont sans histoire. Celui de Miguel et de Jéronima fut de ceux-là. On sait qu'ils s'aimaient de toute leur âme et que, chez Miguel, cet amour tenait à la fois de la religion et de la folie. On sait aussi que la vie qu'il mena, du jour de son mariage, fut aussi exemplaire que sa prime jeunesse avait été tumultueuse. Il reprit les affaires d'armement de navires de son père, fut nommé au conseil de la ville et partagea son temps entre son travail et sa femme.

Ils habitaient de temps à autre le palais Leca y Mañara, à Séville, mais, le plus souvent, ils se retiraient au château de Montexaque, dans la Serrania proche. Jéronima n'aimait pas le monde, ni la ville. Elle aimait la nature, les oiseaux, les grands espaces libres. Elle disait que la ville l'empêchait de respirer...

Auprès d'elle, Miguel connut toute la profondeur et la joie d'un amour vrai, mais il apprit aussi à s'occuper des autres. La charité de Jéronima était inlassable et sa pitié sans limite. Sous sa douce direction, Miguel put toucher du doigt la profonde misère qui ravageait l'Espagne à cette époque où l'or des Amériques coulait à flots dans les maisons riches et paralysait tout effort. Il apprit la joie de donner et son bonheur eût été extrême si deux nuages n'étaient venus l'obscurcir un peu, l'un né de l'autre... La santé de Jéronima, toujours aussi frêle et transparente, était fragile et lui interdisait les joies de la maternité. Elle s'en désolait et Miguel la consolait.

– Je t'ai, toi, disait-il passionnément. Je ne pourrais

pas t'aimer davantage avec un enfant et je crois que je serais jaloux de lui...

— Jaloux? De notre enfant?

— Je serais jaloux de tout ce qui pourrait t'empêcher, ne fût-ce qu'un instant, de penser à moi...

— Tu es bête, Miguel... Lui, ce serait encore toi...

— Non... Je te veux tout entière, rien qu'à moi...

Jéronima alors souriait et posait sa tête aux cheveux d'or sur l'épaule de son mari. Ils demeuraient de longues minutes ainsi, l'un près de l'autre, sans bouger... Bonheur immense et merveilleux qui devait durer plus de douze ans... et prendre fin brutalement, par un coup de tonnerre. Au début du mois de septembre 1661, Jéronima se sentit plus fatiguée et se plaignit d'une légère indisposition... Le 13, au cœur de la nuit, elle s'endormit pour toujours dans les bras de Miguel, à demi fou de douleur.

Son dernier souffle fut à la fois une promesse et un rendez-vous.

— Nous nous retrouverons... là-haut, mon amour, murmura-t-elle.

Mais, tandis qu'il serrait éperdument contre lui le corps menu, déjà inerte, Miguel eut la terrible sensation d'un arrachement définitif, d'un abandon total au milieu d'un désert. L'ange remontait vers le ciel, un ciel qui lui était à jamais fermé à lui, le plus grand pécheur de l'univers...

Les rafales de neige et la brise glaciale enfermaient dans leur tourmente les rudes murailles du couvent des Neiges, perché sur un piton rocheux de la Serrania, étouffant les sons grêles de la cloche qui appelait les moines à l'office de l'aurore. Deux par deux, grelottant sous la bure noire de leur froc, les religieux se dirigeaient vers la chapelle sous les voûtes du cloître, capuchon baissé, mains enfouies dans les vastes manches...

Un affreux gémissement leur parvint, avant même que ne s'ouvrît la porte de l'église. Le père abbé releva un peu la tête et regarda le sous-prieur qui marchait auprès de lui.

— Mon Dieu!... Il est encore là!... souffla-t-il.

Au fond de l'église, il distingua bientôt, à la lumière incertaine de deux cierges de cire jaune, un homme vêtu de noir qui embrassait désespérément la base d'un grand sarcophage de marbre blanc. Les sanglots et les plaintes qui s'échappaient de la poitrine de cet homme résonnaient sinistrement sous les voûtes vétustes encore envahies par la nuit...

Arrêtant la procession des moines au seuil de la chapelle, l'abbé s'avança seul jusqu'à l'homme effondré et toucha son épaule :

— Mon fils... Soyez raisonnable... Vous vous tuez lentement...

Miguel de Mañara releva vers lui un regard halluciné, effrayant dans un visage ravagé par la douleur et plombé par les privations. Il remua les lèvres, mais aucun son ne sortit. Doucement, l'abbé le prit par les épaules, voulut le relever. Il résista, s'accrocha au scapulaire du moine :

— Elle est là, mon père... elle est là, elle... Jéronima!... ma douce femme!...

— Ce n'est que sa forme mortelle, mon fils, rien d'autre...

— Rien d'autre? Son visage de lumière... ses cheveux qui semblaient le soleil même... son corps blanc et gracieux... Tout cela, savez-vous ce que cela devient derrière ce marbre blanc... Savez-vous quelle chose abominable la mort est en train d'en faire? Un objet d'horreur et moi je ne peux rien, rien contre cette horreur...

De ses deux poings fermés, il frappait le marbre glacé qui se teignit d'une traînée rouge. Les mains de l'abbé se crispèrent sur ses épaules :

– Vous ne devez pas penser à cela, mon fils... Le corps n'est que boue. C'est l'âme seule qui est lumière et vie...

Mais Miguel secoua la tête avec désespoir :

– Tout est rien... *padre...* (Puis, brusquement, il hurla :) Rien... vous entendez... tout est rien!

Les voûtes sonores amplifiant sa voix la firent tonnante, et les moines se signèrent rapidement sous leur capuchon baissé. Fermement, l'abbé empoigna Miguel sous les bras, le mit debout, l'entraîna avec l'aide du sous-prieur accouru :

– Venez, mon fils!... Vous blasphémez et le chagrin vous égare... Voici maintenant six mois que votre épouse bien-aimée repose ici... dans une paix que vous ne cessez de troubler... Il vous faut retourner à la ville.

Ceux qui virent Miguel de Mañara lorsqu'il descendit enfin du couvent des Neiges se signèrent et s'enfuirent. Ils avaient cru voir un fantôme. Il n'était plus que l'ombre de lui-même et son corps maigre flottait dans ses vêtements noirs trop grands. Ses larges yeux noirs brûlaient d'un feu dément dans son visage blême. Il épouvanta même sa famille, mais n'y prit pas garde.

Enfermé dans son palais qu'il avait fait tendre entièrement de crêpe noir, dont toutes les fenêtres étaient voilées, il passait ses journées entières assis en face d'un grand portrait de Jéronima devant lequel brûlaient nuit et jour des dizaines de cierges. Il n'adressait la parole à personne, ne dormait plus, se nourrissait à peine. Il ne sortait, comme jadis, qu'à la nuit close et errait interminablement dans les rues les plus sombres, glaçant le cœur de ceux qu'il rencontrait et insoucieux des doux yeux embués de larmes qui, derrière les jalousies, le regardaient passer. Don Miguel était effrayant, mais il était toujours aussi beau...

Bientôt, son corps épuisé et son esprit surmené commencèrent à lui créer des hallucinations.

C'est ainsi qu'une nuit, alors qu'il errait sous les murs de l'église San Isidro, il vit soudain une procession déboucher d'une ruelle obscure, une étrange procession qui se déplaçait sans bruit, sans psaumes et sans prières, sans même que l'on distinguât le mouvement des membres. Des pénitents noirs, sous la haute cagoule pointue qui ne montrait que leurs yeux mornes, portant des torches éteintes, puis des moines, capuchon rabattu, portant une civière recouverte d'un drap noir... La procession s'avançait vers l'Eglise et Miguel alla vers elle, étonné de l'heure tardive de cette cérémonie.

– Quel saint fêtez-vous là? demanda-t-il à l'un des pénitents.

Une voix sépulcrale monta de la cagoule :

– Nous portons en terre don Miguel de Mañara...

Miguel recula, les cheveux hérissés sur la tête... Puis il aborda l'un des moines qui portaient la civière :

– Quel mort portez-vous là?

– Nous portons en terre don Miguel de Mañara...

Alors Miguel éclata d'un rire dément. Rageusement, il arracha le drap qui couvrait la civière, se pencha et tomba à la renverse avec un cri terrible... Il avait vu son propre visage...

Au lever du jour, les soldats de l'alcade le trouvèrent évanoui sur les marches de l'église.

Une autre nuit, une belle et chaude nuit d'été, il chercha un peu de fraîcheur dans le patio de los Naranjos, accolé à la Cathédrale. Il lui semblait que la nuit claire faisait sa peine plus légère et il s'arrêta un moment contre l'une des colonettes, écoutant le murmure de l'eau fraîche coulant dans les cannelures du sol de brique pour abreuver les orangers et les hauts cyprès.

La voix du *sereno* chanta au-dehors, annonçant la minuit avec, en contrepoint, le son d'une guitare quelque part au loin.

La silhouette d'une femme sortit soudain de derrière un cyprès et se déplaça rapidement à travers le patio. Elle était petite, menue, étroitement voilée, et le cœur de Miguel battit plus vite. Cette femme... elle avait l'allure exacte de Jéronima... sa façon de marcher en levant bien haut la tête, son pas pressé et vif, sa tournure même et jusqu'à cette habitude qu'elle avait de pencher légèrement, de temps en temps, sa tête vers son épaule droite...

Miguel se mit à courir. La femme ne se retourna pas, ne hâta pas l'allure. Elle se dirigeait vers la porte de la cathédrale, s'enfonçait dans l'ombre... D'un dernier effort, Miguel, dont les jambes semblaient devenir à chaque instant plus pesantes et plus difficiles à mouvoir, la rattrapa enfin :

– Señora!... Par grâce...

La femme se retourna. Mais sous la mantille noire, Miguel, épouvanté, vit une tête de mort qui le regardait en ricanant. Il s'enfuit en hurlant.

– C'est votre âme qu'il faut soigner, mon fils, non le corps...

La figure austère du dominicain se détachait sur les tentures noires de la pièce. En face de cet homme décharné dont la peau paraissait collée à l'ossature, don Miguel était encore étrangement vigoureux et jeune. Le regard froid du moine se posa sur le portrait de Jéronima :

– Ce tête-à-tête interminable offense le Seigneur, mon fils, et vous devez voir, dans ces visions que vous avez eues, un avertissement du ciel. Si vous voulez un jour retrouver votre épouse dans les célestes demeures, il n'y a pas deux moyens mais un seul...

– Lequel?

– Expier!... Faire pénitence! Alors votre amour sera béni...

Les yeux noirs de Miguel s'attachèrent au ravissant visage peint au doux sourire :

– Je la reverrai?...

– N'en doutez pas... Mais la route sera dure et la porte étroite.

– Rien ne me coûtera...

Alors, de même qu'il s'était jeté dans la débauche et le mal avec frénésie, ce fut avec la même frénésie qu'il se jeta dans la pénitence, et Séville, à nouveau, s'étonna.

Miguel vendit ses biens, distribua sa fortune aux malheureux, fonda un hôpital, la Caridad, qui existe toujours, et, pour finir, implora la confrérie de la Caridad de l'accepter dans ses rangs.

C'était une pieuse organisation qui soignait les malades, secourait les pauvres mais surtout s'occupait des condamnés à mort et ensevelissait les corps des suppliciés.

La méfiance qu'avait longtemps inspirée Miguel n'était pas encore morte, et il eut bien du mal à se faire admettre dans les rangs de la confrérie. Encore fût-ce à la condition qu'il saurait se plier aux besognes les plus pénibles. Il accepta tout et, dès lors, les Sévillans virent parfois d'étranges spectacles.

C'est ainsi qu'un matin, à l'aube, le jeune marquis de Paradas, fils d'une des sœurs de Miguel, Isabel, sortant du tribunal des Indes où une âpre discussion concernant une cargaison l'avait retenu toute la nuit, vit soudain son oncle, qu'il reconnut à peine sous un grossier vêtement de bure brune, lever une échelle contre un gibet dressé sur la place. A la potence pendait le corps d'un homme exécuté depuis trois jours, un voleur que l'on avait laissé là pour l'exemple. Une si lourde puanteur s'en échappait que, même à distance, le jeune marquis dut sortir son mouchoir parfumé et l'appuyer sur son visage.

Il vit don Miguel couper la corde, recevoir le cadavre sur ses épaules et descendre avec lui, péniblement, les échelons du gibet. Sous le poids, Miguel chancelait, il semblait prêt de s'évanouir. Enfin il fut en bas, coucha le corps sur un brancard à deux roues. Mais l'effort avait dû être trop grand. Paradas le vit osciller, se cramponner à l'échelle... Il se précipita :

– Mon oncle!... Que faites-vous?

Miguel ouvrit les yeux. Son visage était de cire, son nez pincé... Il essaya de sourire mais une nausée le secoua tout entier.

– Laissez ce... cette chose! supplia le marquis, secoué d'horreur. C'est trop abominable!...

Mais le pénitent sourit faiblement. De sa manche rugueuse il essuya son front pâle où perlait la sueur :

– Ce n'est rien, mon enfant... Je n'ai pas encore l'habitude, mais cela viendra. Il le faut!...

– Mais...

– Pas de mais!... Il le faut!... Laissez!...

Il s'attela au brancard, tira dans un effort qui tendit les muscles de son cou amaigri. La charrette s'ébranla, raclant les pavés ronds sur lesquels Miguel, malhabile, butait... Les larmes aux yeux, le jeune Paradas regarda s'éloigner, attelé comme une bête de somme au corps supplicié d'un voleur, celui qui avait été don Juan.

Le dimanche suivant, il devait le revoir encore. Le jeune marquis, donnant la main à sa femme et entouré d'un groupe de jolies Sévillanes, sortait de la messe à la cathédrale. Il allait franchir la porte du Pardon quand une voix grave s'éleva auprès de lui :

– Pour les pauvres et pour le salut de votre âme... La charité s'il vous plaît!...

Debout contre le rouge portail mauresque, Miguel se tenait là, très grand dans un habit de droguet noir, une aumônière à la main.

Dans son poing, Paradas sentit trembler la main de sa femme. Il vit autour de lui s'empourprer les visages des jeunes femmes et des jeunes filles devant cette apparition étrange. Mais Miguel ne les regardait pas. Son regard, ardent, était fixé quelque part, très loin, et semblait contempler quelque chose qui échappait à tous...

– Donnez... murmura, très vite et très bas, dona Mercédès à son mari.

Vivement le jeune marquis sortit sa bourse, la vida dans l'aumônière.

– Merci... fit Miguel.

A la suite, les femmes s'avancèrent. L'une après l'autre, les mains blanches, menues et fines, qui toutes tremblaient, laissèrent tomber les pièces d'or qu'elles contenaient. Sous les mantilles, les yeux se levèrent, cherchant à capter ce regard lointain. Aucune n'y parvint... Quand don Juan enfin sourit, c'était à une image seulement, un visage que lui seul pouvait voir.

Les belles s'éloignèrent en soupirant.

De longues années, don Miguel de Mañara devait poursuivre sa pénitence obstinée. Il le fit avec un courage, une abnégation qui, bientôt, lui valurent le respect de toute la ville. Au bout de deux ans, il devint supérieur, hermanomayor, de la Caridad, et dès lors sa réputation de sainteté grandit de jour en jour.

Pourtant, les femmes, qu'il avait tant aimées, ne renoncèrent jamais à tenter de le reprendre. Sans cesse il dut déjouer leurs pièges. Il refusait même de les approcher quand elles étaient à l'article de la mort. Et, parce qu'en lui l'homme était particulièrement difficile à tuer, que les tourments de la chair ne lui laissaient nul repos, parce qu'il se méfiait de lui et voulait se garder tout entier au souvenir de Jéronima, il martyrisa son propre corps sans la moindre pitié. Il ne quittait plus le rude cilice de crin qui écorchait sa peau et, dans l'humble cellule qu'il habitait dans son propre palais offert aux malheureux, les fouets sanglants que trouvaient les serviteurs attestaient la cruauté des pénitences qu'il s'imposait.

Enfin il mourut. Un doux matin de mai 1679, le 9 mai exactement, alors que toutes les cloches de Séville sonnaient l'Angélus et que la chaleur du soleil tirait les premières senteurs parfumées des jardins pleins de roses, il s'endormit paisiblement, au bout d'une longue nuit d'agonie. Il n'était plus que l'ombre de celui qui avait été don Juan mais de ce corps émacié émanait la grandeur et la paix. Le dernier soupir fut un nom :

– Jéronima...

Le calvaire était fini. Le trompeur de Séville était entré dans la vérité...

(Nota) – Le 13 mai 1778, le Vatican devait déclarer Vénérable don Miguel de Mañara et, depuis, les Sévillans n'ont cessé de harceler Rome pour obtenir la canonisation. Mais il semble que l'Eglise hésite encore à mettre au nombre des Saints, celui qui fut don Juan.

MARION DU FAOUET
chef de brigands

Le 18 mars 1747, une petite troupe de soldats encadrant vigoureusement une charrette dans laquelle étaient enchaînés deux prisonniers franchissait l'enceinte fortifiée de Rennes par la porte Mordelaise et escaladait la rampe qui menait vers la cathédrale. Les deux prisonniers, un homme et une femme, étroitement entravés, se laissaient aller aux cahots des pavés, les yeux clos, insensibles apparemment. L'un d'eux était un homme d'environ trente-cinq ans, un gars blond, fortement charpenté, avec un cou de taureau et des épaules dont les muscles bosselaient sous la veste déchirée. De la femme, on ne voyait qu'une abondante chevelure rousse, presque rouge, dont les flots emmêlés retombaient devant son visage, le cachant entièrement. Elle semblait jeune, grande et mince, mais il était difficile d'en juger dans cette posture repliée qu'elle avait adoptée, sans doute pour avoir moins froid.

La nuit tombait et un vent aigre soufflait à travers les vieilles rues de l'ancien quartier, le seul qui eût échappé au grand incendie de 1720. Tout le reste de la ville était neuf. Quand la troupe arriva près de la cathédrale, plusieurs commères qui sortaient du salut la regardèrent passer.

– Qui sont ceux-là? demanda l'une moins bien renseignée sans doute que les autres.

On se hâta de la mettre au fait :

– Des condamnés. Ils viennent de Carhaix et ont fait appel de leur jugement auprès de la Cour. On va les juger à nouveau. Ils ont été arrêtés pour brigandage, vol à main armée et mille autres forfaits. Ils seront pendus...

– L'homme, sans doute. Mais la femme, qui est-elle?

La commère bien renseignée poussa une exclamation de surprise :

– Comment? Vous ne savez pas? Mais c'est la Marion, la fameuse Marion Tromel, la brigande du Faouet. On dit que c'est elle le chef de la bande, qu'elle menait là-bas grand train avec ses hommes, qui étaient tous ses amants, grâce à l'argent qu'ils volaient partout... On dit aussi...

Les hommes de la maréchaussée, pressés de regagner leurs cantonnements après cette longue route, hâtaient le pas. La nuit tombait vite et il ferait bon, tout à l'heure autour des feux, à boire des pichets de cidre. Bientôt les portes massives de la Conciergerie engloutissaient charrette et escorte. Les prisonniers furent descendus devant le corps de garde. Marion, d'un coup de tête nerveux, rejeta en arrière la masse de ses cheveux, toisa les soldats, un éclair de défi au fond de ses yeux verts. L'un d'eux siffla, vaguement admiratif :

– Elle n'a pas froid aux yeux, la fille, murmura-t-il à son plus proche voisin, avec un coup de coude dans les côtes. Et belle avec ça!

C'était vrai que Marion était belle. Grande, mince et vigoureuse à la fois, elle avait un visage insolent, un corps provocant, un regard qui ne se baissait pas. Consciente de l'admiration qu'elle lisait dans les regards des gendarmes, elle s'offrit même le luxe d'un léger sourire en franchissant le seuil de la prison.

Comme on les arrêtait au greffe, son compagnon se tourna vers elle, le visage crispé.

– On ne se reverra peut-être pas, fit-il. Adieu, Marion... Pense à moi!

– Adieu, Henri. Il ne faut jamais désespérer.

– Il ne faut pas non plus compter t'évader d'ici, ma belle, fit un geôlier qui avait entendu. Là où on va te mettre, tu n'auras guère de chances de t'en tirer.

Marion ne répondit pas. Elle sourit à Henri, courageusement, et se laissa emmener.

Le geôlier n'avait pas menti. Il n'était pas possible de songer à s'enfuir de la basse-fosse dans laquelle Marion avait été jetée. A deux étages sous terre, elle ne recevait absolument pas le jour et à peine l'air. Il y régnait une obscurité totale, un froid glacial. De plus, de lourdes chaînes attachaient la prisonnière à la muraille.

Assise sur le grabat qui lui servait de lit, Marion laissait l'angoisse envahir son cœur. Habituée au grand vent, à la vie libre, le poids des énormes pierres de cette prison des villes l'étouffait. Son sort, elle le savait, se déciderait ces jours-ci. Et elle n'ignorait pas qu'il dépendait d'Henri.

Quand la bande avait été arrêtée, dans cette ferme du village de Boterff, les hommes s'étaient défendus puisqu'ils étaient les seuls à être armés. Marion, elle, avait été prise dans le tas. Pourtant, reconnue par de nombreux paysans comme ayant participé à de nombreux vols, elle s'était vue condamnée à mort, comme Henri Pezron qui était son lieutenant et son amant. Mais ils avaient fait appel du jugement qui les envoyait à la potence, comptant sur l'éloignement de la Cour de Rennes pour obtenir un adoucissement.

Le cas de Marion n'était pas très clair. On l'avait vue

souvent avec la bande mais, si partout on chuchotait qu'elle en était le chef, nul ne pouvait l'affirmer, et Henri, pour la tirer d'affaire, avait jusqu'ici affirmé le contraire. S'il persistait dans cette voie, elle avait une chance de s'en tirer comme les autres femmes de la bande et quelques hommes contre qui il y avait trop peu de preuves et qu'on avait relâchés...

Relâchés!... Ce seul mot faisait briller les yeux de Marion. Cela voulait dire retrouver la liberté, le grand air des landes et des chemins creux, la voûte sombre et transparente de la nuit, l'odeur des genêts en fleurs. Dans ce trou puant où elle se trouvait jetée, elle se sentait l'âme d'une bête des bois prise au piège. Elle voulait revoir le jour, le soleil... Mais elle ne regrettait rien de ce qu'elle avait fait. Si elle se tirait de là, Marion savait bien qu'elle recommencerait.

Fille de simples journaliers qui n'avaient pas souvent de quoi manger à leur faim, Marion Tromel avait d'abord mendié, puis volé pour mieux se nourrir. Avec l'âge et la coquetterie, d'autres appétits étaient venus. Elle avait toujours voulu davantage et, comme elle était belle, les hommes ne manquèrent pas qui vinrent s'enrôler sous sa bannière. Par amour, par goût du vol et de l'aventure... Dans son village du Faouet, nombre de gars avaient suivi Marion parce que la vie qu'elle offrait était large et sans entrave... Aussi parce que tous espéraient un jour la tenir dans leurs bras. Plusieurs avaient obtenu cette faveur, ceux qui savaient lui plaire. Marion n'était ni froide ni farouche. Il suffisait que l'homme fût beau et brave.

Aucun pourtant ne l'était autant qu'Henri Pezron qui avait été des premiers à courir les grands chemins avec elle. Et ils s'étaient bien aimés, avec fougue et violence, avec tendresse aussi parce qu'ils étaient faits tous deux de la même pâte et qu'ils ne craignaient pas la mort. A trente ans et dans la situation où elle se trouvait,

Marion appréciait à sa juste valeur cet amour qui essayait encore de la défendre. Elle aurait tant voulu pouvoir partir loin de là, avec Henri. Mais lui avait bien peu de chance de s'en sortir. Il faisait vraiment figure de chef de bande et n'avait rien fait pour détromper ses juges. Il avait l'orgueil de son triste métier, lui. Tout ce qu'il pouvait espérer c'était de voir les galères remplacer la corde.

Pour Henri, les choses ne traînèrent pas. Il repassa en jugement le lendemain même de son arrivée. Fut à nouveau condamné à être pendu. Mais, comme le rôle de Marion était mal défini, avant de la juger à nouveau il fallait que les juges eussent un peu plus de renseignements sur elle.

– On va le passer à la question avant de le pendre, histoire de lui faire un peu dégoiser ce qu'il sait de toi, expliqua à Marion le geôlier qui lui apportait sa pitance.

Elle regarda avec terreur la figure tavelée de l'homme que la lumière pauvre de sa lanterne éclairait sinistrement. Il ressemblait à un gnome des anciennes légendes mais la forte odeur de cidre aigre qu'il dégageait lui ôtait beaucoup de son côté fantastique.

– Qu'est-ce que ça veut dire? demanda-t-elle, angoissée.

L'homme se mit à rire :

– Que s'il tient la torture sans parler, tu as une chance de conserver ton cou intact, la belle. Seulement, j'aime autant te dire tout de suite qu'il n'y en a pas beaucoup qui ne flanchent pas. C'est même tellement rare qu'il vaut mieux ne pas garder trop d'espoir.

– Henri est un homme brave, fit-elle avec orgueil. Il a une âme de chez nous, taillée dans le granit.

L'autre haussa les épaules :

– Moi, je veux bien... mais tu sais, quand le bourreau lui mettra les jambes dans les flammes, il se trouvera peut-être un petit trou dans ce granit-là.

Sans rien ajouter de plus, l'homme tourna les talons. Les verrous claquèrent derrière lui et le cachot retomba à son obscurité.

La nuit, au-dehors, était venue mais Marion ne pouvait pas le voir. Elle le savait seulement parce que le geôlier le lui avait dit. C'était la dernière nuit d'Henri... l'avant-dernière peut-être de Marion s'il ne parvenait pas à se taire.

Durant des heures, Marion chercha en vain le sommeil. C'était son sort à elle qui se jouerait à l'aube. Sa vie était liée au courage d'Henri... A certains instants, l'amour forcené de la vie qui tenait la jeune femme s'évanouissait pour faire place à la souffrance. L'homme qu'elle aimait allait mourir. Demain, à pareille heure, il ne serait plus qu'un corps inerte se balançant aux fourches patibulaires. Mais avant, il lui faudrait subir cette torture effroyable qui faisait pâlir les plus courageux et claquer les dents de la prisonnière. Les images trop précises évoquées par le geôlier hantaient son esprit, tellement qu'il lui semblait entendre les cris de l'homme supplicié. Elle se bouchait alors les oreilles de ses deux mains.

Vers minuit, elle eut une crise de folie. Il ne pouvait pas endurer une chose pareille à cause d'elle. Il fallait qu'il parle, qu'il dise tout. On le pendrait tout de suite, elle ensuite, et tout serait dit...

Se jetant sur la porte, Marion se mit à taper dessus de toutes ses forces, hurlant pour appeler le geôlier. Longtemps, elle cria, car la distance, entre les basses-fosses et le lieu où l'homme se tenait habituellement, était grande. Ses mains étaient en sang quand, enfin, elle entendit son pas lourd qui faisait clapoter la boue du couloir.

– Qu'est-ce que tu veux? demanda-t-il en entrant dans le cachot, élevant sa lanterne. T'es pas folle de gueuler comme ça? Tu vas réveiller tout le monde...

Elle le regarda avec égarement, frottant machinalement l'une contre l'autre ses mains douloureuses.

– Va trouver Henri, lui dit-elle. Va lui dire que je veux qu'il parle. Qu'il dise tout.

– T'es pas folle? Tu veux être pendue...

– Ça m'est égal. Dis-lui que je lui ordonne de tout dire. Qu'il m'accuse mais qu'il ne se laisse pas torturer ainsi...

L'homme partit d'un gros rire :

– C'est ça qui te tracasse? Ben, je t'assure que t'as tort. Tu peux être sûre qu'il parlera, ton gars. C'est pas la peine de l'encourager, crois-moi. Il saura bien tout seul ce qui est bon pour lui...

– Va lui dire tout de même...

– Si ça peut te faire plaisir... Après tout, je veux bien. Mais je t'assure que c'est du temps perdu.

En maugréant, le geôlier referma la porte, s'éloigna. De toutes ses forces Marion écouta pour voir s'il s'arrêtait à un autre cachot mais elle n'entendit rien. Se laissant retomber sur son grabat, elle attendit...

– Il est mort, fit le geôlier. Il n'a pas parlé...

Marion releva vers lui un regard de somnambule, des joues marbrées à force d'avoir pleuré et d'avoir appuyé ses poings dessus. Elle ne comprenait pas ce que l'homme disait. Elle le fit répéter :

– Qu'est-ce que tu dis?

– Que ton gars se balance maintenant au beau milieu de la place des Lices... et qu'il n'a rien avoué. Un fameux gars que c'était, tu peux m'en croire. Neuf fois, ils lui ont remis les jambes dans le feu pour le faire avouer. Toujours il disait que tu étais innocente. Toujours...

– Mais... (Marion s'était levée lentement :) Tu ne lui avais donc rien dit?

– Que si. Il m'avait répondu qu'il était assez grand pour savoir ce qu'il avait à faire. Il a dit aussi qu'il t'aimait. C'est tout ce qu'il m'a demandé de te dire. Mais, après, quand tout serait fini...

Les mains enchaînées de Marion retombèrent le long de son corps. Elle avait tant pleuré qu'elle n'avait plus de larmes. Seulement, en elle, il y avait quelque chose qui brûlait. Une immense colère, une rage furieuse qui, soudain, fit flamber ses yeux. Le geôlier fronça les sourcils et, prudent, recula vers la porte. La fille tout d'un coup avait l'air d'un démon.

– T'as plus qu'à la boucler, lui lança-t-il du seuil. T'es sûrement sauvée. Alors, pas la peine de faire des aveux qui ne serviront plus à personne.

Le conseil était inutile. Marion n'avait plus envie de se dénoncer. Elle avait envie d'être libre... et de venger Henri.

– ... ordonne que ladite Marion Tromel, dite Marion du Faouet, sera fustigée, nue, de verges par trois jours de marché dans les carrefours de Rennes, ensuite marquée de la lettre V et bannie de la ville à perpétuité.

A genoux devant la robe noire du juge, Marion n'entendait rien de ce qu'on lui disait. Qu'importaient d'ailleurs le fouet, la marque... Ensuite elle serait bannie, elle serait libre...

Libre!... libre!... C'était ce mot-là qu'elle mâchait entre ses dents serrées tandis que, les mains nouées derrière son dos et ses vêtements rabattus sur ses reins, on la traînait à travers les rues de la ville, sous les quolibets, les injures et les immondices que lui jetait la foule. Elle ne sentait pas le vent froid sur sa peau nue, elle n'entendait pas les cris haineux, les gros rires. Elle ne sentait pas le fouet du bourreau qui frappait son dos, ses épaules, enveloppait sa chair d'éclairs brûlants... Elle n'était plus que haine et que fureur contenue. Tenir encore un peu... encore un peu! Bientôt elle serait libre, elle leur ferait voir à tous!...

Le troisième jour, elle serra les dents un peu plus, gronda comme une tigresse blessée mais ne cria pas quand le bourreau marqua son épaule au fer rouge. Elle ne s'évanouit pas non plus, eut le courage de se traîner jusqu'à sa prison sans aide, malgré la douleur qui vrillait tout son corps.

Le lendemain, les portes de la prison s'ouvraient devant elle sur des rues vides, les portes de la ville sur une route vide qui se perdait dans les campagnes vides aussi loin que le regard pouvait porter. Elle était libre!

De Rennes au Faouet, il y a près de cent cinquante kilomètres. Marion, possédée par la fureur qui habitait son cœur, les parcourut à pied, mendiant le jour sa nourriture, dormant la nuit dans les fourrés, marchant inlassablement, insensible à la torture de son épaule qui, cependant, peu à peu s'assourdit, se calma. Elle n'avait plus de chaussures, ses vêtements n'étaient plus que haillons, mais elle marchait toujours parce qu'elle voulait retourner chez elle, au pays où la terreur la faisait reine et qu'elle voulait reprendre.

Peu à peu, le paysage changea. Les vallonnements des environs de Rennes firent place à des coteaux vêtus d'arbres rabougris, creusés de combes profondes d'où jaillissent des eaux vives. Des ajoncs en fleur, des bruyères violettes avaient remplacé les cultures grasses piquées de sapins noirs et de roches schisteuses. Enfin les Montagnes Noires se profilèrent à l'horizon.

Un soir, alors que la nuit était presque close, Marion

atteignit la chapelle Sainte-Barbe, au-dessus du Faouet. Les fumées du village montaient de la vallée et elle mourait d'envie d'y courir, de s'y retremper. Mais il fallait être prudente car il y avait au Faouet autant d'ennemis que d'amis.

Elle hésitait sur ce qu'elle allait faire quand un pas chaussé de sabots sonna près d'elle. Son premier réflexe fut de se cacher derrière un buisson mais elle reconnut l'arrivant : c'était Ruz, un des anciens de sa bande, un de ceux qui n'avaient pas été pris. Elle sortit de sa cachette et alla vers lui avec décision.

– C'est moi, Ruz, dit-elle, Marion. J'espère que tu me reconnais...

Ruz faillit crier de surprise mais se retint à temps :

– Marion? Ce n'est pas possible. On disait que tu étais morte. Tu as été condamnée...

– Oui, mais ceux de Rennes ne m'ont pas pendue. Seulement bannie... et marquée. Mais Henri, lui, a été pendu. Où sont les autres?

– Toujours à la même place, chacun dans son trou. Depuis que tu n'es plus là, personne n'osait bouger. Qu'est-ce que tu voulais qu'on fasse sans chef...

– Je suis revenue, maintenant. Et j'ai des comptes à régler. Notre cache est toujours inconnue?

– Toujours. J'y vais de temps en temps pour penser aux bons moments... Alors vraiment, tu veux recommencer?

– Plus que jamais. J'ai à me venger! Et puis j'ai besoin d'argent. Je vais aller au repaire. Toi, tu préviendras les autres de venir me rejoindre. Et apportez aussi de quoi manger... et de quoi m'habiller. Les armes, je m'en charge puisque seüls Henri et moi savions où elles étaient cachées...

– Entendu, j'y vais. Mais, vrai, Marion, ça fait plaisir de te retrouver!

– Tout le monde ne pensera pas comme toi, Ruz, fit

Marion en jetant sur le village un regard sombre. Aucun de ceux qui ont déposé contre nous à Carhaix ne pensera comme toi!

Quelques jours plus tard, les habitants de la région qui se croyaient bien délivrés de Marion et de sa bande, eurent la stupéfaction de la voir reparaître, plus insolente et plus exigeante que jamais. Plus belle aussi dans des habits volés qu'elle exigeait aussi somptueux que possible. Des voyageurs isolés sont attaqués, des fermiers et des marchands sont rançonnés ou pillés, des églises mises à sac. Marion est partout, on dirait qu'elle possède le don d'ubiquité.

Attirés par sa beauté, d'autres hommes sont venus remplacer ceux qu'elle a perdus. Sa bande est plus nombreuse et plus forte que jamais. Dans le pays terrorisé, nul n'ose bouger ni se plaindre sous peine de représailles. Marion a la main lourde et ceux qui l'ont chargée lors de son procès en savent quelque chose. Personne n'ose plus sortir de chez soi à la nuit close.

Parmi les nouveaux arrivants, il en est un dont l'aspect a fait battre le cœur de l'indomptable femme. Il se nomme Jean, sans autre nom. C'est un enfant trouvé jadis par le curé de Rostrenen. Nul ne sait qui il est ni d'où il vient mais il est jeune, vingt-deux ans, il est beau comme un dieu nordique. Il suffit que Marion pose un instant les yeux sur son visage énergique, taillé dans le granit, ses yeux bleus de jeune fille et ses larges épaules, pour qu'une émotion oubliée renaisse en elle. Le gars est engagé, bientôt il sera son amant.

Le village de Faouet tout entier est devenu le fief de la bande. Ils y tiennent le haut du pavé et mènent joyeuse vie. Si joyeuse même et si large que la bande s'accrut bientôt d'une recrue de choix : un seigneur des environs vint se joindre à elle. Il se nommait Aymar, était marié, riche, puissant, et pourvu d'imposantes relations mais il éprouvait un plaisir étrange et trouble à se mêler aux débauches d'une bande de brigands. Sur lui aussi, la beauté de Marion avait fait grand effet.

— Ruz a été pris, Marion, fit Jean en entrant dans la ferme abandonnée où la bande campait à ce moment-là. Ils l'ont emmené à Carhaix.

Marion pâlit mais ne dit rien. Elle continua à offrir ses paumes au feu qui flambait dans la cheminée. La pluie, incessante, noyait les chemins, ce printemps, et, si elle était utile pour effacer les traces, elle entretenait une température froide et humide, inhabituelle pour la saison.

Les autres, attablés autour d'une grande marmite et de quelques poules rôties, firent silence, instantanément. Jean s'était accoté au chambranle de la porte :

— Que comptes-tu faire? Il va sûrement parler, si on emploie certains moyens. Il n'aura pas la force de se taire...

— Alors, il faut partir, dit Marion. Nous devons d'abord nous disperser pour un temps. Rendez-vous dans six mois... où je vous dirai tout à l'heure.

Personne ne dit mot pour combattre cet ordre. Le danger était trop pressant et on ne savait pas où s'arrêteraient les aveux de Ruz. Il fallait s'esquiver, se cacher et se rejoindre, plus tard, dans cet endroit dont on allait convenir.

Exactement comme si rien de grave ne s'était passé, Marion était retournée se chauffer près de la cheminée. Jean l'y rejoignit :

— Où comptes-tu aller, en attendant?

— A Auray. J'y ai des intelligences...

— Alors, je vais avec toi...

Elle leva les yeux, lui sourit tendrement.

– J'y comptais bien... dit-elle seulement.

A peine arrivée à Auray, Marion fut arrêtée. Les complices qu'elle y possédait venaient d'être pris, elle tomba dans le filet tendu. On la transporta à Vannes où elle fut incarcérée, seule d'ailleurs. Pour des raisons de sécurité, elle et Jean s'étaient donné rendez-vous à Auray et elle arriva avant lui.

Mais elle ne demeura pas longtemps en prison. Deux jours plus tard, elle était relâchée, sous prétexte d'erreur sur la personne. Un peu étonnée, elle n'en monta pas moins dans la voiture qui l'attendait à la porte de la prison. Dans cette voiture, un homme l'attendait, masqué. Mais aux premiers mots qu'il dit, elle reconnut le comte Aymar(1).

– Comment saviez-vous que j'étais ici? demanda-t-elle.

– Je le sais comme tout le pays, ma chère. Et, grâce au ciel, j'ai pu arriver à temps...

– Comment? C'est vous?...

Stupéfaite, elle regardait avec des yeux nouveaux cet homme qu'au fond d'elle-même elle méprisait un peu, ce seigneur qui s'encanaillait sans vergogne pour des raisons qu'elle ne parvenait pas à comprendre tout à fait. Elle vit les lèvres, au dessin un peu mou, sourire sous le masque :

– Qui d'autre pourrait faire lâcher prise à vos juges, Marion? Qui serait assez riche, assez puissant?... Je me suis porté garant pour vous, ma chère. On n'a pas mis ma parole en doute.

Un moment, Marion se laissa bercer par le roulement doux du carrosse aux ressorts souples. Le capiton

(1) Par respect pour ses descendants, il est impossible de donner à ce personnage son nom réel.

de soie était agréable après la dureté d'une geôle. Les rues de Vannes, envahies par la nuit, défilaient rapidement derrière les mantelets baissés.

– Pourquoi avez-vous fait cela, Aymar? Par amitié pour moi?

– Dites... par amour. Voici bien longtemps que j'attends, Marion. Ne ferez-vous rien pour moi, en retour?

Ainsi, c'était un marché? Mais de bonne guerre après tout. A son tour, Marion sourit, n'écarta pas le visage qui se penchait vers elle :

– Après tout... Pourquoi pas?... Où me conduisez-vous?

– Où vous voudrez. Mais, si j'étais vous, je reconstituerais la bande rapidement. Ruz n'a pas parlé. On l'a trouvé mort dans sa prison quand on est venu le chercher pour l'interroger...

Pour la première fois depuis des jours, une lueur de joie brilla dans les yeux verts de Marion :

– Alors, je retourne au Faouet... avec vous.

Forte de l'impunité que lui avait value le comte Aymar, Marion n'en reprit qu'avec plus d'insolence encore sa vie déchaînée. Le pays fut mis en coupe réglée sur un rayon plus vaste encore que par le passé. La terreur régnait partout et, cette fois, les pouvoirs publics s'étaient émus sérieusement.

Malheureusement pour Marion, son protecteur eut des ennuis. La légitime épouse du comte, lassée de ses débordements continuels, après avoir fait effectuer une discrète enquête, avait obtenu son internement dans un monastère de Pontorson d'où il ne devait plus sortir. Marion, bien sûr, le regretta mais se consola rapidement, heureuse au fond de n'avoir plus à se partager entre lui et Jean.

Mais cet internement était tout de même pour elle le commencement de la fin. En juillet 1752, elle est arrêtée, une fois de plus, enfermée à la prison de Quimper... dont elle sort quelques jours plus tard, le plus simplement du monde par la porte sans que personne songe un instant à s'en inquiéter ni à lui demander où elle va. La prison de Quimper était assez mal gardée, cette année-là...

Triomphante, plus arrogante que jamais, Marion fait au Faouet une entrée sensationnelle, à cheval et suivie de ses hommes. Mais les bonnes gens du pays sont las de vivre dans la crainte. Dans les églises, les prêtres exhortent leurs fidèles à parler, à se porter témoins, à faire connaître à la maréchaussée ce qu'ils savent. Peu à peu, le pays se révolte, les langues se délient, des enquêtes de plus en plus serrées sont menées. A Quimper, les juges l'ont condamnée à mort par contumace, sa tête est mise à prix et, sur la place principale de la ville, elle est pendue en effigie. La maréchaussée la pourchasse. Le filet se resserre.

En septembre 1754, un homme de la bande de Marion commet un meurtre et assassine un notable du Faouet, en pleine rue. Dès lors, elle doit fuir. Le sol est devenu brûlant pour elle... La bande, rapidement, se désagrège, chacun tirant vers l'endroit qui lui semble le plus sûr. Jean et Marion tiennent un dernier conseil.

— Allons à Nantes, dit Marion. On ne nous y connaît pas. Nous y serons en sûreté...

Jean secoua la tête, peu convaincu :

— Nous ferions mieux de nous embarquer. Partir le plus loin possible... en Amérique par exemple...

— Pour partir, il faut de l'argent. Nous n'en avons plus. Un bateau, nous n'en avons pas et ça ne se vole pas. A Nantes, nous trouverons de l'argent et tous les bateaux que nous voudrons...

Comme Jean hésite encore, elle lance :

— J'irai devant. Tu me rejoindras où je te dirai.

Et elle part.

Ce qu'elle ignore, c'est que, à Nantes, elle est beaucoup plus connue qu'elle ne le croit. Ses exploits tristement célèbres ont fait le tour de la Bretagne. Pas une âme qui ne connaisse Marion du Faouet. Comme elle manque d'argent, elle commet un vol, se fait prendre. Et comme, se croyant inconnue, elle décline tranquillement son identité, elle a la surprise de se voir aussitôt chargée de chaînes, gardée à vue.

Sous bonne escorte, on l'envoie à Quimper où l'attendent ses juges... et une prison qui sera, cette fois, bien surveillée. Jean, qu'elle a en vain attendu au rendez-vous, n'a pas reparu.

Lorsque les gendarmes la poussèrent dans la petite salle basse, Marion frissonna et comprit qu'il allait lui falloir beaucoup de courage. Il y a là, derrière une table supportant un crucifix et des papiers, trois hommes en perruque blanche et robe noire. Il y a aussi, dans un coin, une large et vieille cheminée de pierre, datant du Moyen Age, devant laquelle un homme aux bras nus, vêtu de rouge, active un grand feu. Cet homme, c'est le bourreau. Un des juges s'est levé :

– Marion Tromel, avant de payer par la pendaison vos crimes et voleries, le tribunal a décidé que vous seriez soumise à la question afin que vous nommiez vos complices et affidés, tous ceux qui vous ont suivie sur les chemins du mal...

Les yeux exorbités, Marion contemple le feu, tente de résister aux soldats qui la poussent vers un siège de fer garni de chaînes et de bracelets.

– Je n'ai rien à dire! lance-t-elle, la voix rauque. Si j'ai eu des complices, vous les avez déjà tous pendus. Je suis la seule qui reste...

– Non... Il y avait un homme avec vous. Il était votre amant. Qui est-il? Qu'est-il devenu?

– Je l'ignore... Je ne sais de qui vous voulez parler...

– Prenez garde... Vous regretterez tout à l'heure de ne pas parler.

– Je n'ai rien à dire...

Malgré une défense désespérée, Marion est dépouillée de ses vêtements sauf sa chemise, enchaînée à la chaise que l'on approche de la cheminée. Un instant, pour rassembler son courage, elle ferme les yeux. Sans doute évoqua-t-elle à cet instant, l'image d'Henri Pezron qui avait connu, sept ans plus tôt, cette agonie et n'avait pas parlé. C'était d'elle maintenant, de son courage, que dépendait la vie d'un homme, du seul qu'elle aimât vraiment. Si elle trouvait assez de force pour ne pas parler, il serait sauf... Peut-être était-il là, dehors, sous les murs de cette prison, avec quelques-uns des hommes qui restaient, pour tenter de l'enlever tout à l'heure, quand on la conduirait à la potence?

– Voulez-vous parler? interrogea la voix froide du juge.

Pour toute réponse, Marion secoua la tête. On approcha la chaise.

Quand ses jambes entrèrent dans les flammes, elle poussa un hurlement de bête égorgée et se tordit dans ses liens. Une sueur abondante inonda son front. Tout son corps se convulsa... mais quand on la retira, elle répéta d'une voix éteinte :

– Je ne sais rien... Je ne sais pas de qui vous voulez parler.

Cinq fois, le bourreau rapprocha la chaise, cinq fois on la remit dans les flammes. Elle finit par s'évanouir mais aucun mot ne franchit ses lèvres.

Ce fut, inerte, sans connaissance, qu'on l'emporta dans la charrette qui l'attendait pour la mener à la mort.

Au-dehors, il y avait foule. Toute la ville était dehors. On était le 19 mai 1755 et il faisait un beau temps tiède et clair, avec un peu de vent frais venu de la mer. La brise ranima la condamnée durant le trajet. Mais son regard, brouillé de larmes, ne voyait rien, elle n'entendait pas les cris de mort de la foule. Elle souffrait tellement qu'une seule hâte lui restait : mourir, en finir vite!

Pourtant, comme la charrette débouchait de la rue Keréon, son regard se fixa tandis qu'un peu de sang remontait à ses joues blêmes. A l'angle de la rue, contre une boutique, elle venait de reconnaître Jean... C'était bien lui, elle ne pouvait pas se tromper. Elle l'aurait reconnu entre mille. Une onde de joie la parcourut.

Elle ne s'était pas trompée en pensant qu'il serait là, qu'il chercherait à la sauver. Et, fiévreusement, avec des yeux soudain aigus, elle chercha à reconnaître d'autres figures connues, d'autres hommes qui, tout à l'heure, allaient l'arracher à la mort. Oubliant ses jambes brûlées, sa souffrance, elle se sentit revivre...

Mais, quand la charrette s'arrêta, Jean avait disparu. Il n'y avait pas de figures amies. Rien que l'échafaud et le bourreau... Alors elle comprit que c'était bien fini, baissa la tête pour que la foule ne vît pas ses larmes. Il l'avait abandonnée.

Comme ses jambes torturées et, de plus, étroitement entravées, refusaient tout service, on la porta en haut de l'échelle. L'instant d'après Marion du Faouet se balançait au bout de la corde, mince silhouette blanche sur laquelle retombait la masse flamboyante de ses cheveux dénoués...

Elle était morte, mais longtemps son souvenir demeura dans les âmes bretonnes, symbole d'effroi et d'horreur. Longtemps aussi elle fut le croque-mitaine dont on menaçait les petits enfants :

– Si tu n'es pas sage, je vais appeler Marion, disaient les mères évoquant la grande fille rousse et malfaisante qui, des années durant, avait tenu une province en haleine.

MANDRIN
le bandit bien-aimé

On était au cœur de l'été 1752, et sur la place du Breuil, à Grenoble, le soleil d'août tapait dur, bien d'aplomb sur les coiffes de dentelle, les perruques poudrées et les chapeaux foncés. La place était noire de monde. Il y en avait jusque sur les toits malgré la brûlure des rayons solaires et, à tous les balcons, de belles dames qui, dans leurs robes à panier, avaient l'air d'autant de grosses fleurs gonflées de lumière. Des éventails s'agitaient au bout de jolis doigts et l'on grignotait des sucreries en buvant des sorbets. Dans la foule, les vendeurs d'oublies, de cidre, de vin et d'eau fraîche criaient leur marchandise à pleine voix en se frayant difficilement un passage. Une véritable atmosphère de fête régnait. On se serait cru un jour de foire ou de procession...

Pourtant, ce qui motivait toute cette agitation joyeuse n'avait rien de bien gai. Au centre de la place, gardé par un cordon de soldats, il y avait un échafaud surmonté de deux potences. Les sinistres nœuds coulants qu'un bourreau vêtu de cuir achevait d'ajuster offraient un contrepoint lugubre à tant de vivantes agitations. Mais, pour tous ces gens, c'était là un spectacle comme les autres. Un peu trop court peut-être!...

Le glas de la cathédrale annonça soudain l'approche des condamnés et les conversations cessèrent. On se hissa sur la pointe des pieds pour mieux voir. A l'entrée de la place, précédée d'un prêtre qui marchait sans regarder autour de lui, le nez dans son bréviaire, une charrette venait d'apparaître. Dans cette charrette, il y avait deux hommes...

Tous deux étaient très jeunes, à peine vingt ans, tous deux étaient blêmes dans les longues chemises blanches qui les vêtaient. Ils se laissaient aller aux cahots de la carriole, effondrés qu'ils étaient dans la paille du fond parce que leurs jambes, brisées par la torture, ne pouvaient plus les porter... L'un s'appelait Pierre Mandrin, l'autre Benoît Brissaud, et ils étaient condamnés à la corde, le premier pour fausse monnaie, le second pour avoir, au cours d'une rixe, tué un dénonciateur...

On dut les porter, pour l'amende honorable, devant le porche de l'église; les porter encore jusqu'au gibet. Ils n'en pouvaient plus... Ils ne regardaient rien autour d'eux, aucun visage, peut-être parce qu'ils souffraient tant qu'ils n'avaient qu'un désir : que tout soit vite fini... Ils ne virent pas, à demi dissimulé dans une encoignure, un grand garçon aux yeux clairs, au visage tanné, qui cachait sous un large feutre noir une flamboyante crinière rousse, toute semblable à celle qui brillait sur la tête de l'un des condamnés, celui qui s'appelait Pierre Mandrin. Les yeux de cet homme suivaient les condamnés avec une expression intense de colère et de désespoir. Ils étaient pleins de larmes...

Sous la potence, Benoît Brissaud releva la tête.

– Je meurs content, cria-t-il, si j'ai sauvé mon frère!...

Pierre Mandrin, domptant son épuisement, fit de même. Sa voix parut emplir toute la place, soudain silencieuse.

– Mon frère n'a pu me sauver, cria-t-il, mais il me vengera! Je meurs content tout de même...

Quelques minutes plus tard, tous deux avaient cessé de vivre et, puisqu'il n'y avait plus rien à voir, la place, peu à peu, se vidait. L'homme au chapeau noir était demeuré au même endroit, il semblait changé en statue et gardait son regard vide fixé sur les deux silhouettes blanches, grotesques comme des pantins disloqués, qui tournaient doucement au bout de leur corde... Il ne sentit même pas qu'on le touchait à l'épaule. Il fallut que l'arrivant le secouât pour qu'il tournât les yeux vers lui.

– Viens, Louis!... chuchota Saint-Pierre, tout est fini, tu ne peux plus rien pour lui!...

– Si!... Le venger! Tu as entendu? Pierre y comptait bien en mourant.

– Justement! Vaut mieux pas rester là. Allons boire un pot au cabaret, on en a besoin tous les deux. Et puis je te dirai... Je sais qui l'a dénoncé.

C'étaient juste les mots qu'il fallait dire. Louis Mandrin, abandonnant à son sort le cadavre de son jeune frère, suivit son lieutenant. Pour un contrebandier, il y a mieux à faire qu'à pleurer les morts.

Un moment après, les deux hommes se faisaient face de chaque côté d'une table de bois grossier sur laquelle l'aubergiste venait de déposer des pots de vin si frais que la buée emperlait les parois.

– Dis vite, fit Mandrin. Qui?

– Sigismond Moret... de chez toi. L'homme des Fermes...

– Vu... Avec le président de Piolenc qui a condamné à la corde mon pauvre Pierret, ça en fait deux qui ont des comptes à me rendre...

Il n'était pas sain pour Mandrin de s'attarder dans la ville. Il paya et, suivi de son lieutenant, disparut dans l'ombre des vieilles maisons.

Ce n'était pas par goût du mal ou de la tricherie que Louis Mandrin était devenu contrebandier. C'était par révolte contre les Fermiers Généraux, les contrôleurs de la gabelle et des douanes qui pressuraient impitoyablement les paysans du Dauphiné, ne leur laissant que la peau sur les os. Peu à peu, dans les villages de la Chartreuse, la misère s'installait et, singulièrement à Saint-Etienne-de-Saint-Geoire, dont les Mandrin étaient originaires. Ils y tenaient commerce, jadis, de boissons et d'outils de culture, mais les taxes, les impôts peu à peu avaient fait fondre les écus, se rogner les terres, comme chez tous les autres.

Louis Mandrin, l'aîné de six enfants, avait d'abord voulu suivre le droit chemin. Le peu qui lui restait, il l'avait engagé dans un marché de bestiaux passé avec les Fermes Générales. Mais, après avoir perdu une partie de ses bêtes, le jeune homme avait vu les gens des Fermes renier leur signature. C'était pour lui la ruine totale, pour les siens la misère. Il s'était fait contrebandier comme on se fait moine, par intime conviction que c'était la seule chose qui lui restait à faire. La mort de son frère, dénoncé par un brigadier des Fermes, avait été la goutte d'eau qui fait déborder le vase. Entre lui et ceux de l'autre bord, c'était la lutte à mort. La Savoie (1) et la Suisse étaient si proches! Rien n'était plus facile que s'y approvisionner, et Mandrin se jura qu'il deviendrait riche sur le dos de la douane. Il se jura aussi que jamais il ne volerait; que les petits, les faibles n'auraient jamais à se plaindre de lui et qu'au contraire, il les aiderait de son mieux. Les projets bouillonnaient dans sa tête tandis qu'il regagnait, Saint-Pierre sur ses talons, l'un de ses refuges montagnards.

(1) Elle n'appartenait pas à la France à cette époque mais au roi de Piémont-Sardaigne qui résidait à Turin.

C'était dans les grottes des Echelles que les hommes du vieux Bélissart avaient installé leur quartier général : une bonne troupe d'hommes solides et bien aguerris. Mais Bélissart se faisait vieux, s'il avait encore la main prompte et le coup d'œil sûr. Pour mener à bien de vastes projets, il fallait une poigne solide, une intelligence claire, des muscles en pleine force. Le vieux chef passa les pouvoirs à Louis Mandrin.

— A toi, fils, lui dit-il seulement en tendant vers lui son broc plein de vin. Je te suivrai toujours et tu pourras compter sur les conseils de mon expérience... Tu iras loin!

— J'irai d'abord en Savoie et en Suisse. Il me faut des marchandises, répliqua le jeune homme. Et aussi, là-bas, des bases de départ. Je veux plus d'hommes, plus d'argent, plus d'armes. Je veux que les Fermiers Généraux en tremblent.

Une belle fille rousse, une cruche de terre au bout de chaque bras, revenait du torrent où elle avait pris de l'eau. Elle chantait, entre ses dents, une chanson nouvelle.

Du haut de ma potence
J'ai regardé la France
J'y vis mes compagnons
Assis sous un... vous m'entendez
J'y vis mes compagnons, assis sous un buisson!

Le bras de Mandrin ceintura la fille, l'attira à lui :

— Que chantes-tu là, Manon? Je ne connais pas cette chanson.

— C'est pourtant ton frère Pierre qui l'a inspirée... C'est un gars de Grenoble qui l'a composée, le jour de l'exécution, en le regardant mourir.

Une bizarre expression passa dans les clairs yeux bleus du jeune homme. Vivement, il attira la fille à lui, l'embrassa dans le cou :

– Tu as raison, avant de s'occuper des Fermes, j'ai un compte privé à régler.

Quelques jours plus tard, les hommes de Mandrin cernaient en plein jour le village de Saint-Etienne-de-Saint-Geoire et, devant la maison même qui avait été celle de ses parents, le contrebandier abattait Sigismond Moret d'un coup de pistolet en pleine tête. Puis il repartit pour la Savoie.

– Et d'un!... fit-il pour le bénéfice de Saint-Pierre.

Aidé, encouragé par les populations qui souffraient cruellement des abus des Fermes, surtout des charges écrasantes qui s'abattaient sur le tabac et le sel, Mandrin a bientôt fait de mettre sur pied une troupe nombreuse dont celle de Bélissart forme le noyau incorruptible. Très vite les « Mandrins » sont cinq ou six cents hommes, bien équipés, bien armés, pourvus d'une discipline quasi militaire. Ce n'est pas une bande hirsute et échevelée qui s'engage dans la guerre de contrebande, c'est une véritable troupe que mène un homme d'une trentaine d'années, grand et mince mais bien découplé, dont la figure énergique et agréable s'éclaire d'yeux bleu clair, dont les cheveux flamboyants, noués d'un ruban noir sur la nuque, portent fièrement un tricorne galonné d'or. Bientôt, l'habit gris et le petit cheval noir de Mandrin sont célèbres. Comment en serait-il autrement?

Tantôt dans un village, tantôt dans un autre, les hommes de la bande entraient, dûment annoncés, traînant des mulets chargés de ballots qu'ils déballaient sur la place, révélant des trésors. Il y avait là du tabac, de l'horlogerie, des tissus d'indienne et de mousseline achetés en Suisse, du sel, des denrées alimentaires, des bijoux, le tout acheté hors frontières à bas prix et revendu avec un beau bénéfice mais qui, cependant, laissait les choses à des prix sans comparaison avec ceux édictés par les Fermes. Nobles et villageois se ruaient à ces marchés improvisés. Pendant plus d'un an, de janvier 1754 à mai 1755, Mandrin allait couvrir une campagne de vente extraordinaire. En un an, il écume la Franche-Comté, le Rouergue, le Dauphiné, le Forez, l'Auvergne, le Vivarais, le Beaujolais, le Velay. On le voit passer comme un météore avec sa troupe et ses marchandises à Nantua, Brioude, Bourg-en-Bresse, Roanne, Thiers, Le Puy, Mende, Rodez, Millau, Saint-Chamond, Montbrison, Ambert, Beaune, Autun et bien d'autres. Partout il nargue les Fermes, fauche les cœurs, se bat comme un lion quand, d'aventure, sa troupe se heurte aux dragons du Roi lancés à ses trousses. Six fois il se lance dans une folle tournée à travers les campagnes, partout bien accueilli, partout aimé; six fois il retourne vers ses repaires de Savoie. Son allure, qui est celle d'un gentilhomme plus que d'un brigand, son charme et sa gaieté – on l'a surnommé Belle-Humeur parce que toujours il rit, toujours il chante, même et surtout au plus fort du combat – lui conquièrent aussi bien les hommes que les femmes. Il suffit de quelques mois pour que son nom devienne légendaire en France, pour que les humbles souhaitent sa venue, pour que les filles en rêvent...

Mais, au milieu de cette vie trépidante, de ces amours de passage, Mandrin n'avait pas oublié la mort de son frère. Moret exécuté, il lui était resté à tirer vengeance du président de Piolenc. C'est à quoi il s'était appliqué à la sortie de l'hiver 1754...

Le château de Rochefort-en-Novalaise en était à peine un. Une grosse maison plutôt, avec ses pierres d'un gris-rose, son grand toit brun et sa tour unique.

Rien de féodal, pas même cette tour que les grands sapins noirs toisaient avec quelque mépris. Mais il était en territoire savoyard, à moins de quatre lieues de Chambéry et pas tellement loin de Grenoble. Aussi M. le Président au parlement de Dauphiné y séjournait-il volontiers bien qu'il y fût en pays étranger. Mais les rigueurs frontalières n'étaient pas bien grandes avec un pays dépendant d'un allié aussi amical et obligeant que le roi de Sardaigne. Nombre de seigneurs dauphinois avaient ainsi un pied dans chacun des deux royaumes. Et le président de Piolenc n'avait aucune raison de ne pas séjourner dans sa maison de Rochefort qu'il affectionnait.

Tout cela, Mandrin le savait. Il connaissait bien le petit château et, avant de commencer sa campagne de printemps, y avait rendu une visite nocturne.

Le petit château étalait au clair de lune sa structure toute simple et ses grands toits luisants. Les grands mélèzes lui faisaient une sorte de garde fantomatique mais les dix cavaliers, dont les chevaux avaient leurs sabots enveloppés de chiffons, s'inscrivirent dans le paysage figé sans même en éveiller les échos. De grands manteaux noirs les enveloppaient jusqu'aux yeux, recouvrant aussi le troussequin des selles.

Le plus grand sauta à terre avec une légèreté de danseuse et marcha fermement vers la porte à laquelle il heurta avec une rudesse qui fit gronder le chêne. Son poing, seulement vêtu d'un gant de cheval en cuir épais, semblait aussi dur que pierre, et la lune faisait briller doucement les galons d'or du tricorne.

— Ouvrez!... Et vite!...

Derrière la porte, il y eut des exclamations, des trottinements effrayés, des chuchotements.

— Qui est là? interrogea une voix tremblante.

— Nous te ferons voir qui nous sommes! cria

Piémontais, l'un des hommes qui escortaient Mandrin.

Il y eut un gémissement, encore des chuchotis, puis Mandrin ordonna :

– Enfonce-moi cette porte, Saint-Pierre!...

Un élan, une profonde respiration et, sous l'épaule du garçon, la porte gémissait puis se fendait. Cette fois ce furent des cris de terreur qui jaillirent de l'autre côté.

– Si vous voulez qu'il en reste, lança Mandrin goguenard, il vaudrait mieux l'ouvrir vous-mêmes!

Ce qui fut fait! Une théorie de servantes en jupons, camisoles et bonnets de nuit sur des visages tirés par la peur se montra. Deux valets tenaient des gourdins dans leurs mains tremblantes et, justement, ils tremblaient bien trop pour être capables de s'en servir. Les dents blanches du chef de bande lancèrent un éclair sous l'ombre du tricorne.

– Je ne vous veux aucun mal. C'est votre maître que je veux. Je suis Mandrin...

Un soupir, jailli d'un commun accord de toutes ces poitrines oppressées, trahit le soulagement de la maisonnée. Mandrin sourit, rejeta sur son épaule le pan de son manteau puis prit, d'un geste si naturel qu'il était presque nonchalant, les deux gros pistolets à crosse d'argent qui brillaient à sa ceinture :

– Garde-les tout de même en respect, Piémontais. Toi, Saint-Pierre, viens avec moi!...

Armes aux poings, les deux hommes se lancèrent dans l'escalier qui menait à l'étage où du bruit se faisait entendre. Il ne serait pas difficile de trouver la chambre où le vieux président devait se terrer, tremblant de tous ses membres en l'attente du coup fatal.

Mais, sur le palier, barrant l'entrée de la galerie des chambres, la silhouette blanche d'une jeune fille se dressait. Droite, fière, ses bras minces croisés sur sa poitrine que voilait un fichu de mousseline blanche, elle regardait les deux hommes monter vers elle. Son apparition ne surprit Mandrin qu'un bref instant. La seconde suivante, il mettait le chapeau à la main et saluait avec une grâce que n'eût pas désavouée un homme de cour.

— Que voulez-vous? fit la jeune fille d'une voix qui ne tremblait pas.

— C'est au président de Piolenc que j'ai affaire, Mademoiselle, et je vous supplie de m'excuser si je vous ai éveillée.

— Mon père dort en ce moment. Il était souffrant hier au soir. Allez-vous-en...

Mandrin sourit lentement, émerveillé malgré lui. Elle était exquise, cette fille de président, rousse comme lui-même mais dans les tons plus dorés d'une forêt à l'automne, avec de larges yeux d'un noir d'encre qui éclataient comme des fusées dans un visage au teint blanc, délicatement touché de rose aux pommettes, de rouge vivace aux lèvres pleines dont la courbe hardie, sensuelle, fit frémir intérieurement le contrebandier. Saint-Pierre grogna en riant :

— Il sera encore bien plus souffrant tout à l'heure...

Et il enleva, entre ses deux mains, la jeune fille pour la poser plus loin, comme un simple objet gênant, et dégager la route de son chef :

— Et voilà!... Par ici, Louis!...

Un autre salut ironique et Mandrin poursuivait sa route. Une porte s'ouvrit sous sa main, découvrant une grande chambre éclairée par une chandelle qui brûlait sur la table de chevet auprès de la bouillotte, d'une tasse de porcelaine vide et d'un sucrier. Dans le lit, un vieillard grand et sec, au visage empourpré par la fièvre, faisait effort pour se redresser. Lui non plus, apparemment, ne tremblait pas. Même, quand la silhouette Mandrin apparut dans la lumière faible et jaune de la chandelle, il haussa les épaules avec un sourire fataliste.

– Je savais bien que, tôt ou tard, vous viendriez, fit-il tranquillement. Vous êtes Mandrin, n'est-ce pas?

Le jeune homme s'attendait à de la terreur, à des cris, voire à des supplications; mais cette froideur calme le prenait un peu au dépourvu :

– Je suis Mandrin, en effet. Ainsi, vous m'attendiez? Etrange!...

– Que non pas! Je vous attendais parce que les gens de votre sorte confondent trop facilement justice et meurtre. Je savais que vous entendiez tirer vengeance de ceux qui ont envoyé votre frère à la corde. Je suis de ceux-là. Je dirais même mieux, je suis celui-là. Vengez-vous...

La colère fit flamber soudainement le beau visage du jeune homme; mais comme Saint-Pierre déjà faisait un pas vers le lit pour en tirer le magistrat, il l'arrêta :

– Non, laisse... Ainsi, à l'heure où vous allez mourir, vous n'avez pas le moindre regret? Savez-vous qu'il est temps pour vous de demander pardon de vos fautes? D'ici peu, Dieu vous demandera compte de toutes ces vies humaines que vous avez sacrifiées.

Le président haussa les épaules et c'était encore ce qui étonnait le plus Mandrin, cette dignité que parvenait à garder un homme en chemise et au fond de son lit :

– Mes comptes avec Dieu sont mon affaire. Mais je ne lui demanderai certes pas pardon d'avoir rendu la justice. Je le dis bien haut : en pendant Pierre Mandrin je n'ai fait que mon devoir qui ordonne que les faux-monnayeurs soient pendus jusqu'à ce que mort s'ensuive. Et, si c'était à refaire, je recommencerais...

– Vous osez!... s'écria Mandrin.

Une voix claire s'éleva à la porte de la chambre, froide et méprisante :

– Pourquoi donc? Que pouvez-vous comprendre à la justice, vous autres qui ne savez qu'attaquer les honnêtes gens, piller, voler!

– Tais-toi, Jeanne, fit le président.

Mandrin se tournait vers la jeune fille dressée dans l'encadrement de la porte, un flambeau à la main, semblable, dans ses mousselines blanches, à un ange vengeur.

– Je ne pille ni ne vole, dit-il doucement. Ne confondez pas, je ne suis pas Fermier Général, moi. Demandez aux gens des campagnes celui qu'ils préfèrent, de Mandrin ou du brigadier des Fermes...

Saint-Pierre coupa la parole à son chef avec impatience :

– Alors? On le tue ou non? lança-t-il, mais sans grande conviction.

Par-dessus son épaule, Mandrin jeta :

– Je ne tue pas les malades... ni les gens courageux. Celui-ci n'est pas un lâche et je ne suis pas un assassin. L'ombre de Pierre se contentera du cadavre de Moret.

A nouveau, il ôtait son tricorne, en balayait le sol devant la jeune fille qui, maintenant, s'étonnait :

– Vous repartez?

– Mais oui. Nous nous sommes trompés. Veuillez nous pardonner cette peur, Mademoiselle. Votre père n'a plus rien à craindre de moi.

Le sourire dont il accompagna ces mots alla s'enfoncer, mystérieusement, au fond du cœur de Jeanne de Piolenc, mais ni lui ni elle ne s'en rendirent compte. Debout dans la chambre, elle regardait la haute silhouette disparaître dans la galerie. Elle était si absorbée que la voix de son père la fit sursauter.

– Une bien étrange personnalité, fit le président, songeur. Ma parole, il y a plus du gentilhomme dans ce brigand que dans beaucoup de gens titrés que je connais. Je crois bien que... si son frère avait été de même mouture, j'aurais eu scrupule à le pendre...

Pendant ce temps, Mandrin, le cœur plein de sentiments contradictoires, rassemblait ses hommes qui, entre-temps, avaient fait amitié avec les serviteurs du château. Piémontais était même en train de conter fleurette à une jolie fille qui riait, un peu stupidement, des fadaises qu'il débitait.

– Allons, fit le chef. Partons!...

Mais, comme il allait franchir la porte, la silhouette d'un jeune homme élégamment vêtu, portant l'épée au côté, s'encadra dans la porte. Il embrassa la scène du regard, s'arrêta à la silhouette, déjà légendaire du chef.

Le chef haussa les épaules et alla vers lui :

– Mandrin ne tue pas les malades... ni les honnêtes gens. En tuant mon frère, votre père n'a obéi à rien d'autre qu'à sa conscience. Je peux comprendre cela... et pardonner.

Déjà il passait outre, sortait dans la cour et allait remonter à cheval. Il ne s'était pas aperçu que le jeune homme l'avait suivi. Mais celui-ci avait pris en main la bride du cheval.

– Je suis le fils du président. Puis-je vous accompagner un moment? J'aimerais parler avec vous.

– Comme vous voudrez...

Côte à côte, les deux hommes quittèrent le château, suivis de la troupe des contrebandiers dont les chevaux avaient été déchaussés. On s'en alla doucement, au pas, comme pour une promenade, puisque aussi bien il s'agissait de causer...

Cette nuit devait marquer le début d'une profonde amitié entre le jeune gentilhomme et le chef des contrebandiers. Ouvert aux idées nouvelles, celui que l'on appelait Piolenc de Thoury, pour le distinguer de son père, pouvait comprendre la révolte d'un homme en face des exactions des Fermes. Et quand, un mois plus tard, le président mourut et que son fils fut devenu chef de la famille, le château de Rochefort fut largement ouvert à Mandrin et à ses hommes...

– Viens autant que tu voudras, avait dit le nouveau maître de maison. Tu seras toujours le très bienvenu.

Et Jeanne, pendant ce temps, que devenait-elle?

La fière jeune fille avait pleuré son père comme il convenait et refusait d'admettre cette soudaine amitié, née entre son frère et celui qu'elle s'obstinait à traiter en bandit... peut-être pour ne pas s'avouer qu'elle n'y pensait que trop. Quand Mandrin venait à Rochefort, elle s'abstenait de paraître à table ou même demeurait à Grenoble pour ne pas le rencontrer.

– Ma sœur ne t'aime pas, disait Piolenc... Je n'y peux rien!

– Je le regrette, faisait Mandrin, et c'est peut-être beaucoup mieux ainsi...

Mais, s'il le disait, il ne le pensait pas parce que l'image de la jeune fille ne le quittait plus depuis la fameuse nuit. Elle l'habitait constamment, s'imposait à lui durant les nuits de marche, aux heures de combat. Pour tenter de l'effacer, il choisissait, au hasard, une de celles qui, si nombreuses et souvent si belles, se pressaient sur son chemin, ne demandant qu'à se donner. Pourtant, ni la belle épouse du directeur des Fermes de Bourg-en-Bresse, la ravissante Charlotte de la Roche, ni l'épouse du conseiller Balmain, ni les adorables jumelles de Millan, ni aucune de celles qu'il prenait pour une nuit, une semaine ou quelques heures, ne pouvait effacer l'image d'une jeune fille rousse, en robe de mousseline blanche, debout, bras croisés, au seuil d'une galerie sombre...

Et, de son côté, quand, aux hasards d'une rue, d'un chemin ou bien jetée au libre vent de Savoie, elle entendait la chanson, devenue populaire, qui était celle des hommes de Mandrin, Jeanne frissonnait et sentait trembler quelque chose au fond de son cœur.

L'aigle à travers l'espace
Est moins libre que nous
Gens du Roy, garde à vous
Voici Mandrin qui passe...

chantaient les hommes et les femmes à pleine gorge, heureux de cet innocent défi lancé au pouvoir établi. Jeanne alors se surprenait à regretter de n'être pas quelque libre fille de paysan au lieu d'une demoiselle de noblesse. Ces filles que la rumeur publique disait accompagner partout les « Mandrins », elle les enviait follement puis, quand elle se rendait compte de la nature exacte de ses pensées, se jetait à l'église et priait de longues heures pour demander pardon et supplier qu'une trop chère image fût arrachée de son cœur.

La popularité de Mandrin croissait avec le temps. Il devenait une sorte de héros national, sa légende était immense et Voltaire, lui-même, écrivait :

« Il y a trois mois, Mandrin n'était qu'un voleur, c'est à présent un conquérant. Il fait contribuer des villes de France et donne à ses soldats une paie plus forte que le roi n'en donne aux siens. Les peuples sont pour lui parce qu'ils sont las du repos et des Fermiers Généraux. Ce brigandage peut devenir illustre... »

Tout le peuple est pour lui et, en Savoie, il n'a que des amis. On se raconte ses tours de force, comment il oblige les gens des Fermes à acheter le tabac qu'il importe en contrebande, et aussi le sel; comment il fait couler l'or à flots sur les malheureux; comment son épée s'élève toujours entre le faible et le puissant...

Seulement, le pouvoir commençait à trouver que les choses n'étaient allées que trop loin et qu'il fallait employer les grands moyens. Le Contrôleur Général des Finances, Moreau de Séchelles, fit envoyer aux frontières de Savoie un corps de soldats sérieusement entraînés : les Volontaires de Flandres du colonel de La Morlière. On y ajouta le régiment de chasseurs de Fischer, 150 Dragons de Baufremont, 120 cavaliers d'Harcourt, 50 cavaliers de Fumel, 60 cavaliers de Moutiers et un corps de Dragons venus de Saint-Etienne. Plus, la totalité des employés et gens de Fermes : presque une mobilisation générale.

Pourtant, cet énorme déploiement de forces eut sans doute fait chou-blanc si un traître ne s'était glissé dans les hommes de Mandrin. Un certain Marsin, qui se disait Hongrois et qui s'était joint récemment à la troupe, appartenait, pour de l'or, aux Fermiers Généraux. Ce fut lui qui avertit La Morlière que Mandrin, sur le point de repartir en campagne, séjournait alors au château de Rochefort-en-Novalaise, dans la maison que son ami Piolenc avait maintenant mise à sa disposition entière. On était au mois de mai 1755...

A Rochefort, sous la sauvegarde du roi de Sardaigne, Mandrin se croyait en sécurité. Il ne pouvait deviner que les gens de La Morlière, pour le prendre, allaient violer une frontière et déclencher un terrible incident diplomatique. Ce fut pourtant ce qui se passa. Dans la nuit du samedi 10 mai au dimanche 11, cinq cents hommes du régiment de La Morlière, aux ordres du capitaine Diturbide Larre, franchissant silencieusement la frontière, distante de quatre lieues, investissent le petit château où tout dort. Il est 3 heures du matin et le jour ne va pas tarder à se lever. Il faut faire vite.

En quelques minutes, les portes volent en éclats, les hommes qui occupent le château sont maîtrisés et dix volontaires de Flandres se ruent dans une chambre où repose un homme. En quelques secondes, Mandrin, écrasé sous le nombre, est bâillonnée, ligoté, enlevé. Une heure plus tard il a franchi la frontière. On le dirige vers Valence où siège le Tribunal des Fermes et où l'attend le plus impitoyable, le plus cruel des magistrats : Levet de Malaval. Selon Voltaire, les fléaux de l'humanité, à l'époque, étaient la peste, la pierre, la gravelle, les écrouelles, l'Inquisition et la Chambre de Valence. Mandrin était perdu...

L'affaire, dès qu'elle fut sue, fit un bruit énorme. Il n'y eut qu'une seule voix, dans tout le royaume de Sardaigne pour crier à la violation de frontière (1). Le roi Charles-Emmanuel fit protester violemment à Versailles par son ambassadeur, et celui de France, à Turin, n'en menait pas large. On tenta, mollement, de faire croire à une incursion de brigands rivaux, mais la ficelle était un peu grosse. Charles-Emmanuel exigeait que Mandrin lui fût remis. L'incident allait devenir international. Levet de Malaval reçut l'ordre de faire vite tandis que les diplomates discutaient.

Il n'y manqua pas. Mandrin fut condamné à mourir sur la roue...

Pourtant, chose étrange, si Levet de Malaval avait juré la perte du contrebandier, il en usa avec lui de quelques ménagements. C'est ainsi que, dans la prison où il était enchaîné, Mandrin pouvait recevoir des visites, des cadeaux, des douceurs. Il était gardé à vue jour et nuit...

Mais, une nuit, qui était celle précédant son exécution, les gardes introduisirent dans sa prison une forme féminine, étroitement enveloppée d'une mante sombre.

– Vous n'avez qu'une minute à peine, fit le geôlier. Le prêtre va venir.

(1) D'autant plus que les volontaires, à Rochefort, avaient tué, pillé, volé et violé sans ménagements. Là et aux alentours, ils s'étaient conduits en véritables bandits.

– Il ne m'en faut pas tant, répondit une voix qui fit tressaillir le prisonnier.

A la lumière jaune de la lanterne que levait le gardien, Mandrin vit soudain surgir de la mante le visage pâle, les cheveux de flamme de Jeanne de Piolenc. Il n'eut même pas le temps de s'étonner. Déjà la jeune fille, en larmes, était dans ses bras, elle couvrait son visage de baisers passionnés, sans souci des chaînes qui la meurtrissaient.

– Je t'aime, lança-t-elle, je n'ai jamais aimé que toi. Je voulais que tu le saches avant de mourir...

– Jeanne! s'écria Louis, éperdu. Jeanne!... Pourquoi n'as-tu rien dit plus tôt? Tant de bonheur perdu... Moi aussi, je t'aime!

– Il n'y a pas de bonheur perdu. Un jour nous serons réunis...

– La minute est passée, fit le geôlier...

Mandrin voulut ajouter une parole mais déjà la jeune fille s'arrachait à lui sur un dernier baiser. Elle ramassait sa mante, s'enfuyait le long des couloirs sombres qui étouffèrent bientôt ses sanglots... Mandrin passa la main sur son front et, lentement, se rassit sur sa couchette.

– En une seule minute, murmura-t-il... j'aurai vécu toute ma vie...

L'échafaud avait été dressé sur la place des Clercs. On était le 26 mai et, comme à Grenoble, jadis, la foule entourait le funèbre édifice. Mais là, malgré le soleil, pas de joie, pas d'atmosphère de kermesse. Une foule silencieuse, sombre, qui regardait, sur l'échafaud bas, la croix de Saint-André sur laquelle, tout à l'heure, le bourreau briserait les membres du condamné, la roue de carrosse sur laquelle on le hisserait pour le laisser mourir à la face du ciel...

Il y avait tout un régiment et, au premier rang, les

enfants des écoles que l'on amenait là pour que cette fin tragique leur servît d'exemple. Mais on ne voyait que des yeux baissés, des visages pâles dont certains portaient des traces de larmes. Pourtant, même sur les toits, il n'y avait plus la moindre place...

Dans la prison, Mandrin, qui venait de subir la question des brodequins, appliquée d'ailleurs avec assez de ménagement pour qu'il pût garder l'usage de ses jambes, embrassait Saint-Pierre qui devait mourir le lendemain.

– Adieu, sanglotait le pauvre garçon, adieu Louis!...

– Pas adieu! Au revoir!...

Sur l'échafaud, après l'amende honorable, Mandrin considéra froidement l'appareil de supplice, puis la foule muette. Il demanda à boire un verre d'eau-de-la-Côte, obligea le moine qui l'assistait, le père Gasparini, qui sanglotait, à en prendre aussi.

– Vous en avez plus besoin que moi!... dit-il.

Après quoi, il releva lui-même les jambes de sa culotte, les manches de sa chemise et s'étendit sur la croix avec un courage qui fit frémir le public.

– Enfants!... cria-t-il, prenez exemple sur moi!...

Le bourreau leva sa barre de fer. Le père Gasparini s'évanouit et, dans la foule, une jeune fille aux cheveux de flamme se laissa glisser à terre sans connaissance. On emporta Jeanne de Piolenc...

Sans une plainte, Mandrin subit son supplice. Les membres, la poitrine et le bassin brisés, on le hissa sur la roue de carrosse où, au bout de cinq minutes, le bourreau, par ordre de Malaval, l'étrangla. Le président ne voulait pas courir le risque d'une longue agonie en face de cette foule houleuse. La lumière du grand ciel bleu s'éteignit pour le brigand-gentilhomme, mort pour que le tabac et le sel fussent à la portée de tous...

La mort mystérieuse de MAURICE DE SAXE

Le roi Louis XV relut le message pour la troisième fois sans rien dire. Puis, lentement, il le laissa retomber sur son bureau tandis qu'il relevait les yeux sur le comte d'Argenson :

– Qu'est cela, Monsieur le Ministre? On me dit que le maréchal de Saxe est mort hier, dans sa terre de Chambord? Quoi? Mort comme cela, sans préavis? Tout de go?

– Sire, il était fort malade depuis quelques jours. Une fluxion de poitrine, à ce que je crois. Le 26 novembre, il a dû gagner son lit. Il ne s'en est point relevé. Voilà tout.

Le poing du Roi, sous sa manchette de précieuse dentelle, s'en alla frapper violemment le cuir qui recouvrait sa table :

– Voilà tout?... En vérité, Monsieur, votre inconscience est étrange. Le plus grand soldat de mon royaume, le sauveur de la France, le vainqueur de Fontenoy en un mot, tombe malade et meurt sans que personne daigne me le dire? Si vous saviez la maladie du Maréchal, Monsieur le Ministre, vous me deviez de me l'apprendre. Je lui eusse envoyé mon médecin. Mais je ne l'eusse certes pas laissé mourir seul, loin de son

Roi. Vous êtes ministre de la Guerre, Monsieur, et je ne vous pardonne pas de m'avoir fait commettre cette faute...

Le Roi s'était levé et, les mains nouées derrière le dos, arpentait nerveusement son cabinet du palais de Versailles, une pièce magnifique que l'on nommait le Cabinet des Glaces. Celles-ci, couvrant les murs, renvoyaient la haute et noble silhouette du Roi, suprêmement élégant dans un habit de velours noir givré d'argent qui faisait ressortir son teint frais sous la perruque poudrée. Le Roi, à quarante ans, était le plus beau gentilhomme de son royaume et son élégance était célèbre. Ses froides colères aussi, lorsque quelque chose ou quelqu'un lui avait déplu. Le comte d'Argenson fit le gros dos sous l'orage royal.

– Sire, fit-il doucement, je ne pensais pas qu'un rhume du maréchal de Saxe valût que l'on inquiétât Votre Majesté...

– Un rhume qui tue en quatre jours? Morbleu, Monsieur, vous vous moquez de moi? Mon cousin de Saxe était bâti pour vivre cent ans. Il me dépassait de toute la tête et je l'ai vu tordre un fer à cheval entre ses doigts aussi facilement que vous froissez vos dentelles, Monsieur!

– La santé du Maréchal n'était pas bonne depuis bien des années. Votre Majesté le sait, le Maréchal était hydropique... et...

– ... et vous le détestiez, ce n'est un secret pour personne. De là cette grande discrétion. Mais, retenez bien ceci : le Maréchal m'était cher, je l'aimais et l'admirais, et j'entends n'ignorer aucun détail de cette mort si soudaine, si étrange pour un homme comme lui. Qui se trouvait à Chambord au moment de ce malheur?

– Peu de monde. Mais, je crois, le neveu du Maréchal, Monsieur de Friesen, et aussi le baron de Grimm.

– Grimm? Qu'on me le fasse chercher sur l'heure...

Argenson, inquiet, tenta de protester :

– Sire, le baron de Grimm est un homme ouvert aux idées avancées. Il fréquente Voltaire, Diderot... il est l'amant de Madame d'Epinay. Un tel homme devant Votre Majesté...

Les yeux du Roi jetèrent un éclair de colère :

– Je veux voir Monsieur de Grimm. Et jamais je n'ai dit deux fois « Je veux »...

Le comte d'Argenson s'inclina profondément, se retirant à reculons.

– Aux ordres de Votre Majesté. Je vais faire quérir Monsieur de Grimm...

Demeuré seul, Louis XV revint à son bureau, s'y accouda et laissa tomber sa tête entre ses mains. Une peine amère emplissait son cœur en apprenant la mort de cet homme, démesuré et bizarre, de ce grand serviteur qui, né étranger, était devenu plus français que les vrais Français... Quoi qu'on en ait dit, Louis XV n'était nullement dépourvu de cœur et de sensibilité. Pour être aussi grand roi que Louis XIV, il lui manquait seulement ce dont son aïeul avait eu à foison : de grands serviteurs, des hommes de génie.

Maurice de Saxe était de ceux-là et pourtant il s'en allait, bêtement, obscurément emporté par une stupide maladie... Une larme glissa sur la joue du Roi qui frissonna. La nuit tombait déjà, repoussant sans aucune peine un jour gris et faible qui enveloppait Versailles de brumes et de froidure. On était le 1er décembre 1750...

Le lendemain, à la même heure, au même endroit, un homme de vingt-six ou vingt-sept ans, grand mais assez replet et dont le visage frappait par la hauteur de son front et les dimensions de son nez, s'inclinait devant le

Roi. Debout près d'une fenêtre, silencieux, le front sévère, Louis XV le regardait faire...

– J'ai voulu vous voir, Monsieur de Grimm, pour que vous me donniez des nouvelles de la mort malheureuse de mon cousin de Saxe. Vous étiez auprès de lui, à ce qu'on m'a dit?

– J'y étais, Sire...

L'attitude du baron allemand était à la fois pleine de respect et de réserve. Il attendait visiblement que le Roi voulût bien l'interroger, et celui-ci décida d'entrer aussitôt dans le vif du sujet.

– Monsieur, commença-t-il, si je vous ai fait venir c'est que, dans cette histoire de maladie, quelque chose me choque, et m'intrigue... Est-il vrai, tout d'abord, que le Maréchal fût malade depuis quatre jours?

– Il avait pris froid, Sire, et avait dû se mettre au lit.

– Mais pas au point d'en mourir, tout de même?... Je ne crois pas à cette histoire de fluxion de poitrine. Maurice de Saxe était taillé pour résister à toutes ces misères, lui qui a combattu en Bohême, en Flandres, sous la neige et les bourrasques. On veut me faire croire que les hivers doux de Touraine ont réussi un tel exploit? Non... Il y a autre chose. Je sens autre chose... et c'est cela que je veux savoir.

– Sire, je ne puis dire que ce que Votre Majesté sait déjà : le 30 novembre, le maréchal de Saxe a cessé de vivre.

– Ne jouez pas au plus fin avec moi, Baron. Oseriez-vous me donner votre parole que cette mort a été toute naturelle?

Le baron de Grimm tressaillit, baissa la tête. Le Roi put voir que ses mains tremblaient sur les plumes de son tricorne, et que ses lèvres aussi tremblaient.

– Sire, dit-il enfin après un silence pesant, si secret il y a, je supplie Votre Majesté de considérer que ce secret n'est pas le mien et que le Maréchal lui-même a ordonné qu'il fût gardé.

— Ainsi donc, j'avais raison...

Le Roi fit le tour de son bureau, vint auprès du baron et lui désigna un fauteuil près de la cheminée :

— Asseyez-vous, Baron!...

— Mais, Sire, le respect!...

— Laissez-le de côté. J'ai voulu vous recevoir seul parce que nous avons à parler... Prenez place sans barguigner plus longtemps.

Tandis que le baron s'asseyait, le Roi tira auprès de lui un fauteuil et tendit ses mains aux flammes de la cheminée.

— Nous sommes seuls ici, Baron, et je veux vous dire ceci : je suis le Roi qu'avait choisi de servir le comte de Saxe. Je l'aimais et l'estimais. J'ai le droit d'exiger la vérité et vous ne devez la refuser ni au monarque ni à l'ami. Roi par la grâce de Dieu, je peux vous délier du serment, même fait à un mort. Parlez, Monsieur. Je l'exige... et je vous en prie.

Le baron de Grimm baissa la tête un instant puis la releva. Le Roi put lire alors la résolution dans son regard :

— Que Votre Majesté interroge. Je répondrai.

— Bien. Alors dites-moi : de quoi est mort le maréchal de Saxe?

— D'un coup d'épée, Sire.

— Un duel? Mais avec qui?

— Un duel, oui, Sire. Mais que Votre Majesté se souvienne que le Maréchal ne voulait pas que l'on sût ce duel... ni le nom de son adversaire.

— Je m'en souviendrai. Qui l'a tué?

— Le prince de Conti...

Un profond silence emplit le cabinet des glaces, troublé seulement par le tic-tac de la grande pendule posée sur la cheminée de marbre. Le visage du Roi, tourné vers les flammes, semblait un masque de pierre, une effigie d'or semblable à celle qui frappait les écus. Au bout d'un instant, il ouvrit la bouche puis, se laissant aller au fond de son fauteuil, il tourna vers Grimm un regard indéchiffrable :

– Racontez-moi cette histoire, Baron... Je n'ai aucune peine à deviner qu'il s'agit d'une histoire de femme. La princesse, n'est-ce pas?

– Oui, Sire... Mais une histoire déjà ancienne et qui remonte à peu de mois après le mariage du prince de Conti avec Mademoiselle de Chartres. Votre Majesté se souvient que ce mariage eut lieu le 1er décembre 1743, chez la Reine?...

– En effet. Allez, Monsieur, je vous écoute.

– La princesse était jeune, ravissante... elle l'est toujours, d'ailleurs, et Votre Majesté n'ignore pas combien Maurice a toujours été sensible au charme féminin?

– Je ne l'ignore pas... et ne saurais l'en blâmer, sourit mélancoliquement le Roi. Poursuivez.

– Maurice s'éprit de la princesse qui ne tarda guère à lui rendre son amour... Un beau jour, ou plutôt un beau soir...

Il était déjà tard, ce soir d'hiver, quand le carrosse du prince de Conti franchit la porte de son magnifique hôtel dont les vastes bâtiments dominaient la Seine sur une belle distance (1). Nul ne l'attendait car on le croyait à la Cour et il avait fallu carillonner pour tirer le concierge de son profond sommeil. Tout l'hôtel était plongé dans le silence et la nuit, hormis quelques rais de lumière qui filtraient sous les rideaux de la chambre de la princesse.

– Nous n'attendions pas Monseigneur! s'écria l'in-

(1) Le Palais de la Monnaie occupe l'emplacement de l'hôtel de Conti et de l'hôtel de Guénégaud.

tendant qui accourait en hâte. Je vais avertir Madame la princesse.

– N'en faites rien! ordonna Monseigneur.

Le prince de Conti était jeune et eût été un bel homme si une expression perpétuellement renfrognée, voire franchement méchante, ne lui eût ôté tout charme. On redoutait, à la Cour de Louis XV, son caractère irascible et rancunier, cruel même, et il devait uniquement à son rang de prince du sang de ne pas avoir plus de mauvaises affaires sur les bras. De plus, il était faux, rusé et d'une habileté diabolique en ce qui touchait ses intérêts. Et, pour le moment, son intérêt était de surprendre en flagrant délit sa femme, l'adorable Elisabeth d'Orléans, qu'il soupçonnait d'avoir des bontés pour le compte de Saxe, ce bâtard royal à qui le Roi faisait l'honneur de confier ses armées (1).

Mais le carrosse du prince n'était pas assez silencieux pour que, chez la princesse, son tintamarre fût passé inaperçu...

– Seigneur! s'écria-t-elle en devenant soudainement aussi pâle que les dentelles de son déshabillé. Voilà le prince!...

Aussitôt un homme très grand, brun de cheveux et de peau, se leva des coussins sur lesquels il était paresseusement étendu aux pieds de la jeune femme.

– La peste soit de ce mari qui rentre sans avoir la galanterie de prévenir! s'écria-t-il avec bonne humeur. Croyez-vous qu'il vienne jusqu'ici, mon ange?

– Je suis à peu près sûre qu'il ne vient même que pour cela. Quelqu'un a dû le prévenir et je ne suis pas sûre que mon frère lui-même...

L'oreille tendue, Elisabeth de Conti essayait de deviner les bruits de la maison. Un pas rapide s'en-

(1) Maurice de Saxe était né en 1696 des amours du roi Auguste de Saxe et de la comtesse Aurore de Koenigsmarck, sœur du célèbre Koenigsmarck assassiné à Hanovre.

tendait dans l'escalier de pierre. Affolée, soudain, elle gémit :

– Il monte... Je l'entends. Mon Dieu, où vous cacher? S'il a des soupçons, il fouillera partout...

Mais, pendant qu'elle se désolait, Maurice de Saxe ne perdait pas une seconde : il avait remis son habit, rebouclait son épée et se dirigeait vers la fenêtre dont il écartait les rideaux. Du bout des doigts il dessina un baiser sur ses lèvres.

– A bientôt, mon cœur... N'oubliez pas que je vous aime...

– Mais... où allez-vous?

– Vous le voyez, je saute par la fenêtre!

Joignant le geste à la parole il ouvrait doucement la croisée, enjambait l'appui de fer forgé.

– Maurice... Vous êtes fou! Il y a un grand étage. Vous allez vous rompre le cou...

– Pour vous, je donnerais cent fois ma vie... Il est seulement dommage que je n'en aie qu'une à vous offrir!

Prêt à se laisser tomber, il s'offrit le luxe de la regarder une dernière fois. Elle était exquise de grâce et de fraîcheur, si frêle, si blonde, si rose dans ses falbalas : une rose dans la neige de ses mousselines. Une bouffée d'amour monta du cœur de Maurice à ses lèvres.

– Je vous aime, Elisabeth! chuchota-t-il passionnément.

Puis il disparut dans la nuit froide juste au moment où le poing du prince ébranlait vigoureusement la porte de sa femme. La femme de chambre de la princesse accourait d'ailleurs.

– C'est Monseigneur, Madame...

Elisabeth s'était penchée à la fenêtre. Elle suivait des yeux Maurice qui, après un saut prodigieux, s'était mis à courir à travers le jardin et disparaissait enfin de sa vue. Elle sourit, soulagée :

– Je sais! Ferme cette fenêtre, Fanette, et va ouvrir...

La jeune fille referma la croisée sans faire le moindre bruit puis s'en alla jusqu'à la porte derrière laquelle le prince s'impatientait. Elisabeth, pendant ce temps, s'était assise devant sa table à coiffer et retirait une à une les fleurs et les perles qui ornaient sa coiffure. Quand le prince, l'épée à la main, s'engouffra dans sa chambre, elle ne se retourna même pas, se contentant de le regarder froidement dans son miroir :

– Vous ici, Monsieur? A cette heure? Je vous croyais au jeu du Roi!

– J'en suis revenu, Madame, à ce que vous voyez...

Sans même regarder sa femme, Louis-François de Conti s'était mis à soulever les tentures, les robes jetées sur des fauteuils, les rideaux et les couvertures du lit, le tout sans lâcher sa rapière. Dans la glace, Elisabeth le regardait toujours avec un sourire amusé :

– Puis-je savoir ce que vous cherchez? Auriez-vous perdu quelque chose ou bien craignez-vous une conspiration pour agiter ainsi cette épée?

Le ton moqueur de sa femme arrêta net le prince. Il la regarda sévèrement :

– Il y a un homme ici, Madame, je le sais...

– Allons donc!...

Elisabeth haussa ses jolies épaules et s'adressa à elle-même une moue méprisante :

– Si vous aviez pensé qu'il y eût un homme chez moi, vous vous fussiez bien gardé d'y paraître, déclara-t-elle froidement en se tournant vers lui.

Un court instant, les deux époux se regardèrent : elle, froide et méprisante; lui, bouillant de colère et se contenant à grand-peine. Lentement, le prince remit son épée au fourreau. Son visage, devenu écarlate, reprenait peu à peu sa couleur habituelle. Il prit une longue respiration qui acheva de le calmer.

– Il fait bien froid chez vous, Madame! Je vous croyais si frileuse! fit-il avec un mauvais regard vers la fenêtre. Non, ne dites rien. Vous m'allez dire que les chandelles empuantissent l'atmosphère et qu'il faut bien renouveler l'air... Mais je vous prie, moi, de retenir ceci; vous ne gagnerez pas toujours à ce jeu. Un jour, j'aurai ma revanche...

Détournant gracieusement sa jolie tête, la princesse étouffa un bâillement léger :

– Voilà maintenant que vous parlez par énigme... Comment faites-vous pour être aussi intelligent quand tout le monde a sommeil?

Incapable de soutenir plus longtemps l'ironie de sa femme, le prince sortit de la chambre en claquant les portes et s'en alla finir la nuit chez l'une de ses nombreuses maîtresses.

– Le lendemain, reprit Grimm, le bruit courait que le prince de Conti s'était battu avec Monsieur de Saxe et que ce dernier avait été blessé. Aussi, à la soirée que donnait le duc d'Orléans, attendait-on avec quelque impatience son apparition. Lorsqu'on le vit entrer, un murmure courut sur toute la société; Maurice de Saxe boitait légèrement et il était incontestablement fort pâle. Quelqu'un s'approcha de lui et s'enquit de sa santé, mais il lui sourit :

– Ce n'est rien... Hier, en quittant le Palais-Royal, j'ai glissé dans l'escalier et me suis donné une entorse. Un bobo ridicule pour un soldat.

Il dansa d'ailleurs une partie de la nuit mais tout le monde fut convaincu que le duel avait bien eu lieu. Les bavardes de la Cour se promirent de surveiller les événements, et singulièrement ceux qui tournaient autour de l'hôtel de Conti. Mais elles en furent pour leurs frais : le lendemain, Votre Majesté l'envoyait à Dunkerque pour tenter de passer en Angleterre avec

15000 hommes afin de restaurer la dynastie des Stuarts. Mais l'entreprise échoua. Il n'y avait pas de la faute du comte et Votre Majesté ne s'y trompa point puisqu'elle lui confia l'armée de la Moselle et, le 26 mars, en faisait un maréchal de France.

– C'était amplement mérité, sourit le Roi. Mais, la princesse dans tout cela?

– Madame de Conti est trop belle pour ne pas avoir une cour d'adorateurs. Elle oublia le héros... ou du moins parut l'oublier car nous savons maintenant qu'il n'en fut rien. Sinon le Maréchal serait encore en vie, je pense...

– Voilà qu'à votre tour vous parlez par énigme, Baron?

– Nullement, Sire. L'amour se contenta d'être platonique, ou presque. On ne se vit plus mais on s'écrivit...

– Allons donc! Maurice de Saxe n'a jamais su écrire.

– Il écrivait mal, Sire, j'en conviens, et méprisait férocement l'orthographe... Mais il écrivait tout de même, et fort éloquemment... Au surplus, il n'avait plus guère le loisir de voir sa princesse; Votre Majesté lui avait donné du travail.

– Faites tirer vos gens, Monsieur...

Droit comme une lame d'épée devant le front bleu et blanc des gardes-françaises, le comte d'Auteroche ôte lentement son tricorne empanaché, salue Lord Hay qui lui fait face devant les lignes anglaises, puis tranquillement :

– Nous ne tirons jamais les premiers, répondit-il. Tirez, Messieurs les Anglais...

La première décharge anglaise couche à terre mille grenadiers français. Du mamelon où il surveille la bataille, au fond de la voiture d'osier où une crise d'hydropisie l'a cloué, Maurice de Saxe, dominant sa douleur, se lance vers l'épais de la bataille. Devant lui il a les Anglais et les Hollandais coalisés : soixante mille hommes contre ses quarante mille. Mais il veut gagner. Le Roi, qui lui aussi est là et prend part en personne à la bataille, ne lui a-t-il pas dit devant le front des troupes et les officiers qui souriaient de le voir quasi impotent :

– Monsieur le Maréchal, en vous donnant le commandement de mon armée, j'ai entendu que tout le monde vous y obéît. Je serai le premier à donner l'exemple!

Et, tirant son épée, le monarque était venu ranger son cheval contre la petite voiture d'osier. Pour ce geste, pour cette confiance aveugle, Maurice de Saxe s'est juré de vaincre ou de mourir. Bientôt, il oublie ses douleurs, les souffrances qui poignardent son corps. Il exige son cheval, s'y hisse désespérément, les dents serrées. Puis il fonce à la tête de ses escadrons, enferme l'ennemi et, enfin, l'écrase. La bataille de Fontenoy était gagnée et, une fois de plus, ce 11 mai 1745, Maurice de Saxe venait de sauver la France. Le 20 mai les cloches de Notre-Dame sonnaient pour le *Te Deum* et tout Paris s'éprenait du vainqueur miraculeusement guéri. Une récompense à la hauteur de la victoire l'attendait : le Roi accordait au maréchal de Saxe le droit d'entrer en carrosse dans les palais royaux, le droit de s'asseoir en sa présence et, surtout, le magnifique domaine royal de Chambord, la merveille de la Renaissance voulue par François Ier, avec le droit d'y avoir en garnison son propre régiment, tout comme un prince régnant. Mais ce triomphe de celui qu'elle avait aimé et aimait encore, la petite princesse de Conti n'y assista pas. Son mari la tenait en province, craignant l'auréole de gloire du soldat. Vainement, aux fêtes données en son honneur, Maurice de Saxe chercha le beau sourire qu'il aimait. Il s'en consola bientôt dans les bras de la jolie Mademoiselle de Verrières.

— Ah! Sire, reprit le baron de Grimm, il faut entendre les bonnes gens de Chambord raconter l'installation du maréchal de Saxe dans leur pays. Et surtout l'arrivée du régiment de Saxe-Volontaires, le fameux régiment de cavalerie du Maréchal. Je crois bien que jamais ils n'avaient eu si peur... Songez, Sire, à l'effet qu'ont pu produire ces cinq cents uhlans polonais, allemands, valaques et même tartares, précédés de leur brigade colonelle uniquement composée de Noirs gigantesques, étincelants sur leurs chevaux blancs, les casques dorés à crinière blanche flambant sous le soleil auprès des vestes rouges et des culottes vertes, les lances à flammes blanches dansant au pas des chevaux...

— C'est vrai, sourit le Roi. J'avoue que moi-même, quand le Maréchal m'a présenté son régiment, je l'ai trouvé... impressionnant.

— Les filles du pays aussi! Le curé de Chambord ne cesse de baptiser des petits mulâtres... Mais, en donnant ce merveilleux château au Maréchal, Votre Majesté lui avait causé un grand bonheur. Tant de splendeur le ravissait et la forêt retentissait de ses chasses. Après la victoire de Lawfeld, il n'en sortit plus guère...

— Mais Madame de Conti ne s'y rendit jamais, je crois. Et, si j'ai bonne mémoire, le Maréchal ne s'occupait plus d'elle. N'était-il pas entiché de la petite Madame Favart, qui lui résistait si héroïquement?

— En effet, Sire. Il en fut même aussi féru qu'il l'avait été jadis de cette pauvre Adrienne Lecouvreur. Cette histoire avec la princesse, nous, ses amis, espérions bien qu'elle était complètement terminée. Et cependant...

Le 26 novembre 1750, le Maréchal, qui avait pris froid au cours d'une promenade, se sentit assez fatigué. Il se plaignait de maux de tête, d'oppression et avait la fièvre. Son médecin, Sénac, l'avait saigné et l'obligeait à garder la chambre, ce qui n'allait pas sans colères. Le 23 le baron de Grimm arriva et, avec lui, le comte de Lowendal qui était des meilleurs amis du Maréchal.

Le 26 novembre, un étrange événement allait se passer, tôt le matin, alors que M. de Grimm dormait encore, que M. de Friesen était sorti faire un tour et M. de Lowendal avec lui. Ce fut Mouret, le vieux valet de chambre du Maréchal, qui renseigna les habitants du château.

– Vers 8 heures du matin, raconta-t-il, une chaise de poste précédée d'un courrier sans couleurs entra dans le parc de Chambord par la porte des Muides. Elle s'arrêta au bout de l'avenue du parterre. Il en descendit deux personnes. Le courrier se rendit au château, chargé d'une lettre pour le Maréchal, qui était couché...

– Qui a apporté cette lettre?

– Un courrier, Monsieur le Maréchal, mais il n'a pas dit de quelle part il venait...

Maurice de Saxe regarda son vieux serviteur puis la lettre qu'il tenait à la main. Il haussa les épaules.

– Donne! fit-il.

La lettre ouverte, il la lut, la relut puis, soudainement, rejeta ses couvertures et bondit sur ses pieds.

– Habille-moi, puis tu iras prévenir mon aide de camp.

Mouret ouvrit de grands yeux et voulut protester.

– Vous êtes malade, Monseigneur! Le docteur Sénac vous a interdit de vous lever. Vous avez encore toussé toute la nuit. Si le docteur savait...

– Je te coupe les oreilles si tu le préviens. Allons, fais vite... Le temps presse...

En maugréant, le fidèle serviteur aida son maître à s'habiller puis s'en alla quérir l'aide de camp. Lorsque celui-ci entra, le Maréchal ne lui laissa pas le temps de s'étonner.

– J'ai besoin de vous, mon garçon! Affaire d'honneur!

L'autre claqua des talons :

– A vos ordres, Monsieur le Maréchal.

Suivis de Mouret, tous deux quittèrent la chambre du maréchal et descendirent par l'escalier dérobé qui menait tout droit aux fossés du château. Le jour se levait à peine, un jour gris et pluvieux de novembre, plein de brume et de nuages bas.

– Vous allez prendre froid, Monsieur le Maréchal, reprocha Mouret en constatant que son maître claquait des dents.

– Tais-toi, tu es un âne...

Sous les arbres, deux hommes enveloppés de manteaux noirs attendaient en faisant les cent pas. Le Maréchal et son aide de camp s'arrêtèrent près de ces hommes tandis que Mouret demeurait en arrière, observant la scène. Il vit l'un des hommes rejeter son manteau et son habit, tandis que le Maréchal faisait de même, puis les épées furent tirées et l'on croisa le fer. Dans le jour bas, les épées brillaient d'un éclat terne et sinistre.

La rencontre fut brève. Après quelques passes, le Maréchal, qui ne se battait que mollement, paralysé par la fièvre, alors que son ennemi se lançait avec furie dans la bataille, chancelait et s'écroulait à terre, la poitrine traversée. Mouret accourut et, avec lui, le père Desfri, un vieux fermier.

Le valet de chambre entendit son maître ordonner d'une voix faible :

— Partez, Monsieur, partez vite... Vous voilà satisfait. Et le secret vous sera gardé!...

Sans plus insister, les deux inconnus s'enveloppèrent de leur manteau, remontèrent dans leur voiture qui s'éloigna au grand trot. Le blessé les suivit des yeux puis, quand ils eurent disparu sous les arbres mouillés, demanda :

— Ramenez-moi!... Je ne me sens pas bien!...

Soutenu d'un côté par Mouret, de l'autre par son aide de camp, le Maréchal revint vers le château. Sa blessure ne saignait presque pas. En chemin, on rencontra M. de Friesen qui accourait, complètement affolé :

— Mon oncle!... Qu'arrive-t-il?

— Chut!... Rien du tout... Tu n'as rien vu, fit le blessé avec un pâle sourire.

Quelques minutes plus tard, il était recouché, grelottant de fièvre. Sénac, appelé en hâte, constata que la blessure n'était pas grave mais que le refroidissement, lui, l'était devenu singulièrement.

— Quelle folie!... Sortir par ce temps... Et pour aller vous battre!

La main du Maréchal se leva, se posa sur celle du médecin.

— Non, Sénac... je suis seulement allé faire un tour! Vous m'entendez? J'exige le secret sur tout ceci. Nul ne doit connaître ce duel!

— Pourtant, poursuivit Grimm tristement, lorsque je fus seul à son chevet, il voulut bien me confier la raison de cette invraisemblable histoire. L'adversaire était bien le prince de Conti, et la raison résidait dans une cassette de lettres, beaucoup trop explicites, que le prince avait trouvée chez sa femme au retour de l'enterrement de la princesse de la Roche-sur-Yon, leur tante. Malgré les pleurs et les supplications de la princesse qui jurait que l'histoire était ancienne, qu'il n'existait plus rien entre elle et le Maréchal, Conti ne voulut rien entendre : « Trop longtemps vous vous êtes moquée de moi, Madame. Je vous avais bien dit qu'à ce jeu je gagnerais un jour. Je tiens l'atout et je vais m'en servir. » La suite, Sire, vous la connaissez : le 30 novembre le maréchal de Saxe s'est éteint. Sa dernière parole, c'est Sénac, son médecin, qui l'a eue : « Mon ami, a-t-il dit, voilà la fin d'un beau rêve... »

La voix du baron de Grimm s'éteignait, laissant le silence s'emparer du cabinet royal. Au fond de son fauteuil, Louis XV songeait. Avec stupeur, Grimm vit une larme rouler sur sa joue, vite et discrètement essuyée.

– Sire, demanda-t-il doucement, que va faire Votre Majesté?

Le Roi se redressa, quitta son fauteuil, fit quelques pas et revint se poster devant son visiteur qui s'était dressé précipitamment, voyant le Roi se lever.

– A Fontenoy, Monsieur de Grimm, je lui ai obéi... Aujourd'hui encore je lui obéirai. On ne saura pas... on ne saura même pas que je vous ai vu. Pour tous, le maréchal de Saxe est mort d'une fluxion de poitrine. D'ailleurs, je pourrais difficilement, sans atteindre la princesse et sans faire pencher l'équilibre européen, frapper le prince de Conti, quelque envie que j'en aie : il brigue actuellement le trône de Pologne (1)... Non, je ne peux, ni ne dois, rien faire. Mais, Monsieur de Grimm, je vous remercie...

« *La perte que je viens de faire du maréchal de Saxe* », écrivait peu après le roi Louis XV à Auguste III de Saxe, demi-frère du Maréchal, « *me pénètre de la*

(1) De plus, comme le chevalier d'Eon, Conti était agent secret de Louis XV.

plus vive douleur. Son attachement pour ma personne me la fait sentir encore plus vivement. Je n'oublierai jamais les services importants qu'il m'a rendus. Ses qualités supérieures le rendaient bien digne du sang dont il sortait. Je partage bien sincèrement avec Votre Majesté les regrets qu'un si triste événement à tous égards lui causera en l'assurant de toute l'amitié avec laquelle je suis, Monsieur mon frère, de Votre Majesté le bon frère. »

Et la Reine de s'écrier :

– Quel chagrin de ne pouvoir dire un *de Profundis* pour un homme qui nous a fait chanter tant de *Te Deum*...

Car Maurice de Saxe était mort dans la religion réformée qui était la sienne. En janvier suivant, le corps, embaumé à Chambord même sur une table à gibier, quittait le château de rêves et prenait la route de Strasbourg, escorté de cent dragons portant des crêpes à leur casque. Ce fut cloches sonnant, tambours battant, canons tonnant que le maréchal de Saxe fit son entrée dans la grande cité du Rhin où le temple Saint-Thomas, aujourd'hui église Saint-Thomas, accueillit sa dépouille mortelle à laquelle, par ordre du Roi, le grand sculpteur Pigalle allait donner un magnifique tombeau, à la mesure du géant qui reposait sous ses marbres, tué par l'amour d'une femme.

Quelque temps plus tard, la marquise de Pompadour soupirait, ignorante qu'elle était de la vérité :

– Ce pauvre Saxe est mort dans son lit, comme une vieille femme...

Froidement, alors, sévèrement, le Roi répliqua :

– Le destin n'accorde pas toujours à un héros la mort qu'il mérite, Madame. Mais le maréchal de Saxe était assez grand pour ennoblir n'importe quelle mort...

Un certain
COMTE DE CAGLIOSTRO

I

LES TOPAZES DU PORTUGAIS

Les deux pèlerins qui franchirent, ce soir de janvier 1770, le seuil de l'hostellerie du Bon Roi René, à Aix-en-Provence, étaient couverts de poussière et semblaient recrus de fatigue. Leurs grands manteaux, traditionnellement ornés de coquilles, et les longs bourdons sur lesquels ils s'appuyaient ne plaidaient guère en faveur de leur richesse; et l'aubergiste, un peu perplexe, hésita un instant à les recevoir. Mais l'un des deux était une très jeune femme blonde et frêle, qui donnait l'impression de ne pas pouvoir faire un pas de plus. Il se décida donc à les accueillir.

– Que désirez-vous, bons pèlerins? fit-il avec un mélange d'amabilité et de condescendance. Ma maison est déjà pleine, mais peut-être pourrai-je vous trouver un coin où...

Le plus grand des deux pèlerins, un homme qui pouvait avoir vingt-sept ou vingt-huit ans, ne le laissa pas achever sa phrase bien intentionnée. Otant son chapeau qu'il jeta d'un geste noble sur une table proche, il fusilla l'hôte du regard hautain de ses yeux noirs.

– Ne t'y trompe pas, aubergiste, fit-il avec un violent accent italien, nous ne te demandons pas l'aumône. Nous pouvons payer et tu ne dois pas t'arrêter à notre aspect. Je suis le baron de Balsamo et voici mon épouse à qui je te prie de donner ton meilleur appartement.

A la fois rassuré et repentant, l'aubergiste se hâta de les conduire vers une table située au coin d'une énorme cheminée où rôtissaient deux moutons entiers avec un agréable parfum de fenouil et de romarin.

La jeune femme se laissa tomber sur un banc et tendit au feu des mains menues que le froid avait rougies. Ce faisant elle rejeta en arrière son gros capuchon de drap brun, laissant voir un ravissant visage pâle, éclairé par de larges yeux verts et l'éclat de petites dents brillantes entre les lèvres roses et enfantines. Elle était d'une extrême beauté et cette beauté n'échappa pas au voyageur qui occupait la table de l'autre coin. Tandis que le baron de Balsamo donnait ses ordres pour le souper et le coucher, il examina discrètement la jeune femme, en homme qui sait apprécier à sa juste valeur la grâce féminine.

Lui-même méritait d'être regardé. C'était un homme d'environ quarante-cinq ans, grand et bien bâti mais sans épaisseur, élégamment vêtu d'un costume de cheval de velours gris bordé d'un galon d'argent. De hautes bottes brillantes montaient jusqu'à mi-cuisse et il avait posé près de lui un gros manteau de cheval et un tricorne ourlé de plumes blanches que la poussière de la route n'avait pas réussi à ternir, pas plus que les précieuses dentelles malinoises de son jabot et de ses manchettes. Son visage surtout était intéressant : très brun sous la perruque poudrée, avec des lèvres fortes et très rouges, des dents éclatantes et des yeux qui brillaient comme des diamants noirs. Quand le baron de Balsamo vint chercher sa femme pour la mener à sa chambre, il se leva et salua profondément la dame qui lui rendit son salut en rougissant légèrement et en baissant les yeux. Le mari aussi salua, et le couple s'engagea à la suite d'une servante dans l'escalier de chêne bien ciré.

L'étranger les suivit des yeux tout en se rasseyant et appela l'aubergiste d'un sec claquement de doigts. Celui-ci accourut :

– Ce seigneur-pèlerin et sa femme sont italiens?

– En effet, Monsieur le Chevalier, de Palerme, je crois. Ils vont à Saint-Jacques-de-Compostelle, en Galice, faire leurs dévotions...

– A pied?... Depuis Palerme? C'est un bien long chemin, surtout pour une jeune femme...

– C'est aussi mon sentiment. Mais le baron a l'air d'un homme bizarre et puis on ne sait jamais...

Il s'arrêta court, conscient d'avoir évité une gaffe. Il avait été sur le point de dire « avec ces Italiens » mais s'était souvenu à temps que son interlocuteur était également italien. Il se contenta donc d'achever par un innocent « qui l'on est appelé à rencontrer dans nos auberges ».

Puis, tout heureux de sa présence d'esprit, il alla encourager son marmiton qui tournait le tournebroche, et arroser ses rôtis.

Quelqu'un qui eût posé son oreille contre la porte des deux pèlerins eût probablement été pour le moins surpris de leurs propos. En effet, à peine la porte se fut-elle fermée sur la chambrière que le baron vint murmurer quelque chose à l'oreille de sa femme qui sursauta :

– Non, Joseph... Non, ne compte pas sur moi ce soir! Je suis trop fatiguée! D'ailleurs, je ne descendrai pas.

La lumière des chandelles posées sur un bahut de bois fruitier éclairait en plein la puissante figure de Balsamo : un visage plein, aux traits réguliers, au large front intelligent et aux grands yeux noirs qui ne cillaient pas. Le teint était bronzé, la stature vigoureuse encore que de taille médiocre mais les lèvres avaient un petit peu trop d'astuce pour être vraiment nobles. Pour l'instant, les épais sourcils noirs s'étaient durement froncés au-dessus du grand nez aquilin.

– Tu descendras, te dis-je! Ce n'est vraiment pas le moment de faire la sotte, Lorenza, quand notre bourse est presque vide et ne nous permettra pas un nouvel arrêt dans une autre auberge...

La jeune femme ferma les yeux et se laissa aller contre le dossier de la bergère qui l'avait reçue :

– Devrons-nous vraiment aller jusqu'en Espagne à pied? Ne pourrions-nous demeurer ici? Tu trouverais sans peine du travail, l'archevêque est très riche, il te paierait bien...

– Dessiner, perdre mon temps quand le monde entier s'offre à mes talents et qu'il y a tant d'imbéciles qui ne demandent qu'à se laisser duper. Tu es folle, Lorenza, je te l'ai déjà dit.

Précipitamment, Lorenza se signa et, tirant un chapelet de sa poche, en baisa la croix :

– Et toi tu es le diable, Joseph, le diable en personne! Je ne t'obéirai pas... pas ce soir! Je... je n'en puis plus!

– Tu obéiras, te dis-je! Cet homme n'a cessé de te regarder en bas, il est élégant et semble fortuné. De plus, c'est un compatriote, l'aubergiste m'a dit son nom : le chevalier Giacomo Casanova de Seingalt, un noble Vénitien. Rien ne sera plus facile qu'entrer en relations avec lui... Et il semble tout à fait homme à ne pas souffrir qu'une jeune et jolie femme aille à pied.

Pour toute réponse, Lorenza enfouit sa tête dans ses mains et se boucha les oreilles :

– Tais-toi, tais-toi!... Tu nous damneras tous les deux avec tes pratiques maudites et tes idées déshonnêtes. Je ne veux pas t'obéir, je ne t'obéirai pas! Je ne veux pas!...

– Tu n'es qu'une petite Romaine superstitieuse et sotte. Tu feras ma volonté. Regarde-moi, Lorenza, tu m'entends?...

Mais elle agita frénétiquement ses boucles blondes sans relever la tête. Alors, il la prit aux cheveux et l'obligea à le regarder.

– J'ai dit : regarde-moi, fit-il rudement.

Malgré elle, la jeune femme ouvrit les yeux et les fixa sur ceux de son mari dont la pupille se dilatait lentement sous l'effort de la volonté.

– Tu feras ce que je t'ordonne, dit-il lentement en détachant bien les syllabes. Tu seras aimable avec ce chevalier, Lorenza, très aimable, extrêmement aimable!... Je le veux!...

Lorenza battit des paupières tandis que ses prunelles s'élargissaient comme celles d'un oiseau fasciné. Elle murmura et sa voix semblait venir de très loin, d'au delà d'elle-même :

– Oui, Joseph!... J'obéirai!... Je ferai ce que tu voudras!...

Balsamo demeura un instant sans bouger, les yeux rivés à ceux de sa femme, puis, d'un geste rapide et doux, il appuya deux doigts sur ses paupières, les obligeant à se clore.

– Repose-toi un moment, ta fatigue va s'en aller...

Docile, Lorenza se laissa aller contre le dossier, endormie...

Une heure plus tard, les Balsamo et Casanova étaient installés autour d'une table copieusement servie à l'endroit le plus confortable de la salle du Bon Roi René. Le feu crépitait gaiement derrière le dos de Lorenza, assise entre les deux hommes, sous un plaisant assemblage de saucissons, de jambons, de chapelets d'oignons ou ails, et de grappes du magnifique muscat du pays conservées dans des sacs de mousseline, qui pendaient des solives.

Le chevalier avait accepté avec empressement l'invitation de Balsamo à se joindre à eux pour souper et ne savait trop s'il devait apprécier davantage les jolis yeux de la baronne ou la conversation imagée du baron.

– Nous nous rendrons ensuite en Portugal, disait Balsamo en vidant son verre de vin de la région. J'y possède de puissantes attaches familiales...

– Vraiment? Je vous croyais originaire de Palerme?

– C'est ce que je laisse croire. En fait Balsamo n'est que l'un des fiefs de ma famille mais, en réalité, je suis né à Malte... où mon père avait... et a toujours une grande charge.

Casanova ouvrit de grands yeux :

– A Malte? Mais... les seuls grandes charges y sont celles de la Religion? Est-ce que...

Balsamo se pencha à travers la table et baissa considérablement la voix :

– Justement... et c'est pourquoi je dois me servir d'un autre nom. Mon père est le Grand Maître Pinto da Fonseca et ma mère était une noble dame turque, princesse de Trébizonde, qui vint à Malte, captive d'une galère. Pinto fut frappé de sa beauté, l'aima... et la suite, c'est moi. Evidemment, je fus éloigné dès ma plus tendre enfance. De là vient que j'ai beaucoup voyagé et beaucoup étudié. L'Egypte, la Syrie, la Perse me sont familières...

— Peste!... fit le Vénitien éberlué par ce déploiement de splendeurs barbares.

Il ne savait trop s'il devait croire cet étrange homme dont le regard, extraordinairement impérieux, semblait verser la conviction au cœur de ses auditeurs. L'histoire était bizarre... mais, juste à ce moment, il sentit son genou effleuré par le satin d'une robe et un frisson parcourut sa peau. Son regard chercha les yeux verts de Lorenza. Elle les détourna avec un joli air de confusion et une rougeur qui le laissa indécis. Le geste était-il voulu ou fortuit? En tout cas il était agréable et l'insatiable chasseur de femmes sentit son appétit s'aiguiser. Cette petite Romaine, que son mari décrivait si pieuse et si prude, était exquise et puisqu'elle et son époux se dirigeaient comme lui-même vers l'Espagne, il serait peut-être agréable de faire route de concert. Et, qui sait? Au hasard des auberges, il est parfois bien facile de nouer une charmante aventure.

Coupant brusquement une grande tirade de Balsamo qui en était à lui décrire par le menu les voyages extraordinaires qu'il avait effectués avec son maître, un savant grec nommé Althotas, il proposa aussitôt de faire le chemin ensemble jusqu'à Barcelone où il avait affaire.

A cette proposition, Lorenza rougit violemment mais un éclair de satisfaction brilla dans les yeux de son mari.

— Ce serait un honneur et un plaisir! fit-il en composant son visage. Mais nous voyageons à pied, comme vous avez pu voir, et je ne pense pas que vous vous accommoderiez de ce genre de transport.

Casanova se mit à rire :

— Evidemment non, mais, de votre côté, qui donc vous oblige à une si rude pénitence?... Surtout pour Madame qui est frêle et délicate. Les pèlerins peuvent parfaitement aller à cheval ou en voiture...

Balsamo baissa la tête d'un air de gêne bien joué et glissa vers sa femme un regard qui semblait implorer son pardon :

– C'est ma femme qui a voulu, elle dit que c'est nécessaire pour nos péchés... Et puis, pour ne vous rien cacher, nous avons été dépouillés par des voleurs de grand chemin aux frontières de Milan et il nous reste tout juste de quoi ne pas mourir de faim jusqu'à Barcelone où nous trouverons des fonds. Evidemment, notre qualité de pèlerin nous vaut aussi de recevoir en route, des âmes charitables, des dons en échange de nos prières, et c'est grâce à ces subsides que nous avons pu parvenir jusqu'ici...

Le beau Vénitien couvrit d'un regard ému la jeune femme assise auprès de lui. Elle semblait tout près des larmes. A ce moment, il sentit que la robe le frôlait à nouveau sous la table et il sourit largement :

– N'est-ce que cela? Que ne le disiez-vous, mon cher baron? Mais je me ferai une joie de vous donner tout ce dont vous pourriez avoir besoin jusqu'à Barcelone!

– Je ne saurais accepter autre chose qu'un prêt... entre gentilshommes.

– Un prêt si vous voulez, mais je ne souffrirai pas que Madame la baronne peinât une heure de plus sur ces mauvaises routes. Dès demain nous aviserons à vous trouver des montures et, par Dieu, nous ferons le plus charmant des voyages. Buvons, si vous le voulez bien, à cette heureuse route!

Ils vidèrent allègrement pot sur pot et bientôt Lorenza, se déclarant fatiguée, les laissa seuls, non sans avoir adressé au Vénitien un doux sourire qui le remplit de joie et d'espérance. Comme quoi l'on peut être un grand aventurier, un maître ès femmes, et se laisser prendre comme un enfant à la grâce d'un sourire joint aux belles paroles d'un autre aventurier plus malin...

En effet, la brillante généalogie que Balsamo avait débitée pour le plus grand ahurissement de son hôte d'un soir était pour le moins fantaisiste. Il n'y avait, ni dans son sang ni dans celui de Lorenza, la moindre goutte noble. Lui était né à Palerme, d'une famille de Juifs convertis et fort pauvres. Il avait été élevé au couvent des Frères de la Miséricorde où il avait pris quelques teintes de médecine et de chimie et d'où il s'était sauvé une nuit en sautant le mur et en emportant quelques menus bibelots. Dessinateur habile, il était rapidement devenu faussaire tout en exerçant, à titre de couverture, le métier de garçon de salle chez un maître d'armes où il avait appris à manier assez dextrement l'épée. Pour son coup d'essai, il avait subtilisé, à l'aide d'un plan de trésor fabriqué de sa main, soixante onces d'or à un orfèvre palermitain. La chose avait fait du bruit et Balsamo avait dû s'enfuir, se réfugier à Rome où il avait fait, chez une vieille Napolitaine où il était allé se loger, la connaissance de Lorenza Feliciani. Le père de la jeune fille était fondeur de cuivre et habitait la maison voisine. Lorenza avait tout de suite été séduite par l'étrange regard noir de Joseph, chargé d'un indéniable pouvoir hypnotique, et en était tombée très vite éperdument amoureuse. De son côté, Balsamo n'était pas demeuré insensible à son charme ni à sa beauté et, de plus, avait très vite compris le parti qu'il pourrait tirer d'une pareille compagne. Un beau matin, il l'épousa, à l'église San Salvador in Campo, puis se hâta de quitter Rome pour fuir la colère du père Feliciani, très peu satisfait de son gendre.

On se dirigea d'abord sur Lorette. Joseph avait obtenu pour le gouverneur une recommandation du cardinal Orsini, charmé de la façon dont il avait reproduit quelques dessins de Rembrandt. Ils partirent donc, escortés d'un coquin qui se faisait appeler le marquis d'Agliata et avec qui Balsamo avait déjà fait quelques affaires. A Lorette, les deux compères fabriquèrent de fausses lettres du cardinal grâce auxquelles ils parvinrent à soutirer de l'argent au gouverneur, et tout eût été pour le mieux si d'Agliata n'avait, une belle nuit fort sombre, levé le pied avec le magot, abandonnant Balsamo à son triste sort et au ressentiment du gouverneur. Joseph et Lorenza avaient alors fui jusqu'à Berg, dans l'Etat de Venise, où ils avaient été arrêtés puis relâchés. Sans un sou, ils avaient vendu ce qui pouvait leur rester et jusqu'à leurs vêtements pour s'équiper en pèlerins et tenter de vivre, au long de la route, de la charité humaine... et aussi de l'effet certain que produisait sur la plupart des hommes la beauté de Lorenza.

Mais, pour la jeune femme, très pieuse et follement éprise de son mari, la découverte du rôle exact qu'il lui réservait dans leur ménage avait été un véritable crève-cœur et une affreuse désillusion. Superstitieuse à l'extrême, de plus, elle en était arrivée à craindre Joseph comme le feu, sachant bien qu'elle était impuissante à lutter contre le pouvoir de son terrible regard.

La matinée du lendemain trouva les Balsamo chevauchant en compagnie de Casanova sur le chemin qui, à travers les sèches collines provençales, piquées de cyprès noir et tout argentées par le feuillage des oliviers, mène à Salon puis à Arles. De bon matin, le Vénitien s'était rendu au marché aux chevaux et avait trouvé un cheval très convenable pour Balsamo, une mule bien douce pour Lorenza. Ni l'un ni l'autre n'égalaient en splendeur son propre genet d'Espagne mais c'étaient d'excellentes montures qui remplirent de joie secrète leurs nouveaux propriétaires.

Le voyage vers Barcelone se poursuivit agréablement pour les uns et les autres. Balsamo était très satisfait d'avoir trouvé un banquier aussi obligeant, et Lorenza oubliait un peu la rancune qu'elle nourrissait contre Joseph tant elle trouvait de charme à son nouveau compagnon. Le Vénitien était beau, galant, l'admirait visiblement et c'était la première fois que la jeune femme trouvait quelque agrément à obéir à son mari.

Celui-ci d'ailleurs poussait la bonté jusqu'à ne pas voir que la main de Lorenza demeurait un peu plus longtemps qu'il ne fallait dans celle de Casanova quand il l'aidait à descendre ou à monter sur sa mule et que leurs regards s'accrochaient volontiers. Aux étapes, il prétextait ses dévotions et s'éloignait vers quelque chapelle ou la plus proche église, les laissant seuls.

Un soir, alors que la frontière était proche, Lorenza qui se promenait dans le jardin de l'auberge avec son nouveau chevalier servant, écoutait avec plus d'émotion encore que d'habitude les protestations de dévouement et les mots tendres qu'il lui murmurait. Il lui semblait démêler dans la voix du chevalier une chaleur, une conviction qui lui faisaient du bien et l'incitaient à lui faire confiance.

– Vous savez bien, disait Casanova, combien je vous admire, adorable Lorenza, et combien je voudrais vous faire un sort plus digne de vous et de votre beauté que celui qui est le vôtre. Je sais, je sens que vous n'êtes pas heureuse avec votre mari. Est-ce que je me trompe?

Elle secoua la tête, les yeux soudain pleins de larmes :

– Non, Giacomo, vous ne vous trompez pas. Je l'aimais et je l'aime peut-être encore, mais j'ai peur de lui. C'est un homme terrible, un suppôt de Satan, et ses dévotions sont autant d'impiétés...

Casanova se mit à rire :

– Satan ne me fait pas très peur! Nous sommes assez bien ensemble, lui et moi, et je crois qu'il m'a quelques obligations mais je n'en fais pas ma compagnie. Je ferais n'importe quoi pour vous avoir à moi.

— Alors, emmenez-moi!... Partons tout de suite, tous les deux!... C'est le seul moyen. Avec vous j'aurai tous les courages...

Il baisa doucement la main qu'il tenait :

— Un peu de patience! Il nous rattraperait vite et d'ailleurs nous serons bientôt à Barcelone où j'ai des amis. Là, nous pourrons agir et, au besoin, il ne sera pas difficile de faire arrêter Balsamo, sous un vague prétexte et pour quelques jours, ce qui nous laissera le temps de disparaître. Il ne lui sera fait aucun mal et vous serez libre, libre... avec moi. Vous n'êtes pas faite pour cet homme.

— Vrai? Vous feriez ça?

Ses beaux yeux se levaient sur lui, humides de larmes et de reconnaissance. Mais, soudain, ils devinrent fixes, perdirent leur flamme et elle vacilla sur ses jambes.

— Lorenza... Qu'avez-vous?

Elle n'eut pas le temps de répondre. De derrière un buisson de lauriers Balsamo s'avançait à pas lents, jouant avec une fleur qu'il venait de cueillir et dont il respirait le parfum. Il sourit au couple, à la fois gracieux et perfide :

— Encore vos vapeurs, ma chère?... Il faudra voir un bon médecin quand nous serons arrivés. Mais quelle délicieuse soirée, n'est-ce pas?

Les deux autres s'entre-regardèrent, inquiets de ce qu'il avait pu entendre, mais il les prit chacun par un bras avec tant de bonne grâce pour rentrer dans la maison qu'ils se rassurèrent bien vite. La soirée s'écoula gaiement ainsi que les deux jours suivants. Balsamo n'avait pas soufflé mot à sa femme de la scène du jardin. Donc il n'avait rien entendu.

Mais, quand on arriva à Barcelone, le chevalier Casanova de Seingalt eut la surprise de se voir arrêter pour propos impies et incitation à la débauche par ordre du

Vice-Roi et de la Très Sainte Inquisition. Lorenza, terrifiée, retomba plus que jamais sous la coupe de son mari. D'ailleurs, il semblait encore plus affecté qu'elle-même de ce coup qui frappait leur compagnon de voyage!

Ils demeurèrent quatre mois à Barcelone où le « baron de Balsamo » fit quelques dessins pour le Vice-Roi ainsi que quelques miraculeuses pommades pour ses rhumatismes. De son côté, ledit Vice-Roi s'intéressa de fort près à la baronne Lorenza. De là vint au couple une certaine prospérité qui lui permit de mener assez grand train et de remonter brillamment sa garde-robe. Mais Balsamo s'était une fois de plus associé à un louche personnage que l'on appelait le Sicilien, versé dans le trafic des lettres de change. Pris sur le fait, celui-ci dénonça son complice qui n'eut plus qu'à détaler, emmenant sa femme dont d'ailleurs le gouverneur commençait à se fatiguer au profit d'une danseuse gitane. On prit donc le chemin de Madrid où les divers talents de Joseph, et surtout les connaissances qu'il prétendait avoir en alchimie et en hermétique, leur assurèrent la protection occulte et financière du duc d'Albe. Cette fois, Lorenza put respirer. Le duc était un homme âgé qui ne s'intéressait guère aux femmes mais, par contre, recherchait passionnément, comme beaucoup d'autres à cette époque, la fameuse pierre philosophale et son pouvoir de transmuter en or le plus vil métal. Joseph, qui avait appris nombre de tours de prestidigitation, commença alors à faire courir le bruit qu'il détenait, ou peu s'en faut, le fabuleux secret, et le ménage fut bientôt la coqueluche du Tout-Madrid.

Cela dura un an. Pourquoi fallut-il que le Sicilien, échappé des geôles barcelonaises, vînt gâter tout cela en réclamant la poursuite d'une fructueuse association? Balsamo refusa, l'autre menaça, certains bruits parvinrent aux oreilles, chatouilleuses sur ce chapitre, du Saint-Office et du duc d'Albe. Le baron de Balsamo, sa femme et son serviteur La Rocca, un Italien rusé qu'il avait sauvé de la potence, durent s'éloigner une fois de plus. Cette fois, Joseph décida de se rendre à Lisbonne où d'ailleurs il avait toujours souhaité se rendre.

– C'est le grand marché des pierreries, disait-il à Lorenza. Elles affluent en masse, venant du Brésil et, avec un peu d'adresse, il doit être aisé de faire rapidement fortune. Le tout est de s'adresser à la bonne porte.

Lorenza soupirait, implorait le ciel de plus belle, sachant bien ce que son mari entendait par-là, et brûlait des cierges à toutes les madones rencontrées sur leur passage. Balsamo, lui, déjà occupé à préparer ses batteries, jugea que leur nom commençait à être un peu trop connu et qu'il convenait d'en changer. Le baron et la baronne Balsamo disparurent donc et ce furent le comte et la comtesse di Stefano qui se présentèrent aux frontières portugaises.

La fête battait son plein dans les vastes salons de l'hôtel de Picoas, l'un des plus vieux et des plus beaux de Lisbonne, l'un de ceux surtout que le grand tremblement de terre de 1755 avait laissés debout.

Toute la société s'y pressait en habits chamarrés et robes somptueuses, taillés dans les satins brochés, les brocarts dorés ou argentés importés des Indes mais suivant la dernière mode venue de Paris. Les femmes et les hommes étaient autant d'étalages de joailleries, croulant sous le poids des pierreries de toutes couleurs qui ornaient les vêtements, les gorges nues, les poignets, les chevelures et les branches d'éventails. Mais on admirait surtout la beauté de la comtesse di Stefano, une noble Italienne dont le mari, très versé dans les sciences occultes, faisait courir toute la bonne société vers son cabinet du Terreiro do Paço.

Pourtant la comtesse ne portait pas autant de bijoux que les autres femmes mais sa robe de satin nacré, toute garnie de roses pâles et d'entrelacs d'argent, les flots de dentelle qui moussaient à ses coudes et à sa gorge, le savant arrangement de ses cheveux poudrés et mêlés de roses, tout, jusqu'à son grand éventail de dentelle blanche et la petite ruche qui entourait son cou, portait la marque du meilleur goût. Elle avait une grâce inimitable et que rendait plus exquise le voisinage de son inquiétant mari, tout rutilant d'or et de velours pourpre.

Tandis qu'ils s'avançaient dans les salons illuminés, deux hommes, adossés à l'une des colonnes mauresques du patio où chantait un jet d'eau parmi les roses et les citronniers, les regardaient passer. L'un d'eux, le plus grand, portait avec élégance un superbe habit de velours noir constellé de diamants. Il se pencha vers son voisin :

– On parle beaucoup, ces temps-ci, de ce comte di Stefano qui nous est arrivé voici deux mois. Il révolutionne la ville et l'on dit qu'il s'adonne à la magie. Mais sait-on au juste ce qu'il est et d'où il vient?

– Il serait le fils naturel du Grand Maître de Malte, du moins c'est lui qui le dit, et sa femme serait de noble famille romaine. Mais, de tout ceci, je ne suis nullement certain. Il vient d'Espagne, c'est tout ce que je sais d'officiel. Du pèlerinage de Compostelle, paraît-il. On dit sa femme très pieuse...

– Elle est, en tout cas, bien jolie! Mais je m'étonne, mon cher Manique, de vous voir si mal informé. Vous, l'intendant de la police!

Pina Manique haussa les épaules tandis qu'une moue dédaigneuse s'étendait sur son visage aigu, aux traits austères.

– Rien ne presse, tant qu'ils ne font qu'amuser les gens avec leur soi-disant magie, mais si je partage entièrement votre opinion concernant la comtesse, qui effectivement est ravissante, je ne vous cache pas que la figure du mari ne me dit rien qui vaille et que je les surveille discrètement. Je sens en lui quelque chose d'étrange... de dangereux.

– Si les policiers se mettent à avoir des pressentiments, où allons-nous? fit l'autre en riant. (Puis il ajouta :) En tout cas, me voilà déçu. Je pensais que vous les connaissiez déjà fort bien et je comptais vous demander de me présenter à la jolie comtesse...

L'intendant de la police leva les yeux au plafond et poussa un profond soupir :

– Vous êtes incorrigible, mon cher José! Vous ne savez pas résister à un joli visage et votre fortune ne les attire que trop. Un de ces jours il vous arrivera malheur.

– Vous êtes aimable, mon cher! Si je vous comprends bien, on ne saurait m'aimer que pour mes écus? C'est gracieux, je vous remercie.

– Ne soyez pas stupide, Cruz Sobral! fit Manique, impatienté. Quand on atteint un certain âge, il est outrecuidant d'espérer autre chose. Mais si vous tenez vraiment à entrer en relations avec ces gens, adressez-vous à notre hôtesse. Inès de Picoas raffole de cet Italien et ne sera que trop heureuse de jeter sa femme dans vos bras. Mais ne venez pas vous plaindre à moi s'il vous arrive quelque chose.

– Ne craignez rien! Je suis sûr que la jeune comtesse est un ange. Il n'y a qu'à regarder ses yeux et je m'y connais.

Epoussetant son jabot d'un air fat, José-Anselmo da Cruz Sobral s'éloigna dans la direction où il avait vu disparaître Lorenza et son mari. C'était l'un des hommes les plus riches du pays, un gros armateur dont les navires sillonnaient toutes les mers et il possédait, outre de nombreuses propriétés, une collection de pierres précieuses des plus importantes. On parlait surtout de ses topazes, les plus grosses et les plus belles récoltées au Brésil où il possédait une mine. Tous ces avantages lui valaient de nombreux succès féminins qui, sans cela, n'eussent été guère justifiés.

En effet, don José atteignait la cinquantaine et, s'il était de haute taille, l'abus des chères épicées et des vins capiteux l'avaient doté d'un embonpoint impressionnant et d'une couperose qui faisait son teint rouge brique. Mais il n'en aimait que plus vivement les femmes jeunes, pâles et frêles, blondes de préférence. La vue de Lorenza l'avait vivement impressionné et il s'était juré que la soirée ne se passerait pas sans qu'il eût fait sa connaissance. Il se mit donc à la recherche de son hôtesse.

Il la trouva sans peine et comme, justement, elle bavardait avec le comte et la comtesse di Stefano, il n'hésita pas à l'aborder.

– Ma chère Inès, fit-il avec son meilleur sourire, je voudrais obtenir de vous la faveur d'être présenté à Madame dont je suis l'humble admirateur.

Ce disant, il s'inclinait aussi profondément que le permettait son ventre imposant. Inès de Picoas réprima un sourire derrière son éventail mais s'empressa :

– Mais comment donc. Ma chère, voici l'un de mes meilleurs amis, le comte José-Anselmo da Cruz Sobral, l'un de nos grands armateurs.

Lorenza plongea en une silencieuse et protocolaire révérence, mais Joseph répondit :

– C'est une joie pour nous de connaître l'illustre comte. Nous avons fort souvent entendu parler de lui. Je suis tout à fait votre serviteur, Monsieur.

Et de saluer. Les deux hommes se lancèrent alors

dans une grande conversation sur les travaux de l'Italien, sujet qu'il n'aimait que trop développer, et Lorenza put s'éloigner un peu en direction des jardins. Elle éprouvait le besoin de respirer un peu d'air frais. Les salons étaient remplis de parfums lourds et particulièrement entêtants. Elle se sentait lasse. De plus, la figure du nouvel arrivant ne lui plaisait pas, et encore moins l'empressement avec lequel son mari l'avait accueilli. Aussi eut-elle bien du mal à dissimuler sa contrariété quand elle entendit, un peu plus tard, son mari inviter Cruz Sobral à venir très prochainement visiter son laboratoire.

A peine rentrés du bal, la scène éclata entre eux. Lorenza, en termes exaspérés, reprocha à Joseph son invitation :

– Je ne veux pas voir ce gros homme ici, tu m'entends. Jamais je ne le recevrai...

– Il est... très riche, fit Joseph en dégrafant son jabot de dentelles, et je ne vois pas pourquoi tu refuses de le recevoir. Sais-tu que cet homme possède la plus belle collection de topazes de toute l'Europe? Même la Grande Catherine n'en a pas d'aussi belles. Cela mérite quelques... efforts, non?

– Cela m'est complètement égal. Peux-tu me jurer que tu ne comptes pas sur moi pour attirer cet homme? Crois-tu que je n'ai pas vu comme il me regardait?

– Moi aussi je l'ai vu et il n'y a pas de quoi crier si fort. Lorenza, si tu m'aimais, tu serais plus raisonnable. Qu'est-ce que je te demande, après tout? D'être aimable avec cet armateur richissime, juste pendant quelque temps. Nous ne resterons pas longtemps ici. Je rêve d'aller à Londres et à Paris. Mais il nous faut de l'argent, beaucoup d'argent! Séduire Cruz Sobral sera un jeu d'enfant pour toi. Il est déjà tout séduit.

– Un jeu d'enfant? fit Lorenza, les lèvres arquées de dégoût. Et la suite aussi, sans doute? Il faudra subir ce répugnant bonhomme comme j'ai subi le Vice-Roi... et tant d'autres déjà...

– Je sais. Le malheur a voulu que le seul qui te plût ait été retiré aussitôt de la circulation. Mais cette fois, il faut que tu m'aides, tu m'entends, je l'exige.

Instantanément la colère de Lorenza tomba. Elle se jeta sur son lit et se mit à sangloter :

– Par pitié, ne m'impose pas cela, pas cela... Il me fait horreur...

Joseph vint s'agenouiller auprès d'elle, et passa son bras sous les épaules de la jeune femme.

– Calme-toi, dit-il doucement. Nous n'en sommes pas là! Tu es assez habile pour éviter les... choses désagréables et en faire ton esclave. Il faut seulement le rendre fou, aveugle et sourd... et tu sais bien que je t'aime...

– Oh, toi... ton amour! dit-elle douloureusement.

– Si, affirma-t-il fortement. Je t'aime, plus que jamais peut-être! Tu es devenue une femme merveilleuse, la compagne dont j'avais tant besoin. A nous deux nous pouvons conquérir le monde et ensuite nous serons heureux...

– Mais tu es maudit, Joseph, tu le sais bien. Tu vas attirer sur nous la colère de Dieu. Jamais nous ne trouverons le bonheur, jamais... Et moi, je crois bien que je finirai par te haïr...

Il se redressa et commença à se dévêtir :

– Libre à toi de faire la sotte, tu peux me haïr tant que tu voudras! Mais obéis, c'est tout ce que je te demande...

La jeune femme chercha dans sa manche un petit mouchoir dont elle épongea ses yeux, regarda son mari d'un air désespéré :

– Tu sais bien que j'obéirai. Je ne sais pas résister à

ta volonté. Tu es trop fort pour moi. Mais, prends garde, Joseph, prends garde... Tout ceci finira mal!

— Mais non...

Tendant les deux mains, il attirait Lorenza à lui, l'enveloppait de ses bras et couvrait de baisers son cou et son visage.

— Je saurai l'éviter et tu verras que c'est moi qui gagnerai. Nous gagnerons. Tu es si belle... et je t'aime, quoi que tu en penses, je t'aime plus que tout au monde. Mais je ne suis pas un imbécile...

— Si tu m'aimais, tu serais jaloux...

— Justement. La jalousie est un défaut d'imbécile!...

Don José profita largement de la permission qui lui était accordée. Il ne tarda pas à se présenter chez les di Stefano. Lorenza le reçut gracieusement et Joseph lui fit visiter son laboratoire d'alchimiste, lui fit admirer ses livres d'Hermétique, ses fours et ses cornues. Heureux de tant de bonnes grâces, il revint encore et encore, prenant bien soin de se faire précéder chaque fois de fleurs, de fruits ou de menus cadeaux pour Lorenza. Chaque fois qu'un de ses navires abordait, il envoyait à la jeune femme des soieries, du café, des épices, des ivoires, une foule d'objets précieux, et même un superbe perroquet du Brésil, bleu comme un ciel d'été.

La cour qu'il faisait à Lorenza, discrète et assez timide, la rassurait un peu; mais elle retrouva toutes ses craintes quand Don José l'invita à venir visiter, un après-midi, la somptueuse propriété qu'il possédait sur les bords du Tage, en amont de la ville. Lorenza tenta de refuser, alléguant la fatigue que lui causaient les fortes chaleurs où étouffait Lisbonne, mais Cruz Sobral insista.

— J'aimerais tellement vous faire admirer mes collections de pierreries, plaida-t-il chaleureusement. Vous n'avez jamais vu leurs pareilles, j'en suis sûr, et vous ne seriez pas femme si vous n'aimiez les pierres...

– Elle les adore! affirma Joseph qui assistait à l'entretien. Et elle sera très heureuse d'admirer les vôtres. N'est-ce pas, ma chère?

Et sa main, posée sur l'épaule de Lorenza, serra cruellement. Comprenant qu'il n'y avait pas à discuter, Lorenza se contenta d'incliner la tête, incapable de parler. Sa gorge était intolérablement serrée et elle avait envie de pleurer. Joseph allait donc, une fois de plus, la jeter dans les bras d'un homme pour satisfaire sa cupidité et son ambition! Il y avait des moments où la malheureuse souhaitait mourir.

Pourtant, rien de ce qu'elle avait craint ne se passa. Cruz Sobral, peu désireux sans doute de l'effaroucher, fut galant, tendre, empressé mais sans plus. Sa propriété, une vaste demeure style manuélien, dominait de haut une dégringolade de terrasses où foisonnaient les rosiers, les orangers, les fougères géantes, les magnolias et les jasmins. Tout au bout, il y avait les eaux paresseuses du Tage reflétant un ciel indigo et Lorenza pensait en suivant son hôte dans les détours parfumés du jardin qu'il eût fait bon vivre dans tant de beauté. Elle admira aussi, sans réserve, les fameuses topazes qui remplissaient plusieurs vitrines et y étalaient leur somptuosité dorée sur des coussins de velours noir. Jamais elle n'en avait tant vues, ni d'aussi belles. Sans qu'elle s'en doutât, ses yeux s'étaient mis à briller devant tant de merveilles et Cruz Sobral sourit :

– Ceci est ma collection, mais j'en possède beaucoup d'autres. Tenez...

Il ouvrait un coffre de bois sculpté, posé sous une fenêtre, et montrait à Lorenza le fleuve des pierres qui s'y entassaient. Le soleil les fit étinceler et elles coulaient des mains de l'armateur comme des rayons nouveaux. Dans un écrin, il prit un fort beau collier et, d'un geste preste, l'attacha au cou de la jeune femme.

— En souvenir de votre visite! chuchota-t-il tout près de son oreille, si près que son souffle, devenu court, la brûla. Et dans l'espoir que vous reviendrez bientôt... très bientôt...

Ses doigts boudinés s'attardaient sur le cou blanc et Lorenza frissonna.

— Mais, balbutia-t-elle, je ne puis accepter...

— Pourquoi donc? Ne sommes-nous pas amis? Et j'aimerais tellement vous offrir tout ce qu'il y a ici. Si vous vouliez...

D'un mouvement gracieux, Lorenza se dégagea et sourit :

— Mais je ne veux pas. Que dirait mon mari?...

— Oh!... Un mari. Cela se quitte, chère enfant. Ou cela se trompe...

— Monsieur! fit-elle les paupières battantes, les joues empourprées.

— Allons, allons, je ne veux pas vous effaroucher, ma jolie biche. Promettez-moi seulement de revenir ici quelquefois... Promettez!...

— Si je puis... fit-elle en agitant son éventail si nerveusement que Don José la crut troublée alors qu'elle n'était que terriblement gênée.

Mais Joseph se montra ravi du cadeau.

— Un beau début, fit-il. J'espère que le reste suivra...

Et, en effet, les jours suivants, comme Lorenza, dolente, demeurait chez elle prétextant sa mauvaise santé, Cruz Sobral se fit annoncer tous les jours et, pour inciter Lorenza à revenir admirer ses collections, lui apporta d'autres pierres qui allèrent rejoindre le collier au fond du coffre marital.

Les lourdes chaleurs de l'été portugais altérèrent

réellement la santé de Lorenza qui n'en tomba que davantage sous le terrible pouvoir hypnotique de Joseph. Elle ne fut bientôt plus dans ses mains qu'une pâte molle et malléable à merci. Quand il lui ordonna enfin de céder à Cruz Sobral, elle n'eut même pas un mouvement de révolte et s'en alla rejoindre ce nouvel amant comme une condamnée va à l'échafaud : d'un pas de somnambule. Elle n'eut même pas un mouvement de dégoût quand il l'approcha. La haine qui commençait à s'accumuler en elle contre son mari, haine mélangée douloureusement aux élans d'un amour qui ne voulait pas mourir, l'avait mise au delà du dégoût. Elle fut indifférente, passive, mais le gros armateur, fou de bonheur, ne s'en formalisa pas. Il la traita en idole, se plut à la parer, et le mari, ayant pris soin de lui glisser combien sa femme aimait les topazes, lui en offrit toute une collection.

Mais l'insatiable Balsamo n'était pas encore satisfait. Ce qu'il voulait posséder, c'était la grande collection, celle des vitrines qu'il avait été un jour invité aussi à admirer et, pour cela, il commença à dresser un plan : Lorenza, au lieu de rentrer chez elle, comme chaque soir, s'arrangerait pour demeurer chez Cruz Sobral et, tandis qu'elle le tiendrait... prisonnier de l'amour, lui et un complice s'introduiraient dans la maison et s'empareraient de la collection. Il ne resterait plus qu'à s'embarquer dès le matin dans une rapide felouque à destination d'un autre pays. Malgré sa passivité, Lorenza fut terrifiée : cette fois il s'agissait d'un vol qui pouvait les mener à la corde et c'était par trop grave. De violentes scènes opposèrent les deux époux. Elles se terminèrent comme d'habitude par la capitulation de la jeune femme. Lorenza accepta de passer la nuit avec Don José et Joseph s'occupa de trouver une felouque et de se procurer des passeports. Il s'était aussi assuré la complicité d'un cambrioleur professionnel et, à eux trois, avec l'aide du valet La Rocca, ils devaient faire le coup.

Mais, trois jours avant la date fixée pour l'affaire, Joseph entra en coup de vent dans la chambre où Lorenza s'habillait.

– Tout est perdu! s'écria-t-il. Tu as une heure pour te préparer. Nous quitterons Lisbonne avec la marée...

Déjà il se précipitait vers la table à coiffer de sa femme, y raflait tous les bijoux et les enfouissait dans un grand sac qu'il tenait tout ouvert.

– Allons, dépêche-toi! fit-il impatiemment, voyant que Lorenza figée de stupeur ne bougeait pas.

– Mais... qu'est-il arrivé?

– Cet imbécile d'Esteban (son complice) s'est fait tuer, cette nuit, d'un coup de poignard. Il a pu parler avant de mourir et, croyant que le coup venait de moi, m'a dénoncé. Un ami que j'ai à l'intendance de la police vient de m'avertir que l'on m'arrêterait à midi. Mais à midi nous serons loin...

– Pourquoi Esteban a-t-il cru que le coup venait de toi? dit froidement Lorenza. Il avait des raisons, sans doute...

– Nous nous étions disputés hier soir. Il voulait une trop grosse part du gâteau et...

– C'est bon, fit Lorenza en se levant. J'ai compris! Dans un quart d'heure je serai prête. Mais, au fait, où allons-nous? Si nous avons le temps d'y aller...

– Londres, je pense. J'espère que nous pourrons échapper à la police.

– Admirable! dit-elle amèrement. Le comte di Stefano poursuivi pour le meurtre d'un ruffian!

Près de sortir, Joseph s'arrêta sur le seuil :

– Ah!... j'oubliais! Nous ne nous appelons plus di Stefano. Désormais, et suivant nos passeports, nous sommes le comte et la comtesse de Cagliostro... N'oublie pas : Cagliostro...

– C'est un nom difficile à oublier, fit Lorenza avec un soupir.

L'aventure recommençait!

II

LE SORCIER DE LA RUE SAINT-CLAUDE

Le carrosse prit le pas en entrant dans la rue Saint-Claude, trop étroite pour qu'il fût possible d'y mener grand train. C'était une superbe voiture armoriée qui sentait son grand seigneur d'une lieue mais dont les mantelets étaient soigneusement clos derrière les vitres. Cocher et laquais faisaient le gros dos sous la pluie. Elle n'avait pas cessé, depuis le matin de ce jour de février 1785, et transformait Paris en marécage.

Tout au bout de la rue, à l'endroit où elle est coupée par le cours tracé sur l'ancien rempart, se dressait un hôtel de belle apparence dont on apercevait les étages supérieurs et les frondaisons des arbres par-dessus de hauts murs. La lumière y filtrait à travers les jalousies fermées mais aucun bruit ne s'en échappait.

Comme le carrosse approchait de cet hôtel, le grand portail s'en ouvrit silencieusement, sans qu'il fût possible d'apercevoir celui qui le manœuvrait, et l'équipage s'engouffra dans une cour assez vaste. Devant le porche, supporté par deux colonnes doriques derrière lesquelles on apercevait le départ d'un bel escalier de pierre, attendait un grand serviteur dont la peau basanée ne jurait pas avec le magnifique costume oriental et qui levait bien haut un chandelier d'argent garni de bougies rouges.

A peine les deux laquais trempés eurent-ils ouvert la portière et baissé le marchepied qu'un homme d'un certain âge, de haute taille et d'aspect imposant, portant avec élégance un petit habit de prêtre de cour sur lequel la croix de Saint-Louis brillait parmi les dentelles, s'élança sous le porche après un bref regard au serviteur :

– Ton maître est là?

– Il attend Votre Eminence.

Sur le palier du premier étage, en effet, le maître de maison attendait, vêtu d'une longue robe noire en velours, ornée de signes maçonniques, qui l'enfermait du col aux talons. Une sorte de capuchon médiéval enfermait ses cheveux soigneusement poudrés. Il s'inclina profondément en voyant apparaître son visiteur.

– Votre Eminence est en retard, dit-il.

– Je sais, mon cher Cagliostro, fit celui-ci, qui n'était autre que le cardinal Louis de Rohan, grand Aumônier de France et évêque de Strasbourg. Mais j'ai été retenu par un vicaire.

Cagliostro ne se permit pas de sourire et hocha la tête, le front soucieux :

– Les femmes aiment trop Votre Eminence et Votre Eminence aime trop les femmes. C'est très mauvais cela.

– Allons, mon cher sorcier, vous qui lisez dans les cœurs savez bien que je n'en aime et n'en aimerai jamais plus qu'une seule. Me voilà donc immunisé. Tout est-il prêt?

– Tout est prêt...

Cagliostro s'effaça pour laisser le cardinal pénétrer dans une pièce de belle apparence, décorée, avec un faste tout oriental, de tapis et de tentures brodées d'or, mais qui ne comportait pas le moindre meuble à l'exception d'une table couverte d'un tapis noir et supportant divers objets entourant un globe de cristal empli d'eau pure. Devant cette table, une très jeune fille était agenouillée, rigide, les yeux clos, vêtue de blanc immaculé, ses cheveux blonds roulant sur ses épaules. En approchant de cette table, le cardinal constata qu'outre le globe, le tapis noir, brodé de signes cabalistiques rouges, supportait des bougies allumées, qui étaient d'ailleurs le seul éclairage de la pièce, des figurines égyptiennes, un crucifix d'ivoire et des épées nues croisées. D'un geste, il désigna la jeune fille.

– C'est la vierge? demanda-t-il à voix basse.

Le sorcier approuva :

– Oui, Monseigneur. Elle est déjà en transes, comme Votre Eminence peut s'en rendre compte aisément.

En effet, relevant d'un doigt l'une des paupières de la jeune fille, il montra le globe de l'œil complètement blanc. Le prince de Rohan approuva d'un signe de tête et murmura d'une voix un peu altérée :

– C'est bien. Interrogez-la!

Prenant alors l'une des épées disposées sur la table, Cagliostro en frappa légèrement le globe. L'eau se troubla, puis fuma. Après quoi il posa cette épée sur la tête de la jeune fille en conservant la poignée dans sa main.

– Vous allez lire dans cette eau, aussi clairement que dans un livre, dit-il d'une voix lente. Est-ce que vous m'entendez?

– Je vous entends...

La voix de la fille était lointaine et comme impersonnelle. Elle semblait sortir très difficilement de sa gorge :

– Je suis prête à lire. Que désirez-vous?

– La personne qui est auprès de moi a besoin d'être

éclairée. Elle est inquiète sur certaines nouvelles qu'elle attend. Pouvez-vous voir ce qui se prépare pour elle?

La jeune fille se tordit sur ses genoux et porta la main à sa poitrine comme si elle éprouvait une violente douleur. Un peu d'écume apparut aux commissures de ses lèvres :

— Je vois... un cavalier. Il vient de franchir la barrière du Roule, il descend le faubourg Saint-Honoré. Il semble pressé, il vole littéralement. Je vois une lettre qu'il porte sur sa poitrine.

— D'où vient ce cavalier?

— De Versailles. Il est trempé de pluie mais il a ordre d'aller vite. Je le vois maintenant passer le Palais-Royal... Il prend une petite rue... Attendez, je lis : rue Vieille-du-Temple. Il arrive devant un magnifique hôtel. Il y a quelque chose d'écrit sur le portail.

— Lisez... Allons, je le veux.

— Hôtel... de... Strasbourg.

Le cardinal étouffa une exclamation et saisit la main de Cagliostro d'un geste convulsif.

— Cette lettre...? murmura-t-il.

Mais la jeune fille poursuivait :

— ... Le cavalier frappe au portail. On ouvre. Il remet la lettre au portier...

— Qui a écrit cette lettre?

Elle gémit douloureusement, tordit ses mains :

— Je vois mal... Je crois que c'est une femme... une femme très belle.

— La signature. Je veux que vous lisiez la signature... au moins le début. Vous m'entendez? Lisez.

— Vous me faites mal. Oh! comme vous me faites mal... Je lis... C'est difficile... Attendez... Oui, c'est cela : Marie... Marie-Ant...

— Assez!

C'était le cardinal qui avait crié. Sous le choc, la fille

s'écroula, en proie à une convulsion, et Cagliostro se précipita vers elle.

– Vous risquez de la tuer, Monseigneur, reprocha-t-il. Il ne faut pas interrompre une transe. Je crains que, pour ce soir...

Mais le cardinal, radieux, n'écoutait pas.

– J'en sais assez! Merci, mon ami... Je vous quitte dans l'instant.

– Mais... notre expérience de transmutation des métaux?

– Plus tard! Ceci est trop important... A bientôt... Vous avez toute ma gratitude...

Et, comme s'il eût été seulement un jeune abbé, le cardinal s'enroula dans son manteau et dégringola l'escalier après avoir fait claquer la porte derrière lui. Immobile, un bizarre sourire aux lèvres, Cagliostro écouta le bruit du carrosse franchissant le portail puis s'éloignant dans la rue. Il hocha la tête, enleva dans ses bras la jeune fille maintenant inerte et alla la déposer sur un canapé dans un petit salon attenant. A l'appel d'une sonnette, le domestique oriental apparut.

– Préviens Madame de la Motte que l'expérience est terminée, puis reviens soigner cette enfant, Alcandre.

– Madame la comtesse attend déjà Monsieur le comte dans le salon de magie.

– J'aurais juré qu'elle écouterait aux portes, fit le mage avec un sourire sarcastique.

Dans le salon, maintenant vide, une jeune femme de vingt-huit ou vingt-neuf ans attendait en effet. Elle était grande, bien faite et fort élégante, portant avec assurance l'un de ces absurdes chapeaux surchargés d'ornements alors à la mode sur une énorme perruque poudrée. Dans son visage mince qui eût été ravissant si une expression rusée ne l'eût un peu déparé, les yeux noirs brillaient d'un feu dangereux. Mais, pour le moment, elle semblait rêveuse.

— Je finirai par croire que ma nièce possède vraiment le don de voyance, dit-elle lentement en voyant entrer Cagliostro.

Celui-ci alla vers elle, prit sa main qu'il baisa et dit avec une profonde gravité :

— Le don passe en elle à ma volonté parce qu'elle est vierge et totalement pure. Là est tout le secret...

— Tout de même... Qu'elle ait pu lire, dans ce verre, ce que je croyais être seule à savoir, c'est-à-dire que notre ami le cardinal recevrait ce soir un billet... venu de haut, c'est extraordinaire... Il y a des jours où tu me fais peur, Joseph, je me sens déroutée!

Il haussa les épaules et alla enfermer le globe de cristal dans un coffre qu'il ferma à l'aide d'une petite clef d'or pendue à son gilet.

— Bien des choses au monde sont extraordinaires et cependant nous y prêtons à peine attention. Et, j'ajouterai, Jeanne, que toi aussi tu me fais peur. Tu ne sais pas où tu vas mais tu y vas très vite, trop vite!...

— Bah!... Je vais vers la fortune, tout simplement, ce qui n'est que justice quand on est née Valois et que l'on a ma tournure. Ce cher cardinal ne fait que réparer les torts du destin, et d'ailleurs il y trouve son compte. Sans moi, il ne peut espérer trouver auprès de la Reine la place qu'il espère. Elle le hait!

— Et... avec toi? Il le peut?

— La Reine m'honore de son amitié, tu le sais fort bien. Pour toi aussi je peux beaucoup... si je veux!

Cagliostro se mit à rire. Il enleva sa robe de nécromant et apparut dans un extraordinaire habit de taffetas bleu galonné d'or sur toutes les coutures. Les années ne lui avaient pas ôté sa propension à une élégance trop ostentatoire et frisant le mauvais goût, bien au contraire.

— Ne t'occupe pas de moi, je préfère! Quant à la Reine... peut-être aurais-je l'envie de vérifier tes dires... s'il n'entrait dans mes plans que les choses demeurent ce qu'elles sont et qu'elles aillent jusqu'où elles doivent aller. C'est-à-dire très loin!

La comtesse s'approcha de Cagliostro avec un sourire un peu anxieux :

— Je ne te confie rien de mes plans ni de mes projets... Que peux-tu savoir?

Sans la regarder, le sorcier répondit, avec un mince sourire :

— Que les joailliers de la couronne, Boehmer et Bossange, ont à vendre un merveilleux collier de diamants, que la Reine a eu envie de ce collier... et que le cardinal est très riche.

La foudre tombant aux pieds de la comtesse de la Motte ne l'eût pas pétrifiée davantage. Elle devint blanche jusqu'aux lèvres et murmura :

— Tu es Satan lui-même, Joseph, pour deviner les secrets d'Etat... Si tu sais cela, tu peux mesurer l'étendue de mon pouvoir. Mais, dis-moi... le cas échéant, m'aiderais-tu... au moins d'un avis?

Cagliostro secoua la tête :

— Non, Jeanne... parce que, je te le répète, il est de mon intérêt que les choses continuent comme elles vont. Pourtant, aujourd'hui et pour la dernière fois, je te conseillerais de te méfier de deux choses : de l'état exact de la fortune du cardinal, et de l'orgueil de Marie-Antoinette, un orgueil dont tu dois avoir appris à te méfier... puisqu'elle est ton amie.

— Naturellement... pourquoi mentirais-je? fit la comtesse un tout petit peu trop nerveusement.

Le sourire de Cagliostro se fit plus amène, plus onctueux :

— Naturellement, pourtant n'oublie pas mes paroles : crains son orgueil... et la date du 15 août!

Avec agitation, la comtesse vérifiait l'ordonnance de sa coiffure devant une glace et mettait ses gants.

– Vois si ma nièce est maintenant prête, dit-elle très vite. Et fais sortir ma chaise. Je veux rentrer tout de suite chez moi. Il est plus que probable que le cardinal tentera de m'y toucher dès qu'il aura lu le courrier de Versailles.

– Immédiatement?... Je regrette que tu partes si tôt.

Elle haussa les épaules et jeta un rapide coup d'œil vers l'étage supérieur :

– De toute façon, ta femme est là, n'est-ce pas?

Dans sa chambre, juste au-dessus du salon où se déroulait cette étrange scène, Lorenza demeurait prostrée sur une chauffeuse au coin du feu. Les années passées, depuis qu'elle avait si précipitamment quitté Lisbonne avec Joseph, avaient glissé sur elle sans laisser la moindre trace. A plus de trente ans, elle conservait l'éclat et l'aspect exact d'une jeune fille de dix-huit ou vingt ans, et sa beauté était plus éclatante que jamais. Cette beauté, cet éclat étaient l'un des atouts maîtres de son mari qui prétendait posséder une extraordinaire recette de jouvence, et même un élixir d'éternité capable de rendre immortel. Il suffisait de regarder la femme pour être persuadé du pouvoir quasi divin du mari.

Mais cette éblouissante beauté qu'elle conservait ainsi, en défi au temps, était devenue presque une charge pour Lorenza. Entre elle et Joseph, le fossé s'était élargi, hérissé de haine, de jalousie, de rancune mal cachée, de pitié superstitieuse aussi. L'amour, chez la jeune femme, n'était plus que jalousie furieuse, exacerbée par les nombreuses femmes qui se ruaient chez le sorcier, prêtes à tous les abandons pour obtenir ses fameux secrets.

Avec Joseph, elle avait couru le monde, après la fuite

de Lisbonne. L'Angleterre d'abord, où avaient fondu les topazes de Cruz Sobral et où une désagréable histoire avec un clergyman avait rendu l'éloignement souhaitable, puis Paris où Lorenza avait réussi à échapper momentanément à Joseph grâce à l'amour d'un certain Duplessis rencontré sur le bateau. Mais Cagliostro, fort de son droit de mari, avait fait arrêter sa femme qui avait été enfermée un moment à Sainte-Pélagie. A nouveau ils avaient fui, talonnés par la misère et l'insatiable besoin d'argent de Joseph...

Que de pays parcourus au cours de ces années!... Malte, puis Naples, Londres à nouveau, Amsterdam, Bruxelles, Varsovie, Saint-Pétersbourg où la Grande Catherine leur avait réservé un accueil flatteur, à nouveau Varsovie, puis Strasbourg... Là, le cardinal de Rohan, épris de sciences occultes, leur avait offert la somptueuse hospitalité de son palais et son château de Saverne. Là aussi, ils avaient rencontré pour la première fois cette comtesse de La Motte et son complaisant mari. Tout de suite, Lorenza avait haï cette femme, en qui elle pressentait un danger, mais Joseph avait immédiatement montré pour elle un intérêt passionné. Des scènes avaient éclaté, vite matées par le pouvoir hypnotique que Cagliostro conservait, plus puissant que jamais, sur sa femme, puis calmées quand les La Motte avaient quitté Strasbourg pour Paris. Mais un an à peine après eux, Cagliostro les avait suivis avec sa femme, emmenés par le cardinal qui souhaitait procurer à son parent, le vieux maréchal de Soubise, atteint d'un commencement de gangrène, les soins de celui qu'il considérait comme le plus grand des médecins depuis qu'il l'avait lui-même guéri d'un asthme impitoyable... De ce jour, cet hôtel d'Orvilliers qu'ils avaient loué, rue Saint-Claude, n'avait pas désempli : Paris et Versailles venaient en masse consulter le sorcier ou le médecin.

D'ailleurs, il fallait bien admettre que la science médicale de Cagliostro était certaine. Les malades étaient rapidement guéris par lui grâce à trois recettes mystérieuses dont Lorenza elle-même ignorait le secret : des bains, d'abord, dans lesquels il fallait mettre certain « extrait de Saturne », une tisane, ensuite, et enfin des gouttes d'un liquide incolore qui constituait le fameux élixir de vie. Où Joseph s'était-il procuré ces recettes? A Malte, peut-être, où il avait travaillé avec le Grand Maître, ce fameux Pinto da Fonseca dont il se prétendait le fils naturel? A Naples, où il avait fréquenté des savants orientaux? Lorenza, pour qui tout cela constituait les plus abominables pratiques magiques, n'avait jamais cherché à en savoir davantage. Avec les années, elle s'accrochait de plus en plus désespérément à sa piété étroite de Romaine et tremblait devant les flammes d'un Enfer qu'elle croyait à chaque instant prêt à s'ouvrir sous ses pas et sous ceux de son infernal mari.

Le bruit de la porte charretière grinçant sur ses gonds la tira de sa torpeur et elle alla à la fenêtre. Une chaise à porteurs franchissait le portail encadré de deux porteurs de torches. La comtesse et sa nièce s'en allaient. La pluie avait cessé tout d'un coup. Les domestiques fermaient l'hôtel. Joseph devait être seul maintenant...

Rassemblant d'une main sa robe de satin feuille-morte, Lorenza se dirigea vers un petit escalier dérobé qui, dans l'épaisseur de la boiserie, descendait directement dans les salons.

Dans son cabinet de travail, étrange pièce qui tenait de la bibliothèque et du laboratoire, Cagliostro était occupé à changer son habit bleu, un peu trop clinquant, contre un sobre habit de velours noir quand sa femme pénétra silencieusement auprès de lui. Dans la glace il la vit venir et il lui sourit :

– J'allais monter chez toi. Je dois sortir...

Il allait à elle, l'embrassait tendrement, mais la chaleur du baiser laissa Lorenza de glace.

– Cette femme est enfin partie? dit-elle durement.

Cagliostro soupira :

– Cesse d'être jalouse d'elle, Lorenza, je te jure qu'il n'y a aucune raison.

– Elle est ta maîtresse... ou du moins, elle l'a été. C'est assez, il me semble.

– C'est surtout ridicule. Je te répète depuis des années que j'ai besoin d'elle, qu'elle est un pion majeur sur mon échiquier.

– Tu dis cela, mais tu me trompes, une fois de plus...

Cagliostro regarda sa femme avec désespoir. Elle était devenue si dure, si fermée!... Le temps de l'amour était bien passé chez elle mais, chez lui, il était au plein de son épanouissement. Il était fier d'elle, de cette beauté merveilleuse qu'elle conservait si bien et dont il avait fini par s'éprendre sérieusement. Le temps était lointain, maintenant, des complaisances qu'il exigeait d'elle, et, quand le souvenir lui en venait, le rouge de la honte montait au front de l'homme étrange, indéchiffrable, qu'il était devenu. A mesure qu'elle s'éloignait de lui, il cherchait à s'approcher d'elle, à l'atteindre, désespéré de sentir qu'il était sans doute trop tard... Son pouvoir magnétique était le seul qu'il conservât sur elle et à chaque instant, il tremblait que ce pouvoir lui fût retiré...

– Je te jure que je ne l'aime pas, fit-il d'un ton las. Que je ne l'ai jamais aimée. Je n'aime que toi, Lorenza, toi qui refuses de comprendre, de voir qu'enfin nous allons peut-être atteindre le bonheur. Encore un petit effort et notre fortune sera définitivement assurée, ma mission remplie... C'est pour cette mission que j'ai besoin d'elle, un besoin impérieux. Ne peux-tu me croire?

Lorenza éclata d'un rire dur, sec :

– Ta mission?... Ah oui! Détruire la monarchie en France comme d'autres tentent de le faire dans d'autres pays. Crois-tu vraiment, toi, infime, y parvenir?...

– Les loges maçonniques se multiplient. Les idées font leur chemin. La monarchie croulera, tu entends, elle croulera avant peu. Et c'est cette femme, cette misérable créature gangrénée, pourrie jusqu'à la moelle, qui lui portera l'un des coups les plus rudes. Il me faudrait des années avant d'accomplir ce qu'elle est en train de faire. Attends seulement quelques mois...

Le regard noir, insondable, du sorcier semblait chercher, dans les flammes de la cheminée, la suite d'images que lui seul pouvait voir. A cette minute, il revêtait une sorte de grandeur prophétique, un aspect à la fois redoutable et mystérieux. Précipitamment, Lorenza se signa plusieurs fois.

– J'ignore d'où tu tires ce pouvoir de connaître l'avenir, Joseph, je ne veux pas le savoir; mais je crois que tu as vendu ton âme au diable et que tu es damné...

Cagliostro haussa les épaules tristement :

– Satan est-il le seul qui puisse permettre à un homme de prédire les événements? La connaissance profonde du cœur humain et l'observation précise des événements permettent déjà de deviner bien des choses. Je ne suis pas le diable, Lorenza... et pour toi, j'aimerais n'être qu'un homme, seulement ton mari...

– J'ai eu un mari que j'aimais. Tu l'as tué...

Brusquement, il saisit le poignet de Lorenza, le serra dans son poing :

– Je peux peut-être le ressusciter? Ne sais-tu pas que je peux évoquer les morts? Si je te rendais ton mari, Lorenza, ce Joseph Balsamo que tu aimais tant...

Avec un cri elle s'arracha à son emprise, se réfugia au fond de la pièce, les deux mains sur les oreilles, saisie d'épouvante :

– Tais-toi, je ne veux plus t'entendre... Tu es un impie...

Avec un soupir résigné, Cagliostro se détourna, saisit une grande cape noire à col de velours qu'il drapa sur ses épaules :

– Rentre chez toi, Lorenza... et dors. Tu en as besoin et je le veux. Moi, je vais à la Loge Egyptienne. Nous y recevons cette nuit de nouveaux récipiendaires. Je rentrerai tard sans doute. Bonne nuit...

Quelques semaines plus tard, au soir du 27 mars, tandis que la foule joyeuse battait les grilles du château de Versailles illuminé, que l'on chantait et dansait dans les rues, que les pièces d'artifice incendiaient le ciel et que le canon tonnait sans arrêt en l'honneur de la naissance de Monseigneur le duc de Normandie qui allait être le dauphin un peu plus tard, le roi Louis XVI recevait dans son cabinet, soigneusement clos, son ministre, Calonne, et son lieutenant de police, Jean Lenoir.

Malgré l'allégresse de cette journée, le Roi paraissait fort mécontent. Il arpentait la grande pièce nerveusement, écrasant de son talon rouge le superbe tapis de la Savonnerie, et, de temps en temps, revenait à son bureau pour assener un coup de poing sur un dossier grand ouvert :

– La mesure est comble, Monsieur le lieutenant de police! Les charlataneries de ce Cagliostro n'ont plus de bornes et il est urgent d'y mettre bon ordre. Passe encore pour ces bizarres dîners qu'il donne chez lui et où il fait dîner des morts avec des vivants, à ce que l'on dit...

– Parfaitement exact! intervint Calonne. La comtesse de Briars, qui est fort amie de ma femme, prétend avoir dîné chez lui avec Voltaire, d'Alembert, Diderot et Montesquieu. Le marquis de Ségur jure qu'il a eu l'honneur de rencontrer Jeanne d'Arc et même Charlemagne!...

Le Roi devint rouge de colère et foudroya son ministre du regard :

– Madame de Briars est une vieille folle qui ne jure que par ce charlatan depuis qu'il lui a enlevé quelques rhumatismes. Mais j'avoue que je croyais le marquis de Ségur d'un sens plus rassis... Il faut que cet homme les ait suggestionnés, hypnotisés, endormis, que sais-je?

– Ou simplement qu'il ait des comparses fort adroits, fit tranquillement Calonne. Il paraît qu'il était absolument interdit de toucher les convives-revenants, même du bout du doigt.

– Ceci n'est pas bien grave, intervint Lenoir. J'aime beaucoup moins cette loge maçonnique de rite égyptien qu'il a créée. Le duc de Luxembourg en est l'un des dignitaires et Cagliostro y porte le titre de Grand Cophte...

– Des momeries, rien que des momeries! coupa le Roi. Mais cette loge féminine d'Isis est proprement scandaleuse.

– Ah oui? fit le ministre qui n'avait pas assisté au début de l'entretien. De quoi s'agit-il donc?

– De dames de la Cour, Monseigneur, pour qui Cagliostro aurait fondé une loge féminine dont la première séance, d'initiation, s'est tenue ces jours-ci. Or, cette initiation... comportait certaines choses qui... que...

– En un mot, coupa le Roi brutalement, ces dames ont dû d'abord faire preuve de leur résistance aux sollicitations masculines dans les bosquets d'un jardin puis, ensuite, se dévêtir entièrement pour recevoir le « baiser de l'amitié » dans la pureté et l'innocence originelle...

Un éclat de rire, vite réprimé, échappa au ministre. Le Roi fulmina :

– Ah!... vous trouvez cela drôle? Songez au scandale, Monsieur, et que dira la Reine?

– Peut-être vaudrait-il mieux, hasarda Calonne en faisant effort pour retrouver son sérieux, ne pas importuner Sa Majesté avec de pareilles choses, surtout un jour comme celui-ci! Et, Sire, je supplie Votre Majesté de m'excuser. J'avoue que le drôle paraît avoir une imagination débordante...

– Vous aussi, Monsieur, à ce qu'il semble!... En tout cas, retenez, Monsieur Lenoir, que j'interdis à l'avenir ce genre de... manifestations. Pour aujourd'hui, en l'honneur de la naissance de notre fils, nous ne poursuivrons pas plus avant ce Cagliostro, mais qu'il se tienne tranquille. Le bonsoir, Messieurs, je passe chez la Reine...

Les mains au dos, Louis XVI sortit de son cabinet à pas rapides, salué profondément par ses deux ministres.

Dans les premiers jours du mois d'août, Cagliostro, en passant à pied dans la rue Neuve-Saint-Gilles, proche de son domicile, vit que cette rue, étroite et encaissée, était fort perturbée et qu'une somptueuse berline de voyage en tenait toute la largeur. Cette berline, dont le toit et l'arrière débordaient de caisses, cartons, sacs et autres bagages, était juste arrêtée devant le domicile de La Motte d'où partait toute cette agitation. Des serviteurs descendaient, chargés d'autres caisses qu'on empilait sur un fourgon rangé derrière la berline. On descendait même des meubles...

Amusé, il s'arrêta, regarda au milieu des autres badauds. Au bout d'un moment, il vit apparaître la comtesse et le comte, en habits de voyage, et s'élança vers eux.

– Vous partez donc? fit-il en se découvrant pour saluer Jeanne et son mari.

S'ils furent surpris et vaguement contrariés de le voir, ceux-ci n'en montrèrent rien et sourirent avec ensemble.

– Mon Dieu oui! fit la comtesse. On étouffe dans ces rues étroites, et nous allons chercher l'air pur dans notre maison de Bar-sur-Aube.

– Vous n'allez qu'à Bar? Avec tout ce... déménagement? Vrai, j'aurais cru que vous passiez au moins la frontière. Après tout, la route de Bruxelles peut passer par Bar-sur-Aube.

Jeanne se mordit les lèvres. Son mari vint à son secours :

– Ma femme se sent faible, ces temps-ci. Elle a besoin de repos. C'est pourquoi je l'emmène.

– Comme vous avez raison! Et puis Bar-sur-Aube est une région charmante. Il y fera, ces temps-ci, bien meilleur qu'à Paris. Vous y serez à merveille pour passer les fêtes du 15 août...

Le rappel de la date que Cagliostro lui avait annoncée comme dangereuse fit pâlir la comtesse mais elle surmonta son émotion, releva fièrement le menton et s'apprêta à monter en voiture. Galant, Cagliostro lui offrit la main :

– Vous avez là une admirable voiture!... Je vois que la fortune s'est enfin décidée à vous sourire... Avez-vous vu la Reine avant votre départ? Car... je gage que vous avez son congé.

Le regard vipérin que lui lança Jeanne le fit sourire. Il se pencha et baisa doucement le bout des doigts qu'il tenait toujours :

– Bon voyage, donc, ma chère... Et j'espère que vous nous reviendrez bientôt.

– N'y comptez guère! Je désire rester longtemps...

– Bah!... « Les hommes proposent et Dieu dispose! »

disent les bonnes gens. Je crois, moi, que Paris ne pourra pas longtemps se passer de vous...

Il recula pour laisser démarrer la voiture au fond de laquelle Jeanne se dissimulait. Tandis qu'elle s'ébranlait avec un bruit de tonnerre, il haussa les épaules, méprisant :

– Fuis, si tu y tiens!... L'orage va éclater et il saura bien te rattraper.

Tout en regagnant sa maison, il se dit que Jeanne était réellement beaucoup moins belle que Lorenza, surtout quand elle avait peur... comme maintenant.

L'orage éclata à la date prévue. Le 15 août devait se déclencher ce qui allait être la fameuse « Affaire du Collier de la Reine » dans laquelle Marie-Antoinette, bien qu'innocente, laissa une partie de son honneur. On connaît les faits : la comtesse de La Motte, se donnant pour amie de la Reine qu'elle n'avait en fait jamais vue, persuade le crédule cardinal de Rohan d'acheter, à l'insu du Roi, le magnifique collier de Boehmer et Bossange. La Reine, lui dit-elle, s'engage à payer le collier par traites, de six mois en six mois, le cardinal doit seulement prêter son nom à l'affaire, acheter officiellement. De fausses lettres de la Reine, écrites par le faussaire Réteau de Vilette, persuadèrent Rohan, ainsi qu'une entrevue nocturne dans le parc de Versailles avec un sosie de la Reine habillé d'une de ses robes. Le collier est remis au cardinal qui le remet à la comtesse qui le remet à un soi-disant émissaire de la Reine. En fait, elle garde le collier qu'elle démonte et commence à faire vendre à Londres par son mari. Elle pense que, lorsque le cardinal comprendra qu'il a été dupé, il se hâtera de payer les 1600000 livres du collier plutôt que d'avouer son ahurissante crédulité. Mais elle compte sans les joailliers qui, voyant la première échéance demeurer impayée, vont à Versailles, obtiennent audience de la Reine qui tombe des nues puis, quand elle devine ce qui s'est passé, entre dans une violente colère. Et c'est le drame.

Après une scène orageuse dans le cabinet du Roi, alors que le cardinal, en grand habit d'aumônier se rend à la chapelle pour célébrer la messe de l'Assomption, un ordre retentit :

– Arrêtez Monsieur le Cardinal au nom du Roi!...

Peu de temps après, les La Motte sont arrêtés à Bar-sur-Aube ainsi que Réteau le Faussaire et Oliva, la fille qui ressemblait trop à la Reine. Mais ce que n'avait pas prévu Cagliostro c'est que la comtesse de La Motte, folle de rage, allait le dénoncer comme l'instigateur du complot. Le 23 août, l'exempt des Brunières se présentait chez lui, armé de toutes pièces et escorté de huit soldats, mettait sa maison au pillage pour découvrir des preuves et le traînait avec Lorenza à la Bastille. Une date fatidique qu'il n'avait guère appréhendée...

Neuf mois plus tard, le Ier juin 1786, Cagliostro et Lorenza se retrouvèrent seuls, face à face, dans le grand salon de leur maison dévastée. Au-dehors, la foule qui les avait ramenés triomphalement du Palais de justice continuait à les acclamer mais eux, à bout de forces, se reconnaissaient à peine.

La veille, les soixante-quatre magistrats de la Grand-Chambre, réunis à 6 heures du matin dans la salle Saint-Louis, avaient rendu leur jugement qui acquittait Rohan et Cagliostro, condamnait la comtesse de La Motte au fouet, à la marque au fer rouge et à l'internement à la Salpêtrière, le comte et Réteau de Vilette aux galères et acquittait aussi Oliva. La foule a acclamé les libérés, les a portés en triomphe, ramenés chez eux au milieu des fleurs. Mais maintenant qu'elle s'est retirée, les deux époux peuvent mesurer les dégâts...

Silencieusement, Lorenza passe d'une pièce dans

l'autre, touchant les meubles éventrés, les tentures arrachées. On dirait qu'un régiment a campé là... Effondré dans un fauteuil, Cagliostro la regarde faire. Soudain, il se relève, sourit :

— Ce n'est pas grave après tout... Ceci sera bien vite remis en état. Et maintenant, nous allons pouvoir vivre pour nous... rien que pour nous!

Lorenza haussa les épaules, désabusée :

— Qu'y a-t-il de changé? Notre situation est la même que par le passé.

Joseph vint à elle, posa doucement ses mains sur ses épaules :

— Non... Le char est lancé, maintenant, et je n'ai plus qu'à le laisser rouler. La Monarchie va vers son tombeau et mon rôle est presque terminé. Ne serait-il pas temps de ressusciter ce mari que tu regrettais tant, il y a quelques mois? Si tu voulais, Lorenza, nous pourrions encore être heureux.

Elle releva vers lui des yeux incertains. Pour la première fois depuis longtemps, il lui semblait sincère. Il y avait, dans son regard, une chaleur, une tendresse qu'elle n'y avait pas vues depuis bien longtemps... depuis les tout premiers temps de leur mariage. Ensuite il avait toujours été si dur, tellement cynique!...

— J'ai peur que toi non plus tu ne puisses plus t'arrêter, Joseph... Tu es pris dans un engrenage maudit qui te détruira. On ne peut impunément braver Dieu... Tôt ou tard il aura son heure!...

— Si je l'attends près de toi, elle ne me fera pas peur. Et puis... tu me convertiras peut-être. Nous allons être si tranquilles, maintenant. Si heureux, ici, tous les deux...

— J'ai peur que nous n'en ayons pas le temps. Le bonheur n'est pas pour nous, Joseph, tu l'as trop dédaigné, jadis...

En effet, le 13 juin au matin, le poing de l'exempt des Brunières ébranlait à nouveau la porte de l'hôtel d'Orvilliers. Il portait un parchemin revêtu du sceau royal.

« Par ordre du Roi, le sieur Cagliostro et son épouse devront quitter Paris dans les quarante-huit heures, la France dans les trois semaines... »

Silencieusement, Cagliostro prit le papier, le lut, puis le rendit à l'exempt.

— C'est bien, dit-il.

Mais, en se retournant, il évita de regarder Lorenza.

Le soir même une chaise de poste les emportait vers Calais. La vie errante reprenait, la vie sans repos, sans trêve...

III

LA VENGEANCE DE LORENZA

Ce début d'août 1789 écrasait Rome sous le poids d'une intolérable chaleur et des miasmes pestilentiels venus du Tibre presque à sec et des marais proches. Mais, dans l'église San Salvatore in Campo où s'achevait le salut du soir, il régnait une fraîcheur de cave malgré le brasillement des nombreux cierges.

Cachée derrière un pilier, proche du confessionnal dont elle venait de sortir, Lorenza de Cagliostro était abîmée dans une profonde prière. Elle se tenait agenouillée sur les dalles, courbée, le visage caché dans ses mains sous la longue mantille noire qui couvrait sa tête; et, de temps en temps, ses épaules se soulevaient sous l'impulsion d'un sanglot. Le chant de l'orgue ne lui parvenait qu'à travers une épaisse couche ouatée, en contrepoint de la voix mesurée du prêtre qu'elle entendait toujours, ce prêtre au visage inconnu, caché dans l'ombre épaisse du confessionnal, qui venait de lui infliger la plus cruelle blessure jamais ressentie :

– Je ne puis vous donner l'absolution de vos péchés, ma fille, tant que vous continuerez à profiter des manœuvres criminelles, impies, de cet homme avec qui vous vivez.

– Mais il est mon époux, mon père, mon époux devant Dieu... C'est dans cette même église que nous avons été unis voici vingt ans...

– Je sais, je vous ai reconnue. Vous êtes la fille de Feliciani, le fondeur de cuivre qui vivait ici près, la petite Lorenza dont on vantait la piété, la crainte de Dieu. Il vous faut retrouver le droit chemin, ma fille, ce droit chemin que vous avez méprisé depuis tant d'années.

– Que puis-je faire? Il est mon mari et la loi divine, comme la loi humaine m'obligent à le suivre et à lui obéir en tout.

– Sauf en ce qui regarde le salut de votre âme. Le chemin de facilité voudrait que je vous conseille la fuite, la retraite en quelque couvent, mais votre devoir est de rester auprès de lui, de vous opposer de toutes vos forces à l'œuvre démoniaque qu'il poursuit...

– Comment pourrais-je le faire? Il ne me demande jamais conseil... Et je ne suis que faiblesse devant lui. Il a sur moi un empire... diabolique.

– Nous vous aiderons. Revenez autant que vous le souhaiterez chercher ici la force, le courage de lutter pour retrouver ce Dieu que vous avez si gravement offensé. Et si votre mari ne voulait pas se laisser convaincre, il vous serait alors loisible de chercher une aide... plus efficace. Le Saint-Office a su ramener à la raison bien des pécheurs endurcis...

— Le Saint...

— Pourquoi non, si c'est pour le bien de l'âme de cet homme que vous avez aimé? Car vous l'avez aimé, n'est-ce pas?

— Je le hais!... et j'ai peur de lui!

— Une vraie fille de l'Eglise ne doit rien craindre des pièges du démon. Souvenez-vous de mes paroles, ma fille, et mettez-les en pratique. Ici, vous pouvez venir frapper... à n'importe quelle heure du jour ou de la nuit. Dites un acte de contrition. Je ne puis encore vous absoudre mais je vais vous bénir pour vous donner courage...

Ces paroles bourdonnaient dans la tête de la pauvre femme et la prière éperdue, incohérente, qu'elle adressait au ciel n'était que l'expression de ce désarroi parvenu à son paroxysme. Une main, se posant sur son épaule, la ramena à la réalité :

— On ferme, signora, il est l'heure...

Elle regarda le vieux bedeau comme un revenant, avec des yeux qui ne distinguaient pas. Mais, comme il l'aidait à se relever, elle comprit qu'il était temps de partir. Baissant soigneusement son voile noir sur son visage et adressant à l'autel éteint une rapide génuflexion, elle se dirigea vers la porte. La lumière toujours vive du dehors la surprit, ainsi que la chaleur suffocante qui lui sauta au visage. Elle avait tant vécu dans les pays du Nord qu'elle avait oublié la touffeur de l'été romain, et le soleil, encore haut, n'apportait pas beaucoup d'ombre, sauf contre le mur d'un vieux palais devant lequel des enfants jouaient au palet. Un chevrier traversa la place à la tête de son troupeau, jouant un air aigrelet sur son piccolo. Quand il fut passé, Lorenza quitta l'abri du porche, et se lança à travers les rues brûlantes.

Arrivés à Rome depuis peu, à la demande expresse de

Lorenza qui n'en pouvait plus de courir le monde et souhaitait retrouver sa ville natale, les Cagliostro avaient d'abord logé dans une auberge de la place d'Espagne, au pied de la Trinité des Monts, mais, ayant trouvé à louer une petite maison place Farnèse, ils venaient de s'y installer.

La vie ne leur avait guère été clémente depuis les remous du procès du Collier de la Reine, trois ans plus tôt. Ils avaient d'abord gagné Londres mais Cagliostro y était trop connu et ils étaient partis pour la Suisse, à Bienne, où le peintre Lautherbourg leur avait offert l'hospitalité. Mais la femme du peintre était beaucoup trop jolie et son mari presque aussi jaloux que Lorenza. Afin d'éviter une sanglante bagarre, les éternels errants avaient encore repris leur route, vers Aix-les-Bains, alors en territoire sarde, puis vers Turin, Roveredo et Trente. Partout, Cagliostro avait fondé de ses fameuses loges maçonniques dont le principal souci était de saper l'ordre établi et les principes religieux. Et de partout il avait été expulsé. C'est alors que l'on avait pris la direction de Rome, bien légèrement à dire vrai, car c'était, en fait, se jeter dans la gueule du loup. Une étrange idée pour un thaumaturge athée, considéré comme un agitateur dangereux par presque toutes les polices européennes, que venir s'installer dans la ville papale, au cœur même des principes combattus... Mais Lorenza avait tant prié, tant insisté, tant menacé même de l'abandonner que Joseph avait fini par se laisser convaincre. Malgré les vicissitudes subies ensemble, les bagarres, les scènes violentes, il était plus que jamais attaché à sa femme, et l'âge qui commençait à alourdir ses épaules faisait de cet amour une sorte de passion maladive, jalouse...

La petite maison qu'ils habitaient, en face du fastueux palais Farnèse, était loin d'être luxueuse. Le temps n'était plus des fastes de la rue Saint-Claude et l'argent se faisait rare. Les Cagliostro vivaient d'expédients et de charités que leur faisaient les frères maçons. Car l'incorrigible Joseph n'avait rien eu de plus pressé, en arrivant, que recruter des adeptes pour fonder, là aussi, une loge d'illuminés, suivant l'étrange rite égyptien qu'il avait inventé. C'était d'autant plus dangereux à Rome, qu'outre la police papale, extrêmement active, il existait déjà une autre loge, très secrète et très puissante, dite Loge des Vrais Amis, qui était presque aussi dangereuse que les sbires pontificaux.

Lorsque Lorenza rentra, après avoir fait quelques achats pour le repas du soir, elle trouva son mari installé dans le petit salon du premier étage, avec deux étranges personnages qui étaient devenus ses commensaux habituels. L'un était un nommé Antoine Roulier, capucin de son état et révolutionnaire en sous-main, dont Cagliostro avait fait son secrétaire. L'autre était un petit bonhomme d'une cinquantaine d'années, à l'œil rusé, vif comme une souris et très pointilleux sur le chapitre de l'élégance vestimentaire malgré une bosse fort apparente. Ce bizarre personnage s'appelait Charles-Abel de Loras et était bailli de l'Ordre de Malte. Il représentait l'Ordre dans les procès qui pouvaient se plaider dans la Ville Eternelle, logeait au palais de Malte et désirait éperdument devenir ambassadeur du Grand-Maître auprès du Vatican.

C'était l'intérêt qui avait rapproché ces trois personnages bien plus que la passion des idées philosophiques. Loras comptait sur les relations que Cagliostro avait pu garder avec le cardinal de Rohan, alors exilé dans son abbaye de La Chaise-Dieu, pour obtenir le poste tant convoité. En effet, le Grand-Maître de Malte était un Rohan, lui aussi. Quant à Cagliostro, il avait dans l'idée de se retirer un prochain jour à Malte, lorsque le sol de Rome deviendrait trop brûlant pour lui, et d'y vivre enfin en paix. Pour cela, Loras pouvait lui être d'une grande utilité. Seul, le cordelier n'avait pas d'ambition personnelle. C'était un illuminé bon teint.

A l'entrée de Lorenza, le capucin écrivait quelque chose sous la dictée de Cagliostro tandis que Loras, renversé dans un fauteuil, buvait à petits coups un verre de vin blanc des Castelli Romani. Ils se levèrent devant la jeune femme que son mari embrassa sans paraître remarquer qu'elle ne lui rendait pas son baiser.

– Que dit-on en ville? demanda-t-il.

Elle haussa les épaules :

– Peu de chose! La chaleur et la fièvre déciment les troupeaux dans la Campagna et l'on a retiré du fleuve, ce matin, le cadavre d'un homme ligoté. Il était complètement défiguré à coups de couteau et portait un carton avec un emblème maçonnique sur la poitrine...

Cagliostro frissonna légèrement mais se força à sourire :

– Hum!... Les Vrais Amis semblent avoir la main lourde! Un traître sans doute...

– Ou un adversaire! fit tranquillement Loras. Ils ne nous aiment guère et c'est peut-être l'un des nôtres.

– Nous verrons bien, à la prochaine séance, si nous sommes au complet. Mais la situation semble se tendre. N'avez-vous reçu aucun courrier de Malte, mon cher Loras?

– Aucun! Mais il ne faut pas désespérer. Les Barbaresques font de nombreuses sorties, ces temps-ci, et les galères de la Religion ont fort à faire pour leur barrer le passage. Le courrier peut facilement prendre du retard dans ces conditions.

– C'est trop juste! Laissons cette lettre pour l'instant, Père Roulier. Il fait trop chaud, vraiment, pour s'occuper d'affaires. Nous pourrions faire un tric-trac ou une bouillotte?

Les trois hommes allaient s'installer auprès d'une table à jeu quand la cloche de la porte d'entrée, violemment tirée, résonna. On entendit parlementer un instant la servante, au rez-de-chaussée, puis un homme hors d'haleine, jeune et élégant mais dont les vêtements montraient tout le désordre intérieur, fit irruption dans la pièce.

– Je viens de la poste aux chevaux! s'écria-t-il. Il y a des nouvelles de France, de grandes nouvelles pour la Liberté...

– Quoi donc? Dites vite...

Mais le jeune homme hors d'haleine, qui n'était autre que le marquis Vivaldi, autre affilié, commença par se laisser choir dans le fauteuil qu'avait quitté Loras et par se verser une grande rasade de vin. Quand il eut vidé son verre jusqu'à la dernière goutte, seulement alors il jeta :

– Le peuple de Paris a pris la Bastille, le 14 juillet. On a décapité le gouverneur et démoli la forteresse. Bien plus, les députés du Tiers Etat ont forcé les Etats Généraux à se former en Assemblée Constituante. La monarchie absolue est morte!...

Une tempête d'exclamations salua cette nouvelle stupéfiante, mais, seul, Cagliostro gardait le silence. Apparemment absent, il paraissait concentrer toute son attention à regarder, par la fenêtre ouverte, le carrosse qui entrait au palais Farnèse. Mais Lorenza le vit sourire imperceptiblement.

– Comment, mon cher comte? s'indigna Loras. Vous ne dites rien de cette grande nouvelle?

– Pardonnez-moi, mon ami!... C'est qu'au contraire, cette nouvelle m'émeut tellement que je ne trouve pas les mots pour traduire mes impressions. Les premiers soubresauts d'un peuple qui secoue ses chaînes, c'est un spectacle d'une telle grandeur...

Vivaldi bondit sur ses pieds :

– Il nous faut réunir les Frères dès cette nuit afin de discuter immédiatement des dispositions à prendre. Ce souffle de liberté peut, si nous savons l'exploiter, descendre jusqu'à nous...

– En effet, fit Cagliostro, réunissons les Frères dès cette nuit...

– Alors, je cours les avertir...

Et il disparut aussi vite qu'il était venu tandis que les trois autres se lançaient à corps perdu dans une discussion passionnée. Le ton montait, enflé par l'enthousiasme, mais soudain la voix de Lorenza se fit entendre, froide comme glace :

– Un peu moins haut, Messieurs, je vous prie, ou laissez-moi fermer les fenêtres. J'aperçois, au coin de la place, une silhouette vêtue de noir qui a l'air de s'intéresser à cette maison...

Ce fut magique. Aussitôt le silence se fit...

Tard dans la nuit, Cagliostro rentra chez lui, mais au lieu de gagner sa chambre, voisine de celle de sa femme, il descendit dans la cave où il avait installé un laboratoire rudimentaire. Il y fabriquait les pâtes, onguents, baumes et électuaires qu'il vendait à sa clientèle et qui lui permettaient de vivre. Il y fabriquait aussi certains philtres, beaucoup moins recommandables mais d'un meilleur rapport. Pourtant, ce n'était pas pour travailler qu'il était descendu au milieu de ses bocaux et de ses cornues, mais plutôt pour trouver le calme nécessaire à la réflexion. Il se mit donc à arpenter le caveau voûté, en long et en large, visiblement en proie à une idée obsédante.

Il était si absorbé qu'il n'entendit pas sa femme descendre l'escalier et ne découvrit Lorenza, toute blanche dans ses vêtements de nuit, que lorsqu'elle fut devant lui. Elle avait tellement l'air d'une apparition qu'elle lui parut la continuation de ses rêves et il ne marqua aucune surprise de la voir là :

— Tu ne dormais pas? J'espérais que tu ne m'avais pas entendu rentrer.

— J'ai le sommeil très léger, et cette porte grince tellement! Pourquoi ne vas-tu pas te coucher, Joseph? Tu as du travail ici? Pourtant, tes fourneaux ne sont pas allumés...

— Je ne peux pas dormir. Cette nouvelle m'a bouleversé, rempli d'une telle joie que je ne peux encore y croire. Ainsi, mon œuvre a porté ses fruits plus tôt encore que je ne l'espérais. Souviens-toi, quand nous avons quitté Paris, j'ai adressé au peuple français une lettre où j'annonçais que cette Bastille maudite où nous fûmes enfermés serait rasée et son emplacement transformé en place publique... Mais je ne pensais pas que le destin me donnerait raison si vite.

— En effet, admit Lorenza, rêveuse. Tu as bien souvent annoncé des événements qui sont arrivés tels que tu l'avais prédit... Mais, Joseph, ta vision de l'avenir s'arrête-t-elle à nous? Ne peux-tu voir, comme moi, l'abîme où nous courons ensemble?

— Pour moi-même, je n'ai jamais pu obtenir des médiums... Et puis, Lorenza, tu sais bien que je ne parviens pas à trouver ici la vierge dont j'aurais tellement besoin pour prévoir les événements qui vont se dérouler. Il faudrait une fille très jeune, idéalement pure comme cette petite Latour que nous avions à Paris, très réceptive... Mais si nous trouvions l'oiseau rare, nous ne pourrions pas la décider. Dans cette ville peureuse et bigote...

— Tais-toi! coupa Lorenza impérieusement. N'insulte pas davantage ceux qui respectent la loi divine. Tu as lassé Dieu avec tes pratiques magiques, Il t'en ôte les moyens. Prends garde qu'Il ne fasse plus...

— Ne sois pas stupide, Lorenza. Il n'est pas impie de chercher la vérité...

— Par tes moyens, si!...

— Nous ne nous sommes jamais compris, sur ce sujet, soupira Cagliostro, et il est probable que nous mourrons sans y parvenir. Mais, pour le moment, je te jure que je n'ai en vue que notre sécurité. Le danger grandit à chaque instant autour de nous. Je sens des espions attachés à mes pas et, cette nuit même, nous avons dû écourter la réunion à cause de figures suspectes qui hantaient les abords de la Trinité-des-Monts...

— Ne devions-nous pas aller nous fixer définitivement à Malte?

— L'adhésion du Grand-Maître tarde à arriver... et puis Malte est encore terre d'Eglise. Y serions-nous vraiment en sûreté? J'ai une nouvelle idée, depuis ce soir...

— Laquelle?

— Pourquoi ne pas regagner la France? Le Roi y est impuissant, désormais, et j'y compte de nombreux adeptes. J'y serais trop puissant pour que ce qui reste de sa police puisse m'inquiéter. Un grand rôle politique pourrait m'attendre dans les bouleversements qui commencent... Plus j'y pense, plus je songe que là est le salut...

— Non!...

Le mot avait claqué si brutalement que Joseph, surpris, regarda sa femme :

— Pourquoi non? En France, je te rendrais certainement très vite tout le luxe que nous y avions jadis. Bien plus peut-être...

— Non, Joseph, je ne veux pas aller en France, je veux rester ici... ici ou à Malte. La France va être le théâtre d'événements impies et je veux sauver mon âme, tu entends, je ne veux plus te suivre dans tes œuvres sataniques...

— Encore! fit Cagliostro d'un ton las.

— Encore et toujours! Tu dis et tu répètes que tu m'aimes, mais tu fais tout pour me rendre folle. Tu m'as trompée, tu me trompes peut-être encore...

— Non, je te jure que non!

— ... et maintenant tu veux m'arracher le repos que j'essaie de retrouver.

— Mais, malheureuse, songe que, si nous demeurons ici, le repos que tu désires c'est au fond d'un cachot du château Saint-Ange que nous le trouverons!... Si ce n'est au fond du Tibre avec un boulet au cou. Oui, je t'aime, tu le sais bien. Mais je me demande si toi, Lorenza, tu m'aimes encore.

Lentement, Lorenza secoua la tête, négativement. Son regard, devenu fixe, regardait son mari sans le voir :

— Non, Joseph, je ne t'aime plus, tu me fais horreur... Mais je veux sauver ton âme parce que c'est la seule chose importante...

— Mon âme?... Laisse-la en paix! s'écria le sorcier, hors de lui. Jamais je n'aurais dû te ramener ici. Tu t'y es retrempée dans toutes les superstitions de ton enfance.

— Dans ma foi, oui, et j'entends y rester!...

— Alors, tu y resteras seule! Moi, je partirai. J'irai en France, sans toi...

Elle vint vers lui et posa sa main sur le bras de son mari :

— Tu es mon mari, Joseph, envers et contre tout, et je suis ta femme. Je dois te suivre... Mais je t'entraînerai là où il faut que tu ailles, que tu le veuilles ou non...

La messe de l'aube trouva Lorenza agenouillée dans le confessionnal de San Salvatore :

– Il veut partir, mon Père, il veut aller en France, retourner dans ce pays où Dieu est bafoué un peu plus chaque jour...

– A aucun prix il ne faut qu'il y aille... La France prend un chemin très dangereux. Si vous laissiez votre mari vous entraîner là-bas, vous seriez à jamais perdue, sans espoir de rachat... et lui avec vous. Mais, étant frappé d'exil, il ne peut y rentrer qu'avec une autorisation officielle.

– Il m'a dit hier qu'il comptait la demander prochainement à la nouvelle Assemblée Constituante. Selon lui, ce qu'il a effectué là-bas, pour la cause de la Révolution, doit lui servir d'introduction et de garantie. Il est sûr d'être bien accueilli.

– Je crains qu'il n'ait que trop raison!... Surveillez-le, ma fille, il ne faut pas que cette lettre parte, quand il l'écrira. A aucun prix. A propos, vous n'avez toujours pas appris où se tiennent les réunions de cette Loge maudite!

Dans l'ombre elle secoua la tête :

– Non... Je crois qu'il se méfie un peu de moi. Il n'a jamais voulu me le dire. Je peux encore essayer...

– Bien entendu, mais le plus important est d'empêcher ce départ.

Pendant plusieurs jours, Lorenza observa son mari. Mais, soit qu'il n'eût pas encore pris sa décision, soit qu'il attendît la confirmation de la tournure prise par les événements en France, Cagliostro ne reparla pas de son projet et consacra tout son temps à la préparation de ses produits pharmaceutiques. Il semblait pris tout entier par son travail et, même, pendant les visites de Loras et des Vivaldi, mari et femme, on ne parlait pas politique, seulement d'événements généraux, ou bien d'art, ou, en tout cas, de sujets innocents.

Peut-être aussi cette sagesse toute nouvelle était-elle

le fruit de la prudence. En effet, sur la fin de l'été, les promenades de silhouettes noires, furtives et inquiétantes, au déclin du jour, se firent plus nombreuses. Quand la nuit était complètement tombée, on pouvait voir les ombres noires de la place s'animer légèrement, trahissant les sbires à l'affût. Si Cagliostro et ses amis se rendaient toujours aux réunions de leur fameuse Loge, Lorenza eût été bien en peine de le dire car elle n'en sut et n'en vit rien.

Chaque soir, à la tombée du jour, désormais, Cagliostro fermait son cabinet, renvoyait les malades qui pouvaient encore demeurer et restait tranquillement chez lui. Après le souper il montait se coucher toujours à la même heure et ne reparaissait qu'avec le jour. Et jamais Lorenza ne put surprendre le grincement de la porte indiquant qu'il sortait. Elle ignorait que la cave de sa maison communiquait avec celle d'une maison voisine donnant sur une ruelle par laquelle il était possible de s'échapper, particularité qui avait fortement influencé Cagliostro quand il avait loué cette petite maison...

Vint l'automne.

Le capucin-secrétaire relut soigneusement la lettre, corrigea un mot impropre, puis la tendit à Cagliostro :

— Croyez-vous que l'Assemblée française vous donnera satisfaction?

— Pourquoi pas? Elle ne peut méconnaître le travail que j'ai fait là-bas. J'aurais pu éviter le terrible scandale du Collier qui a porté un tel coup au prestige royal, j'aurais pu neutraliser cette comtesse de La Motte ou la dénoncer... j'aurais pu... ne pas la mettre en rapport avec cette Oliva, cette fille que j'avais remarquée à cause de son étonnante ressemblance avec la Reine, parmi toutes celles qui fréquentent les galeries du Palais-Royal. J'ai toujours été ami du peuple, qui m'estimait. Songez que quinze mille malades ont été guéris par moi pendant mon séjour en France... et beaucoup gratuitement. Non, l'Assemblée ne peut refuser le retour en France d'un homme comme moi, qui peut faire tellement encore pour elle... N'est-ce pas votre avis?

– Bien sûr que si, et je le souhaite puisque je vous accompagnerai. Mais, mon ami, cette lettre me semble bien dangereuse. Si elle tombait dans des mains mal intentionnées... Songez que toute votre activité maçonnique, tout votre rôle en France y sont exposés largement...

– Aussi ne me quittera-t-elle que pour des mains parfaitement sûres. L'un de nos frères part pour la France demain, chargé d'une mission officielle qui le met à l'abri des perquisitions de bagages. Il m'a promis de l'emporter. Je la lui ferai parvenir demain matin par le moyen habituel...

Lorenza qui écoutait, cachée parmi les vêtements d'une penderie donnant sur le petit salon et dont elle avait laissé la porte entrouverte, sentit le cœur lui manquer : elle n'avait pu découvrir encore par quel moyen son mari faisait parvenir ses messages secrets à ses affidés.

– Jusque-là, fit le père Roulier, qu'en ferez-vous?

– Je la garderai sur moi. J'ai à faire cette nuit au laboratoire et ne me coucherai pas. Nulle part elle ne pourra être mieux...

– Si vous n'avez plus besoin de moi, dit le capucin, je voudrais me retirer. J'ai quelques malades à visiter et ne voudrais pas leur manquer. Mais je peux revenir ensuite?

– C'est inutile... Bonne nuit, mon ami, et pensez à l'avenir. Bientôt nous serons parfaitement libres, vous et moi, et heureux dans un pays libre...

Lorenza entendit les deux hommes descendre l'escalier qui menait à l'entrée de la maison et en profita pour quitter rapidement sa penderie. Elle avait très chaud malgré la température si rafraîchie qu'il avait fallu allumer du feu dans les chambres, elle se sentait terriblement lasse, presque malade, avec un goût amer dans la bouche. Cette lettre que son mari avait glissée dans la poche de son habit, il fallait à tout prix qu'elle se la procurât... Mais comment, puisqu'il ne comptait pas se coucher et que le temps était si court?

Toutes ses craintes, toutes ses angoisses superstitieuses se trouvaient tout à coup cristallisées sur cette lettre, sur ce morceau de papier qui signifierait pour elle le retour vers un pays qu'elle détestait, l'arrachement définitif avec ce qu'elle venait de retrouver, le rejet sans recours de l'Eglise. Son esprit aux idées étroites, obnubilé par les craintes qu'y avait soulevées le confesseur, s'affolait, n'était plus capable d'un jugement sain. Une seule idée fixe : avoir la lettre. Mais comment?

Dans l'escalier, elle rencontra Joseph. Il remontait, son chapeau sur la tête.

— Je dois sortir un moment, dit-il, pour aller chez l'apothicaire du Campo di Fiori, je ne serai pas longtemps absent. Je monte tout de même prendre un manteau, il fait de plus en plus frais le soir.

— Tu as raison, répondit-elle machinalement. Couvre-toi bien.

Quand elle eut entendu la porte retomber derrière lui, Lorenza demeura un long moment immobile au bas de l'escalier, hésitant encore sur ce qu'elle allait faire. A ce moment, la servante sortit de la cuisine.

— Je n'ai plus de chandelle, dona Lorenza, fit-elle. Je voudrais aller en acheter au marchand mais je n'ai plus d'argent.

Lorenza fouilla dans sa bourse, lui tendit une pièce que la fille prit. Mais avant de sortir, elle demanda :

– Est-ce que Madame la comtesse voudrait jeter un coup d'œil à la cuisine? J'ai tiré le vin et tout préparé pour le dîner mais je ne voudrais pas que mon porc brûle au tournebroche.

– J'y veillerai. Partez tranquille.

Quand la servante eut disparu, Lorenza jeta un coup d'œil rapide à la cuisine, puis, prenant un bout de bougie, elle alluma rapidement et descendit l'escalier en colimaçon qui menait aux caves.

Quelques secondes plus tard, elle réapparut, rentra à la cuisine, souffla sa chandelle, puis s'approcha de la table sur laquelle Giulia, la servante, avait préparé ce qu'il fallait pour le repas. Une brève seconde, elle hésita, mais son regard rencontra, au mur, une image pieuse représentant l'ange exterminateur terrassant les coupables sous son épée flamboyante. Alors, très vite, elle vida dans la carafe de vin le contenu d'une petite fiole qu'elle tenait dissimulée dans le creux de sa main, puis elle agita la carafe. Le vin se troubla légèrement mais reprit bien vite sa limpidité. Avec précaution, Lorenza le goûta, n'y trouva aucune différence et remit tout en place parce qu'elle entendait ouvrir la porte de la rue.

Quand Giulia revint de chez le marchand de chandelle, elle trouva sa maîtresse occupée à tourner gravement la broche où rôtissait le porcelet.

Minuit était passé depuis longtemps, cette nuit-là, quand Lorenza, dissimulant ses vêtements de nuit sous une grande cape, descendit avec précaution l'escalier de sa maison. Il faisait nuit noire, dans cet escalier, et elle n'avait pris aucune chandelle craignant que la servante ne risquât d'apercevoir la lumière. Parvenue à la porte de la cave qu'elle ouvrit à tâtons, elle écouta un long moment. Aucun bruit ne parvenait de l'étage inférieur dont la lumière se reflétait un peu dans l'escalier tournant... Ses souliers à la main, elle descendit la première marche, puis la seconde. Ses pieds nus ne faisaient aucun bruit sur la pierre froide... Vers le milieu de l'escalier, l'écho sonore d'un ronflement vint la rassurer complètement et elle descendit rapidement les dernières marches.

Au milieu du laboratoire, près du fourneau sur le point de s'éteindre, Joseph, assis devant une table, dormait profondément, la tête dans les bras... Cette vue acheva de rendre courage à Lorenza. Elle vint à son mari, explora vivement ses poches, trouva dans celle placée sur la poitrine ce qu'elle cherchait... une grande lettre adressée au président de l'Assemblée Constituante. Avec une exclamation de joie, elle la glissa dans son corsage, remonta en courant l'escalier et s'apprêta à sortir. Mais elle se ravisa, entra à la cuisine et chercha la carafe où elle se souvenait d'avoir vu encore un peu de vin à la fin du repas. Mais Giulia avait dû boire ce reliquat. La carafe, vide et bien nettoyée, était rangée à sa place habituelle.

Rassurée tout à fait, et sans crainte d'être entendue, Lorenza baissa son capuchon sur son visage, s'enroula dans sa mante et sortit dans la nuit...

Quand Cagliostro s'éveilla de son lourd sommeil, il ne réalisa pas tout de suite ce qui lui était arrivé. Mais, en portant la main à sa poche, il constata que la lettre n'y était plus et la peur le prit. L'idée que quelqu'un s'était introduit chez lui, dans la nuit, lui traversa l'esprit aussitôt et il grimpa quatre à quatre chez sa femme pour savoir si elle n'avait rien entendu. Mais Lorenza, un bras gracieusement replié sous sa tête, dormait si bien qu'il n'eut pas le courage de l'éveiller. L'idée ne lui vint même pas que la coupable pût être sa femme...

Le 27 décembre, la police pontificale arrêta Cagliostro dans sa maison au nom de Sa Sainteté Pie VI et le conduisit au château Saint-Ange. La marquise Vivaldi, qui se trouvait là, eut tout juste le temps de s'enfuir et Lorenza fut également arrêtée... mais conduite dans un couvent afin d'achever d'y retrouver le chemin de la foi et de la vertu.

Cagliostro regarda tour à tour les trois juges vêtus de noir et le papier que tenait le plus grand.

– Cette lettre?... Oui c'est bien moi qui l'ai dictée. Mais comment est-elle venue entre vos mains?

Il s'exprimait difficilement, déjà hébété par de longs mois de détention au fond d'un cachot sans air et sans lumière, plus bas que le Tibre dont l'eau pénétrait en période de crue. Nul n'aurait reconnu en ce prisonnier en loques, décharné, aux yeux creux brûlants de fièvre, le brillant thaumaturge de la rue Saint-Claude. Ce n'était plus qu'un pauvre homme terrifié...

Les lèvres du grand juge bougèrent à peine mais la flamme des bougies allumées fit briller ses yeux ternes :

– C'est votre femme qui nous l'a fait parvenir. Votre femme que vos pratiques révoltaient et qui voulait sauver son âme...

– Ma femme?

Il n'avait pas l'air de comprendre, répétait le mot comme s'il en cherchait la signification. Puis, brusquement, il partit d'un grand éclat de rire, un rire de fou, en cascades rocailleuses, un rire qui n'en finissait pas et alla glacer les gardes de faction à la porte...

La condamnation à mort prononcée contre Cagliostro fut commuée en détention perpétuelle. La forteresse papale de San Leo, près de Viterbe, reçut le condamné. Un nid d'aigle couronnant un piton rocheux, une prison cruelle aux cachots infestés de vermine, dont les paysans s'éloignaient par crainte instinctive. Il y fut gardé, au secret, dans des conditions si dures que bientôt sa raison s'égara.

Par les nuits sombres, le paysan attardé qui passait au pied de la sombre forteresse pouvait entendre des cris, des hurlements, des rires forcenés et aussi, parfois, des sanglots où se mêlait un nom de femme que l'on ne comprenait pas bien. Alors, il enfonçait son bonnet sur ses oreilles et, les yeux inquiets, passait très vite en se signant. Rentré chez lui, il murmurait à sa femme en prenant bien soin que les enfants n'entendent pas :

– J'ai encore entendu hurler le sorcier fou...

La femme à son tour se signait :

– Sainte Madone!... Quand donc cessera-t-il ses cris?

Ils cessèrent brusquement par une belle nuit d'été, le 23 août 1795. Cagliostro, le mage, le sorcier qui prétendait détenir le secret de la vie éternelle et de la jeunesse infinie, était mort.

Le vrai chevalier de MAISON-ROUGE

Les deux hommes descendirent quelques marches et se trouvèrent dans une courette en contrebas, triste et grise malgré le beau soleil du dehors. Le plus grand des deux se pencha vers son compagnon :

– Nous allons passer le guichet. Ne dites pas un mot, laissez-moi faire...

L'autre acquiesça d'un simple mouvement de tête, puis tous deux s'avancèrent d'un pas ferme vers les municipaux qui gardaient la grille de la prison. Instinctivement, le chevalier leva la tête pour un regard au carré de ciel bleu, traversé d'un vol d'hirondelles, que l'on apercevait du fond de cette cour. Dernier réflexe peut-être avant d'entrer dans ce monde de souffrance et de désespoir qu'était la Conciergerie en ce mois d'août 1793...

Le citoyen Michonis, administrateur des prisons, n'ignorait pas le risque qu'il prenait en introduisant, au cours de sa tournée d'inspection quotidienne à la vieille prison, le ci-devant chevalier de Rougeville dans le cachot de la ci-devant reine Marie-Antoinette. Mais, à vrai dire, le civisme du citoyen Michonis n'était pas d'une solidité à toute épreuve. De plus, il aimait l'or au point de se livrer, pour s'en procurer, aux plus dangereuses aventures. Or, justement, Rougeville semblait manier à la pelle le précieux métal.

Et puis ce n'était pas la première fois que Michonis se frottait aux conspirateurs. Deux mois plus tôt, il avait aidé le baron de Batz, celui-là même qui avait tenté d'enlever Louis XVI sur le chemin de l'échafaud, quand il avait essayé de faire évader la Reine du donjon du Temple. Quant à Rougeville, il le connaissait seulement depuis peu de mois, exactement depuis qu'à la demande d'un ami et d'une jolie femme, il l'avait fait libérer de la prison des Madelonettes où il était entré sur la dénonciation d'une autre femme, jalouse celle-là, et qui voulait se venger. Mais, pour fraîche qu'elle fût, cette amitié n'en était pas moins solide et les deux hommes ne se quittaient guère, vivant sur un pied de grande intimité.

Les municipaux de garde au guichet d'entrée connaissaient bien le citoyen Michonis. Il venait tous les jours faire son tour dans la prison et eux-mêmes avaient été trop souvent de garde à la Conciergerie, au Temple ou à la Force pour ne pas être habitués à sa figure. Ils ne lui demandèrent même pas son laissez-passer, se contentant de toucher leur bicorne d'un doigt poli. Mais ils ne connaissaient pas son compagnon et manifestèrent quelque curiosité à son endroit.

— Le citoyen Gousse est mon adjoint, fit Michonis, très à son aise. Il faudra vous habituer à lui car vous le verrez souvent. J'ai trop à faire, moi, avec toutes ces prisons! Elles sont si pleines qu'on ne saura bientôt plus où mettre les détenus!...

L'un des municipaux partit d'un gros rire, ôta la bouffarde qu'il fumait avec beaucoup de décontraction et cracha majestueusement dans la cour :

— Ah, c'est qu'il y avait un rude coup de balai à donner, citoyen-administrateur! Mais bientôt, quand on les aura tous raccourcis, tu pourras te reposer. Y en a plus pour longtemps, crois-moi, au train où va le Comité de Salut public. Encore une drôle de charretée qu'on va emmener tout à l'heure, oui-da!...

Et de rire derechef comme d'une excellente plaisanterie. Michonis fit chorus mais Rougeville se sentit pâlir. Pour se donner une contenance, il tripota distraitement les deux beaux œillets pâles qui ornaient la boutonnière de son habit rayé, d'un gris « boue de Paris » assez foncé.

Mis en joie, sans doute, par les heureuses perspectives qu'il venait d'évoquer, le municipal assena une cordiale bourrade dans le dos du chevalier :

– Faut pas te frapper, citoyen Gousse! Tu verras que les prisons ne sont pas si tristes qu'on veut bien le croire. Tu fais une de ces têtes!...

– Il n'a pas l'habitude, intervint Michonis. Il se fera!...

– Pour sûr! D'autant plus qu'il y a de bien jolies filles, chez nous, et si tu es amateur...

Rougeville s'obligea à sourire et à cligner de l'œil d'un air complice :

– Je ne dis pas non, je ne dis pas non...

– Je m'en doutais, à te voir si fringant et si fleuri. Gageons que tu pourrais bien laisser tes œillets au coin de quelque corsage, hein, mon gaillard?

– Bah! fit Michonis. Il faut bien que jeunesse se passe, et je suis bien sûr que toi, citoyen-municipal, tu n'es pas le dernier. Alors, nous pouvons passer?

– Bien sûr! Et bien du plaisir, hein, citoyen Gousse! Tu nous raconteras tes bonnes fortunes.

– Je n'y manquerai pas, répondit l'interpellé d'une voix qui s'étranglait.

Passé le redoutable guichet et parvenu dans le vestibule du concierge qui lui faisait suite, Rougeville s'épongea le front avec son mouchoir. Il avait les nerfs solides mais les propos grivois du soldat les avaient mis à rude épreuve. C'était trop, à l'heure où il allait revoir celle qu'il aimait sans espoir depuis si longtemps, celle à qui, faute de pouvoir donner son cœur, il avait juré de dévouer au moins sa vie.

– Venez, souffla Micholis. Nous touchons au but. Tâchez de vous remettre. Voici le guichetier...

Un homme, en effet, venait d'apparaître, vêtu de la carmagnole chère aux patriotes bon teint. Il toucha son bonnet rouge en reconnaissant Michonis qui recommença la cérémonie des présentations.

– Par où commences-tu ta visite, citoyen-administrateur? Par la veuve Capet comme d'habitude? demanda le guichetier.

Michonis prit un air accablé :

– Faut bien! Je te jure que ce n'est pas pour mon plaisir. Il y a toujours quelque chose qui ne va pas, avec elle...

– Dame! fit l'autre avec un dédain non dissimulé. Ça ne vaut pas Trianon, ici. C'est moins fleuri et moins enrubanné.

Tout en parlant, il avait précédé les deux hommes dans un couloir obscur sur lequel donnaient plusieurs portes de chêne armé de fer, à guichet, grillagées. Devant la première, qui était plus fortement verrouillée que les autres grâce à un supplément de gâches neuves, deux gendarmes jouaient aux dés sur un banc, éclairés par une chandelle pour suppléer au jour trop pauvre. Ils se levèrent, saluèrent, et, tandis que l'un d'eux, le gendarme Dufresne, se mettait en devoir de tirer les verrous, l'autre, Gilbert, mettait Michonis au courant des derniers potins de la prison. Rougeville bénit, en lui-même, l'obscurité du couloir qui cachait l'émotion violente qu'il éprouvait.

La porte s'ouvrit sur une cellule plus longue que large, éclairée par une fenêtre basse, placée presque au niveau du sol de la cour des Femmes. Un lit, un fauteuil, une table sur laquelle un crucifix était posé, une toilette et un grand paravent cachant des meubles plus intimes composaient tout le mobilier de ce cachot où ne pénétrait qu'un jour triste. Deux femmes se tenaient dans cette cellule. L'une, jeune fille accorte et fraîche, était debout près de la toilette où elle rangeait quelque chose, mais la vue de celle qui occupait le fauteuil fit battre violemment le cœur du chevalier de Rougeville : cette femme, c'était la Reine.

Elle se leva quand les deux hommes entrèrent dans sa prison et les accueillit poliment tandis que la jeune fille, qui était Rosalie Lamorlière, la nièce du concierge Richard, s'esquivait et que les gendarmes refermaient la porte.

– Je viens voir comme d'habitude, citoyenne, fit Machonis d'une voix forte, si tu n'as besoin de rien. Et en même temps, je suis venu te présenter mon adjoint, le citoyen Gousse, qui m'aidera désormais dans ma lourde tâche.

Incapable de parler, Rougeville se contenta de saluer. A retrouver la Reine dans l'état où il la voyait réduite, son cœur était serré comme dans un étau. Où était la brillante souveraine de Versailles, la rieuse jeune femme, coquette et toujours si merveilleusement parée qui l'avait ébloui à son retour d'Amérique où il avait servi aux côtés du général Washington? A cette époque, Marie-Antoinette éblouissait par sa beauté, son éclat sans rival de femme heureuse qui se sait admirée, aimée, pour qui une cour de jeunes hommes étaient prêts à mourir sur un seul regard.

Mais, dans cette prison, Marie-Antoinette n'était plus, à trente-sept ans, qu'une femme déjà vieille, au visage cireux cruellement ciselé par la maladie et la douleur, les injures subies courageusement et l'affreux chagrin qu'elle éprouvait depuis qu'on lui avait arraché ses enfants. Sous le bonnet de linon qui la coiffait, les beaux cheveux blonds cendrés descendaient encore, en boucles gracieuses, sur son épaule, mais ils étaient devenus gris et le regard, jadis si vivant, était éteint. De son ancienne splendeur, Marie-Antoinette conservait cependant encore cette inimitable majesté qui faisait autrefois courber les plus fières têtes. Sous la robe noire et le fichu de linon plissé, croisé sur sa poitrine, elle demeurait la Reine, plus encore, peut-être, que sous les satins de Versailles...

Elle avait posé sur le nouvel arrivant un regard vide qui, soudain, s'était animé tandis qu'une rougeur montait à ses joues pâles. Rougeville comprit qu'elle l'avait reconnu. Une intense émotion l'étrangla avec l'envie de se jeter aux pieds de la prisonnière, de couvrir de baisers ces mains amaigries mais toujours si belles. L'astre lointain de jadis n'était plus, devant lui, qu'une pauvre femme sans défense, une mère martyrisée. L'amour n'en brûla que plus fort dans le cœur du jeune homme.

C'était la troisième fois que Marie-Antoinette voyait Alexandre Gousse de Rougeville. Autrefois, simple chevalier de Saint-Louis, il se confondait dans la foule colorée des courtisans, des officiers dont elle savait à peine le visage. Lui n'était vraiment apparu qu'aux heures difficiles. Par deux fois il s'était jeté au-devant d'elle quand le peuple avait attaqué les Tuileries. Une première fois, le 20 juin, il avait fait à la Reine un rempart de son corps, et la seconde, ce terrible jour du 10 août 1792 où, l'empêchant de rejoindre le Roi, ce qui eût signifié son massacre par la foule déchaînée, il l'avait conduite à la salle du Conseil, ramenée près des siens.

Tandis que Michonis parlait, disant des choses très administratives que nul n'écoutait, des larmes étaient montées aux yeux de la Reine. Le regard de Rougeville s'était fixé sur elle, au mépris de tout protocole, avec une insistance étrange. Puis, tandis que l'administrateur faisait à la Reine une longue harangue sur les nombreuses difficultés qu'il rencontrait, le chevalier s'était approché du poêle et, comme par inadvertance, avait laissé tomber à terre l'un des œillets de sa boutonnière. Ensuite, très nettement, il avait cligné de l'œil.

Interdite, Marie-Antoinette considérait ce petit homme de trente-six ans, aux yeux vifs, au visage volontaire, troué de petite vérole et coiffé de longs cheveux blonds. Elle ne semblait pas comprendre. Alors, comme Michonis, après avoir salué, se dirigeait d'un pas lent vers la porte, Rougeville se pencha vivement vers la Reine et murmura, très bas :

– Ramassez l'œillet qui est à terre et qui contient mes vœux les plus ardents, Madame. Je viendrai vendredi. (Puis, plus bas encore, il ajouta :) Quand nous serons sortis, formulez une réclamation quelconque...

Le regard de Marie-Antoinette se tourna vers la fleur qui faisait une petite tache claire dans l'ombre du poêle. Ses paupières battirent lentement. Pendant ce temps, le gendarme Gilbert avait rouvert la porte et les deux visiteurs étaient sortis.

A peine les verrous eurent-ils claqué que la Reine se précipita, ramassa la fleur dont elle palpa le cœur. Sous ses doigts tremblants quelque chose de dur se fit sentir, caché dans les pétales. Elle prit le petit rouleau de fin papier gris qui se trouvait caché et s'approcha de la fenêtre en prenant soin de tirer sur elle le paravent.

Je ne vous oublierai jamais, avait écrit le chevalier, *et je chercherai toujours le moyen de pouvoir vous marquer mon zèle; si vous avez besoin de trois ou quatre cents louis pour ce qui vous entoure je vous les porterai vendredi prochain...*

Le cœur de la pauvre femme se mit à battre la chamade. Le sens du billet était clair. Vendredi, Rougeville apporterait de l'or pour acheter le silence des gardes qu'il lui faudrait circonvenir jusque-là. Dans la nuit où elle se débattait depuis la mort du Roi, une lumière se montra et, avec l'espoir, un peu de chaleur remonta à son cœur glacé.

Se souvenant de la dernière recommandation du chevalier, elle alla à la porte, appela Gilbert :

– Veuillez me pardonner, dit-elle, mais j'aurais voulu formuler, auprès de Monsieur l'administrateur, une légère plainte au sujet de la nourriture que l'on me sert et qui est contraire à ma mauvaise santé...

– C'est bon! fit le gendarme. Je vais voir s'il est encore là...

Il n'eut pas loin à aller. A dessein l'administrateur s'attardait dans la cour des Femmes, examinant une gouttière qui lui paraissait suspecte et qui, selon lui, devait donner beaucoup d'eau en temps de pluie. Quand Gilbert lui eut transmis la commission dont il s'était chargé, Michonis prit un air très contrarié :

– Encore? Mon Dieu, que cette femme est donc ennuyeuse! Je me disais aussi qu'il était bizarre qu'elle n'eût formulé aucune réclamation. Maintenant j'en ai pour un bon quart d'heure de plaintes et de jérémiades...

Il semblait si accablé que, tout naturellement, Rougeville offrit :

– Si cela t'ennuie, citoyen, je veux bien y aller à ta place. Puisque cela fait partie de mon travail, désormais...

Le visage de Michonis s'éclaira, comme soulagé :

– C'est ça... Bonne idée! Vas-y donc, citoyen Gousse, et bonne chance...

Avec un soupir résigné, Rougeville reprit le chemin du cachot de la Reine, laissant Michonis à sa gouttière.

Marie-Antoinette regarda son visiteur avec une terreur mêlée d'admiration.

– Votre témérité me fait frémir, chevalier!

– Ne vous souciez pas de moi. J'ai de l'argent, des complices, dont l'administrateur, et des moyens sûrs de vous tirer d'ici.

– Ce n'est point le danger de ma vie qui me touche. Mes enfants sont le sujet de toutes mes inquiétudes.

– Est-ce que votre courage est abattu?

– Si je suis faible et abattue, mon cœur ne l'est pas.

– Prenez courage, nous allons vous sauver. Je reviendrai après-demain, vendredi, et vous apporterai l'argent nécessaire pour vos gardiens...

Le rapide dialogue fut interrompu. L'une des deux femmes qui servaient la Reine, une certaine dame Harel dont le mari était policier, venait d'entrer avec un seau d'eau qu'elle était allée tirer au puits. Le regard inquiet de la Reine fit comprendre au chevalier que la femme n'était pas sûre. Il éleva la voix :

– C'est entendu, citoyenne, je transmettrai vos réclamations à mon chef.

Après quoi, sans saluer, quoi qu'il pût lui en coûter, il tourna les talons pour sortir. La femme Harel était derrière lui. C'était une petite femme maigre et brune, dont les yeux toujours en mouvement furetaient partout. Elle regarda Rougeville avec attention, puis esquissa un sourire :

– Si c'est le citoyen Michonis que tu vas rejoindre, citoyen, il est dans le couloir à causer avec le maréchal des logis Dufresne.

Rougeville paya le renseignement d'un beau sourire qui sembla enchanter la femme.

Le lendemain soir, Michonis arriva dans certaine maison du village de Vaugirard où il était invité à souper. Cette maison, qui était une agréable résidence de campagne, appartenait à une jeune veuve. Sophie Dutilleul était, officiellement d'ailleurs, la maîtresse du chevalier de Rougeville. C'était une charmante jeune femme de vingt-deux ans, vive et gaie, dont le charme avait pour le moment retenu l'attention du chevalier. Car, si la Reine occupait entièrement son cœur, il n'en demeurait pas moins un ardent amateur de jolis minois et de jupons légers. Et Sophie, avec son charme tendre, sa délicatesse – car elle était réellement éprise –, était, pour l'éternel conspirateur, la compagne idéale. Elle savait ne pas poser de questions et s'effacer quand il le fallait. Aussi, sa demeure était-elle devenue, en quelque sorte, le quartier général des conjurés.

Elle et Rougeville discutaient à voix basse de leurs affaires, assis dans le petit salon qui donnait sur le jardin, quand Michonis arriva, l'air soucieux.

– Je viens de là-bas, dit-il. Nous l'avons échappé belle!

Instantanément, les deux autres furent debout, inquiets.

– Que s'est-il passé? demanda Rougeville devenu blême.

– Rien de grave, ne vous affolez pas. Mais cela aurait pu l'être si nous n'avions eu la chance pour nous. Figurez-vous que, ce matin, Madame Richard, la femme du concierge qui porte ses repas à la Reine, a voulu, par jeu, explorer les poches du gendarme Gilbert, histoire de voir s'il n'avait pas de lettres de sa bonne amie. J'ignore s'il en avait, mais, dans les papiers qu'elle a sortis, il y en a un qu'elle m'a porté, tout droit, en disant que ce papier lui paraissait suspect.

– Ce papier? Tu l'as?

– Le voici...

De sa poche, Michonis sortait un petit morceau de

mince papier gris que Rougeville reconnut aussitôt. C'était un fragment de celui qu'il avait envoyé à la Reine roulé dans le cœur de l'œillet. En le prenant, il s'aperçut qu'il était percé de nombreuses piqûres d'épingles et, se rappelant que la Reine n'avait aucun moyen d'écrire, il présenta le papier à la lumière.

– Oui, fit Michonis qui l'observait. C'est bien ça. La Reine a écrit en se servant d'une épingle. C'est plutôt malaisé à lire mais on y arrive.

Dressée sur la pointe des pieds derrière le chevalier, Sophie Dutilleul épela les quelques mots grossièrement tracés par ce moyen de fortune.

Je me fie à vous, je viendrai...

– Elle accepte! s'écria le chevalier au comble de la joie. Merci, mon Dieu! Je craignais tant qu'elle refuse à cause de ses enfants...

– Heureusement, reprit Michonis, que la femme Richard n'a aucun doute en ce qui me concerne. Si elle avait eu la mauvaise idée de porter ce papier à Fouquier-Tinville, nous étions perdus sans retour et la Reine avec...

Mais Rougeville ne s'occupait déjà plus du danger passé. Avec fièvre, il arpentait la petite pièce tendue de perse à fleurettes.

– En tout cas, une chose est certaine. Si le billet était dans la poche de Gilbert, c'est que la Reine a réussi à le gagner et qu'il pensait me le faire parvenir. C'est déjà une bonne chose et je porterai l'argent demain.

L'administrateur des prisons haussa les épaules :

– Je pensais bien que Gilbert ne serait pas difficile à gagner. Il plaint beaucoup la Reine, et je sais qu'il lui a porté des fleurs à plusieurs reprises. On dit même qu'il aurait laissé un prêtre clandestin pénétrer jusqu'à elle. Quant à Dufresne, c'est également un brave homme qui n'a rien de sanguinaire.

– Nous verrons ça demain. Si la Reine a assisté à la découverte du billet par Madame Richard, elle doit être folle d'inquiétude. Il faut absolument la rassurer.

– Dans ce cas, j'irai avec toi, décréta Michonis. Il vaut mieux que tu sois encore accompagné de « ton chef » étant donné les soupçons que les concierges doivent avoir.

Silencieusement, Sophie s'affairait autour d'eux, achevant le couvert, disposant des bouteilles sur la table. Elle admirait profondément son amant et pour rien au monde elle ne se fût mise en travers de ses projets. Elle l'aidait même de toutes ses forces. Mais la réussite du complot signifierait la séparation d'avec l'homme qu'elle aimait. Il faudrait mettre la Reine en sûreté. Et ensuite, elle connaissait trop Rougeville pour ne pas comprendre qu'il se lancerait dans l'aventure, plus dangereuse peut-être encore, de délivrer les enfants royaux afin de les rendre à leur mère. S'il réussissait, il repartirait, s'il échouait, ce serait la mort... De toute façon, l'avenir semblait bien sombre à la jeune femme.

Pendant ce temps, les deux hommes achevaient d'arrêter leur plan.

– Si tout marche à souhait, disait Rougeville, il nous faudra faire vite. Le 2 septembre au plus tard, nous enlevons la Reine. Je m'occuperai de la voiture. Nous l'amènerons à la Conciergerie et là, nous irons réclamer la Reine pour la reconduire, soi-disant, au Temple, sur l'ordre du Comité de Salut public. Au besoin, l'histoire du billet découvert nous servira d'accréditif. Les Richard ne se douteront de rien...

– Et ensuite, fit Michonis, où menons-nous la Reine?

– Au château de Livry, chez Madame de Jarjayes,

qui l'attend. De là une autre voiture toute prête et de faux passeports la conduiront en Allemagne.

Un silence suivit ces derniers mots. Les trois amis se regardèrent sans rien dire, comme si, dans ces paroles que venait de prononcer Rougeville, tout leur avenir était enclos. Puis Sophie, avec un sourire courageux, emplit trois verres, en donna deux et leva le sien :

– A votre réussite, Messieurs... et à la Reine!

– A la Reine! reprirent les deux autres en chœur.

Le lendemain, qui était le vendredi 30 août, Michonis et Rougeville rééditèrent leur visite de l'avant-veille. Mais cette fois, le chevalier dissimulait sous les basques de son habit une somme importante : quatre cents louis d'or et dix mille livres en assignats.

Ils trouvèrent Marie-Antoinette en compagnie de la femme Harel qui lui donnait quelques soins. La Reine était, en effet, en très mauvais état physique. Des hémorragies continuelles minaient son corps et les épreuves que subissaient continuellement ses nerfs délabrés achevaient de l'épuiser. Elle était étendue sur sa couchette, une couverture sur les jambes, quand les deux hommes entrèrent dans sa cellule. Comme l'avant-veille, une légère rougeur couvrit ses joues à la vue de Rougeville tandis que ses mains se mettaient à trembler. Elle les croisa bien vite et les dissimula sous la couverture.

La femme Harel ne semblait pas décidée à vider les lieux et, pour permettre à Rougeville de donner l'argent à la Reine, Michonis s'adressa à elle, tout naturellement, pour avoir des informations sûres concernant l'état de santé inquiétant de la prisonnière. Afin de parler sans être entendus de la Reine, ils se retirèrent vers la fenêtre et Michonis prit bien soin de se placer entre le lit et son interlocutrice.

Pendant ce temps, Rougeville, le cœur battant, s'approchait de Marie-Antoinette, se penchait sur elle :

– Ce sera pour lundi soir, 2 septembre, chuchota-t-il après avoir demandé très haut des nouvelles de sa santé. Mais aurez-vous la force?

Un faible sourire éclaira le visage cireux :

– Je l'aurai, soyez sans inquiétude...

– Vos gardiens?

– Les deux hommes sont d'accord, et Rosalie Lamorlière aussi.

– Cette femme? fit Rougeville avec un imperceptible signe de tête vers Mme Harel.

– Non... Je ne sais pourquoi, mais je n'ose essayer. Elle m'est hostile et cherche toujours à me faire parler.

– Alors, il vaut mieux ne rien lui dire. Nous nous passerons d'elle.

Le large dos de Michonis faisait un écran parfait devant les yeux de la femme de service. Tout en se livrant à voix haute à des considérations sur la mauvaise volonté que mettait la Reine à se soigner, le chevalier fit doucement passer l'or et les assignats de sa poche sous la couverture puis, se détournant, alla rejoindre les deux autres près de la fenêtre :

– Elle est bien bas, tu ne trouves pas? chuchota-t-il à la femme Harel.

L'autre haussa les épaules avec un mauvais sourire :

– Bah!... Elle tiendra bien jusqu'à l'échafaud, n'aie crainte citoyen!

– Faut l'espérer, faut l'espérer, fit avec un gros rire Michonis qui craignait une réaction violente de son ami.

– On y veillera! rétorqua la femme.

Le samedi et le dimanche se passèrent, pour Rougeville, dans l'angoisse et l'énervement. Enfermé chez Sophie, il marchait de long en large dans le jardin, incapable de demeurer en place ou de faire quoi que ce soit de suivi. A mesure que le temps passait, cet énervement ne faisait que croître. Son inaction forcée montrait au chevalier les événements sous leur pire jour et il entassait l'une sur l'autre les suppositions les plus pessimistes. Si l'état de la Reine empirait au point de l'empêcher de se déplacer? Si l'un des complices achetés venait à changer d'avis? Si la femme de service, qui avait tellement les allures d'une gardienne, découvrait le pot aux roses? Si le plan allait échouer au dernier moment? Si Michonis ne parvenait pas à se procurer la voiture? Si, si, si... Toutes les phrases qui se formaient derrière le front du jeune homme commençaient par cet irritant petit mot.

– Si tu ne te forces pas au calme, Alexandre, dit tranquillement Sophie qui observait son manège, tu seras dans un tel état de nerfs, lundi, que tu risqueras de tout manquer. Tu devrais essayer de dormir.

Encore un si! Mais celui-là offrait quelque chose de tellement impératif qu'il frappa Rougeville. Il alla à la jeune femme l'embrassa affectueusement :

– C'est toi qui as raison, comme toujours... Je vais m'étendre un peu.

Le sommeil, bien entendu, ne vint pas, mais un peu de calme redescendit dans l'esprit du chevalier.

La journée du lundi avait paru mortelle à la Reine. Elle l'avait passée dans un grand calme apparent où s'étouffait la terrible angoisse qui l'étreignait. Mais ces heures qu'elle espérait être les dernières de son incarcération semblaient durer chacune un siècle. Pourtant, il lui suffisait de voir, à travers le guichet, la bonne figure de Gilbert, ou bien, près d'elle, le sourire confiant de Rosalie pour se sentir un peu mieux. Pour achever de se rendre courage, elle pria beaucoup, surtout au moment où s'ébranlèrent, dans la cour, les horribles charrettes qui emmenaient à la mort la fournée du jour... C'était toujours pour la Reine un moment très pénible.

La chaleur avait été écrasante, tout le jour, même sous les voûtes humides de la vieille prison. La cour des Femmes sur laquelle ouvraient les fenêtres de la Reine semblait l'avoir emmagasinée parce que l'air y stagnait lourdement. Quand la nuit tomba, la cloche du préau sonna pour indiquer aux détenues qu'il était temps de regagner leurs cachots respectifs. La Reine, en effet, était la seule qui fût gardée au secret et, quand ils passaient devant sa fenêtre grillagée, les autres prisonniers haussaient toujours la voix afin de la mettre au courant des événements de la prison et de la ville.

Le soir, pourtant, ne ramena pas le silence. Il était de règle pour ceux qui étaient appelés le lendemain au Tribunal révolutionnaire, c'est-à-dire à la mort, d'inviter à souper leurs compagnons de geôle. Et ces soupers, les derniers, étaient toujours empreints de la plus folle gaieté. On y buvait ferme, on y chantait et souvent, dans le vin et l'amour, les condamnés cherchaient à tirer de la vie ses dernières gouttes de joie.

Debout derrière sa fenêtre, la Reine écoutait ces chants, ces rires, le cœur étreint d'une profonde pitié ainsi que d'une grande admiration pour ces anciens serviteurs qui savaient si bien mourir. Quelque part, dans la Cité, une horloge sonna 11 heures. Il y eut le roulement d'une voiture, puis des bruits de porte. Des pas sonnèrent dans le couloir et des lumières parurent au guichet de la porte dont les verrous claquèrent. La Reine se retourna. Michonis et Rougeville, accompagnés de Gilbert et de Dufresne, venaient d'entrer dans la cellule, soudain éclairée par la lumière dansante des torches qu'ils portaient.

– Vous n'êtes pas encore couchée, citoyenne? fit Michonis. C'est tant mieux car nous venons vous chercher.

– Où m'emmenez-vous?

– Au Temple! La municipalité a décidé que vous y seriez ramenée, dans l'intérêt de votre santé, et je dois vous y conduire.

– Reverrai-je donc mes enfants?

– Je n'ai pas d'ordres là-dessus, fit Michonis, le visage fermé. Veuillez vous préparer.

– Je suis prête. Rosalie m'enverra mes affaires.

La jeune fille, qui était entrée derrière les hommes, se hâta de jeter une mante sur les épaules de la Reine puis, les larmes aux yeux, lui baisa la main.

– Dieu garde Votre Majesté, chuchota-t-elle.

Se penchant vivement, la Reine l'embrassa puis déclara, très calme :

– Je vous suis, Messieurs.

Entre Gilbert et Dufresne, elle quitta sa cellule, précédée de Michonis et suivie de Rougeville dont le sang battait les tempes à lui faire éclater la tête. On franchit le couloir, puis celui des chambres des guichetiers. On arriva dans le vestibule du concierge, devant le greffe, où se tenait Richard, une lanterne à la main. Les vieilles voûtes étaient mal éclairées par deux torches, accrochées dans des griffes de fer comme au Moyen Age. La Reine prit une profonde respiration pour essayer de décontracter sa poitrine oppressée. En face d'elle, il y avait le guichet d'entrée au delà duquel s'ouvrait la courette, puis la voûte menant à la cour de Mai où devait attendre la voiture.

On s'arrêta un instant. Richard était allé chercher le registre pour la levée d'écrou et Michonis parlementait avec lui. Le bonhomme, l'air assez endormi, ne semblait pas autrement surpris de voir la prisonnière changer de prison. C'était assez courant, après tout.

Déjà, les deux gardes se préparaient à ouvrir le guichet quand une voix froide retentit derrière eux :

– Et, naturellement, citoyen Michonis, tu as un

ordre exprès de la Convention, qui te signifie de ramener la veuve Capet au Temple ?

Une main de glace serra le cou de Rougeville. De derrière un pilier, la silhouette maigre de la femme Harel venait de surgir, grimaçant un sourire.

– Je l'ai chez moi, dit Michonis jouant d'autorité. Je n'ai guère le temps d'aller le chercher!

– Il vaudrait pourtant mieux pour toi... et pour tous, ici, que tu prennes le temps d'y aller, fit-elle doucereusement. (Puis, se tournant vers le concierge et les gardiens :) Vous savez ce que ça signifierait pour vous, pour nous tous, si le citoyen Michonis n'était pas... ce qu'il est et si, par hasard, il ne conduisait pas la prisonnière au Temple... mais ailleurs.

Le concierge Richard et les guichetiers étaient devenus blancs comme linge et se regardaient avec effroi. Sèchement, la femme Harel acheva :

– Vous avez envie de faire connaissance avec la guillotine?

– C'est ridicule! intervint Michonis. Tout le monde ici me connaît et nul ne songerait à suspecter mon civisme. Tu m'insultes, citoyenne, et je ne suis pas homme à tolérer une pareille injure!

– Je te ferai toutes les excuses que tu voudras, citoyen, quand tu reviendras avec ton papier. D'ailleurs, à propos de papier, on parle beaucoup d'un certain papier que la citoyenne Richard aurait trouvé sur le sergent Gilbert...

Michonis regarda Rougeville. Il le vit blême, prêt à défaillir, mais il comprit qu'il n'y avait rien à faire. Tous deux étaient sans armes, les autres étaient nombreux et les deux gardes de la Reine, directement mis en cause, avaient pâli aussi, reculé d'un pas. Certainement, ils se rangeraient de l'autre côté malgré l'argent reçu... La tension fut si grande, un instant, parmi les protagonistes de ce drame, qu'une explosion paraissait imminente. Ce fut la Reine qui sauva la situation.

– Le mieux est que vous alliez chercher ce papier, Monsieur Michonis. Cela vous retardera peut-être un peu. Quant à moi, j'ai tout mon temps et la patience ne me fait pas défaut. Ramenez-moi dans ma cellule!

D'elle-même, détournant la tête pour ne pas voir l'expression désespérée de Rougeville prêt, dans sa douleur, à toutes les folies, elle fit demi-tour et reprit le chemin de sa prison, escortée vivement par Gilbert et Dufresne qui tremblaient de tous leurs membres. Seule, la femme Harel avait suivi la scène avec un sourire méchant.

– C'est bien, fit enfin le chevalier. Nous y allons.

Se retrouvant dehors, à l'air chaud de la nuit d'été, les deux hommes se regardèrent avec désespoir.

– Le coup est manqué, fit Rougeville avec désespoir.

Michonis hocha la tête :

– Incontestablement. Et toi, il va te falloir disparaître. Ta capture ne servirait en rien ta cause et tu seras immanquablement recherché.

– Mais toi?

– Moi, je vais rester à ma place, prendre le vent... et faire l'imbécile. Ça réussit quelquefois. Je veillerai aussi sur Sophie, ne t'en inquiète pas. Tu dois filer, seul, c'est ton unique chance.

Sur le seuil du palais, les deux amis se serrèrent la main. Michonis monta dans la voiture inutile tandis que Rougeville disparaissait dans la nuit.

Tout allait être découvert dès le matin suivant. Le gendarme Gilbert, pris d'une terreur folle, commença par faire un rapport à son colonel, le colonel Dumesnil, pour lui signaler l'histoire de l'œillet et du billet piqué, vieille déjà de six jours, mais en prenant bien soin de passer sous silence sa complicité d'un moment et celle de Dufresne. L'enquête se déclencha. Le cachot de la Reine fut fouillé de fond en comble tandis que le Comité de Salut public décidait qu'elle serait transférée dans un autre cachot, moins facilement accessible de la rue et gardée à vue jour et nuit. Les dernières marches du calvaire allaient être particulièrement cruelles pour la malheureuse souveraine jusqu'à ce 16 octobre 1793, un mois et demi plus tard, où elle allait mourir sur l'échafaud.

On ne put s'emparer de Rougeville qui, déjà, essayait de mettre sur pied un nouveau plan. Mais Michonis et Sophie Dutilleul furent arrêtés le jour même, incarcérés à leur tour à la Conciergerie et montèrent sur l'échafaud peu après. On avait retrouvé sur Michonis le fameux papier, que d'ailleurs il apporta de bon gré... mais auquel il avait ajouté suffisamment de trous d'épingle pour le rendre pratiquement illisible.

Rougeville, cependant, n'était pas bien loin. Terré dans les carrières de plâtre de Montmartre, il y menait une vie d'ermite ou de taupe, passant son temps à écrire un pamphlet « Les crimes des Parisiens envers leur Reine, par l'auteur des œillets présentés à la Reine dans sa prison » et à en tirer de nombreuses copies. Le Tribunal révolutionnaire eut la surprise de trouver sur sa table une de ces copies, venue sans que personne pût dire comment.

Une seule fois, le chevalier sortit de sa tanière, à ses risques et périls : le jour où mourut la Reine. Mêlé au peuple, le cœur déchiré et les yeux noyés de larmes, il vit passer le tombereau sordide qui menait à la mort celle qui avait été la fille des Césars, la plus séduisante de toutes les reines de France et qui, pour lui, était seulement la femme qu'il aimait.

Mais la conspiration était ancrée dans le cœur du chevalier. Il conspira le reste de sa vie pour le rétablissement des Bourbons jusqu'au jour de 1814 où, pris enfin, il tomba sous les balles d'un peloton d'exécution, bien peu de temps avant le retour de Louis XVIII dont il avait été l'un des plus actifs agents.

De cet homme au cœur bouillant, jamais dompté, de cet obscur amoureux de Marie-Antoinette qui tenta jusqu'au bout de l'arracher à la mort, Alexandre Dumas a fait l'un de ses héros en modifiant à peine son nom. C'est ainsi que le chevalier de Rougeville devint « Le Chevalier de Maison-Rouge » et passa à la postérité sans s'en douter.

GEORGES CADOUDAL
conspirateur du Roi

La mort sur l'échafaud du Roi Louis XVI, au matin du 21 janvier 1793, devait faire l'effet d'une bombe dans les provinces fidèles de la Bretagne et de la Vendée. Elle allait y changer bien des destinées, du paysan faire un partisan, de l'aristocrate un maquisard, de tout le pays une immense protestation, un refus intransigeant, et d'un simple clerc de notaire l'indomptable chouan qui impressionnerait jusqu'à Bonaparte. A vingt-deux ans, Georges Cadoudal allait se jeter dans l'Histoire, la tête la première...

La retraite, depuis Le Mans, avait été dure. La neige brouillait les pistes, cachait les fondrières, et il fallait la profonde connaissance du pays qu'avait la petite troupe pour ne pas se perdre. Ils avaient marché, marché, les Bleus aux trousses, moitié courant, moitié rampant, comme le renard qui file vers son trou. Maintenant, ils avaient droit à quelques instants de repos, dans cette grange abandonnée.

Tassés autour du feu de bivouac, les uns serrés contre les autres pour avoir plus chaud, ils osaient à peine se regarder, se compter, de peur du trop grand vide fait dans leurs rangs, quand l'armée républicaine les avait chassés du Mans. C'était une troupe bizarre, disparate, dont le gros était fait de paysans en veste de mouton ou de chèvre, chaussés de guêtres et de sabots, le chapelet de bois au cou à l'ombre du grand chapeau. Mais certaines figures sentaient la ville ou même le château. Et tous les visages, creusés, montraient la même fatigue et le même fanatisme.

Assis un peu à l'écart, deux hommes bavardaient à mi-voix en partageant un quignon de pain. Jeunes tous deux, mais combien différents! Car si Pierre Mercier, petit, mince, fragile, cachait sous une apparence presque féminine le courage farouche et l'héroïsme sans phrases qui l'avaient fait surnommer Mercier-la-Vendée, Georges Cadoudal, dit Gédéon, avait bien l'aspect formidable d'un guerrier des âges révolus. Immense et blond, avec des yeux d'acier et un cou de taureau, ce Breton, taillé dans le granit le plus dur, possédait un cœur d'empereur, une vaillance de lion et une force de Titan. D'une seule main, il pouvait soulever la margelle d'un puits ou bien maîtriser les deux pattes postérieures d'un cheval fou. Tels qu'ils étaient, la plus solide amitié liait les deux hommes qui, en campagne, ne se quittaient jamais. Le même idéal aussi : l'un comme l'autre ne vivaient que pour Dieu chassé des églises et pour le Roi. La seule évocation du petit prisonnier du Temple suffisait à les déchaîner.

Il n'y avait pourtant que peu de temps qu'ils se connaissaient et ils en étaient encore à échanger des confidences quand la bataille, comme ce soir, leur en laissait le loisir.

– Un jour, disait Georges, je t'emmènerai chez moi, à Kerléano. C'est un petit bourg près d'Auray et mon père y a une grosse ferme, le Brech, mais la famille la remplit bien tant nous sommes nombreux, parents et enfants...

– Chez moi, nous ne sommes que deux, reprenait

Pierre. Ma sœur Lucrèce et moi. Mais, à Château-Gontier, Lucrèce est considérée comme une demoiselle parce que mon père ne veut pas qu'elle s'occupe de l'auberge. Elle a été élevée dans un couvent. Elle sait chanter, et broder, et toucher du clavecin...

Dans ce rude décor de murs croulants et de poutres noircies à travers lesquels dansaient les flocons de neige, la silhouette gracile d'une jeune fille apparaissait soudain, balançant son ample jupe de mousseline brodée au rythme d'une chanson. Et Georges, soudain rêveur, semblait en chercher la forme dansante dans les flammes du bivouac.

– Lucrèce, disait-il d'une voix lointaine. C'est un joli nom...

– C'est aussi une jolie fille. De plus belle il n'en est pas à dix lieues à la ronde, ni de plus douce. Tu verras quand tu la connaîtras...

Cadoudal soupirait, ce qui lui arrivait rarement :

– Ce n'est pas demain la veille. Et pourtant ce n'est pas loin, Château-Gontier, d'ici. Avec un bon cheval, nous y serions avant le matin. Seulement il faut rejoindre Bonchamp sur Dol et Pontorson.

– C'est vrai. Il n'y a pas beaucoup de place pour les jeunes filles dans notre vie.

Autour du feu, les chouans s'étaient mis à chanter. Un chant breton lent et lugubre qui emplissait l'air de sa mélopée oppressante.

– Qu'est-ce qu'ils chantent? demanda Mercier qui ne comprenait pas le breton.

Cadoudal haussa les épaules.

– Un chant de funérailles qui dit : « La mort est un bouvier en blouse noire qui dort près de ta haie et repart au matin. » Nous aussi nous repartirons au matin.

Après de nombreuses alternatives de victoires et de

défaites, l'armée catholique devait remporter une dernière victoire à Dol de Bretagne mais tombait dans le piège de Savenay où elle essuyait une si sanglante défaite que les derniers survivants durent s'éparpiller pour échapper au massacre, le 23 décembre 1793. La première manche, sur le plan général, était perdue. Mais Cadoudal et Mercier étaient bien décidés à transformer la bataille rangée en guérilla et à devenir, de soldats, partisans.

– Rentrons chez moi, avait dit Georges. Nous rassemblerons les gars de la région et, avec eux, nous pourrons soulever tout le pays. Au Brech, nous serons tranquilles pour établir notre plan.

Mercier hésitait un peu. Le désastre de Savenay l'avait profondément affecté et il se sentait malade, très las.

– Le Roi est mort, fit-il tristement. La Reine est morte et nous sommes des proscrits, des soldats sans armée.

– Louis XVI est mort, mais Louis XVII vit, rétorqua rudement Cadoudal. Et nous, soldats sans armée, nous serons les hommes de la nuit.

Ils partirent donc et s'installèrent à Kerléano où Mercier rétablit sa santé compromise tandis que Georges, inlassable, courait le pays, organisait la lutte, rameutait les gars, soulevait toute la contrée. Ses émissaires arpentaient la lande, enrôlant les déserteurs, les émigrés revenus, les cultivateurs, ou même enlevant de force les hommes non mariés et âgés de plus de quinze ans qui se faisaient tirer l'oreille. Peu à peu l'insurrection augmentait, gonflait la terre bretonne d'une inquiétante vie souterraine. Georges était partout à la fois, infatigable, tendu vers son but sans permettre que rien vînt l'en détourner. Parfois, pourtant, un nom traversait son esprit mais il le chassait... N'avait-il pas mieux à faire que revâsser à une fille qu'il ne verrait peut-être jamais?

Mais, comme Pâques approchait et que le temps des combats allait reprendre avec les beaux jours, Mercier, qui n'avait pas revu les siens depuis longtemps et ne pouvait retourner à Château-Gontier où il était signalé, demanda à Georges de faire venir Lucrèce à Kerléano pour quelques jours.

Elle ressemblait étrangement à son frère mais elle était aussi blonde qu'il était brun. Un blond de lin pâle, soyeux et souple, qui allait bien à ses yeux d'aigues-marines et, quand il la vit, au seuil de sa maison familiale, entre les haies de genêts qui ensoleillaient toute la lande, Georges sentit trembler son cœur pour la première fois. La réalité dépassait la fiction, le rêve reculait, pâli, devant la grâce de la vérité. Lucrèce était encore plus belle qu'il ne l'avait imaginée au hasard des songeries du crépuscule.

– Voici ma petite sœur, dit Pierre souriant, et voici mon meilleur ami, mon frère d'élection...

Mais, tandis que la jeune fille, souriante elle aussi, tendait sa petite main dans un geste spontané, Cadoudal, écarlate, cherchait en vain à prononcer quelques mots de bienvenue. Sa gorge contractée lui refusait tout usage. Il se contenta d'effleurer à peine, de ses lèvres tremblantes, la main qu'on lui tendait. Quant à Lucrèce, elle considérait, d'un œil mi-surpris mi-attendri, ce paysan-chevalier qu'elle avait déjà appris à admirer et qu'elle était bien près d'aimer. Si grand, si fort et si rougissant, comme une vraie jeune fille... C'était vraiment touchant et un peu émouvant...

Ni l'un ni l'autre ne devaient, par la suite, oublier la nuit de Pâques qui les réunit le surlendemain.

C'était une nuit sombre mais douce, où l'odeur du printemps éclatait déjà dans toute sa force. Un prêtre clandestin disait la messe de Pâques, dans la grange de

Kerléano que gardait un piquet de chouans, l'arme au poing, et tout le village était réuni là, en grand secret, les femmes enveloppées de vêtements sombres, les hommes sous des capes noires destinées à les dissimuler dans l'ombre. Un autel avait été improvisé sur un ancien râtelier à fourrage et décoré avec le plus beau linge d'Anne-Marie Cadoudal. Les plumes d'or des genêts, disposés en touffes, mettaient seules une note somptueuse dans le décor austère.

Agenouillé entre Lucrèce et Pierre, Georges évoquait pour lui-même cette autre grange, sur la route du Mans à Laval, où pour la première fois il avait entendu le nom de la jeune fille. Elle n'était alors pour lui qu'une forme vague, imprécise, et maintenant elle était là, auprès de lui, dans tout l'éclat de sa beauté vivante. Il n'avait même pas besoin de se pencher pour entendre sa respiration légère tant elle était proche, et une fièvre saisit le jeune homme. Un jour viendrait, peut-être, où ils seraient à nouveau agenouillés l'un près de l'autre, comme ce soir, devant un prêtre. Et ce jour-là serait le premier d'une longue série où le bonheur seul aurait sa place et où la guerre et la haine ne seraient plus que de lointains souvenirs.

Le prêtre, devant eux, était vieux, usé par les privations et la vie traquée qu'il menait, mais son regard était plein d'une étrange douceur quand il se posait sur les jeunes gens. Déjà il se tournait vers eux, le calice dans ses vieilles mains, pour la communion qui serait leur premier lien. Mais, au-dehors, le cri de la chouette éclata.

« Hou... ou! Hou... ou! »

Chacun se figea dans son attitude, comme touché par un maléfice, et retint sa respiration. Le cri reprit, puis il y eut un bruit de course rapide et une tête hirsute parut dans l'entrebâillement de la porte :

– Il y a des Bleus au village. Une patrouille : ils

cherchent un suspect qui s'est échappé. Vaudrait peut-être mieux en finir vite, sauf vot' respect, m'sieur l'recteur...

– Il a raison, finissons vite, dit le prêtre.

Avec des gestes fébriles, il distribua les hosties, dit les dernières prières, traça dans l'air le signe de bénédiction.

– Ite missa est...

Déjà, les fidèles se faufilaient au-dehors, après de rapides signes de croix, mais Georges les arrêta :

– Non. Ne rentrez pas encore chez vous. Restez ici. Nous allons fêter Pâques à la ferme et, si les Bleus viennent, ils ne trouveront rien à redire à des gens qui mangent et boivent. Ce sera mieux, plus sûr.

Très vite, la grange se vida et tout le monde s'engouffra dans la grande salle où déjà les sœurs et la mère de Georges s'affairaient, ouvrant les tonneaux de cidre et préparant les crêpes de sarrazin. Les femmes aidaient mais les hommes se massaient tous au coin de la cheminée, vaguement inquiets. Le mot de « Bleus » avait douché tous les enthousiasmes, et l'un des paysans, un métayer nommé Morvan, traduisit l'angoisse générale :

– Fêter Pâques-Fleurie, c'est très joli, mais c'est défendu de célébrer une fête chrétienne, tu le sais bien Georges.

Ce dernier haussa les épaules et se mit à rire :

– Alors, nous dirons que nous fêtons autre chose. Par exemple... (Il hésita un instant, puis son regard tomba sur Lucrèce dont les yeux ne le quittaient pas :) Par exemple... des fiançailles, dit-il doucement. Cela n'est pas encore défendu.

Pierre Mercier se mit à rire mais Lucrèce, rougissante, avait détourné les yeux. Elle fit quelques pas, cherchant l'ombre d'un coin éloigné puis, voyant la porte entrouverte, sortit dans le petit jardin. Brusquement inquiet, Georges la suivit.

– Lucrèce... appela-t-il doucement. Lucrèce... Est-ce que vous êtes fâchée?

Elle ne répondit pas mais s'arrêta pour qu'il pût la rejoindre. Il répéta sa question angoissée :

– Vous ai-je déplu en parlant de fiançailles?...

Elle secoua la tête :

– Non... Mais il ne faut pas plaisanter avec ces choses, Georges. Ce sont des choses sacrées pour une jeune fille.

– Pour moi aussi. Et je vous jure que je ne plaisantais pas. Est-ce que vous n'avez pas compris que, depuis votre arrivée, je n'ai plus rien vu que vous-même? Est-ce que vous ne savez pas que je n'ai pas de plus cher rêve que faire de vous ma femme?

Dans la nuit, les yeux clairs de Lucrèce brillèrent comme des pierreries :

– C'est vrai, Georges? C'est bien vrai? Alors, c'est que vous m'aimez?

– En doutez-vous? Oui, Lucrèce, je vous aime... Je ne peux pas vous dire. Je voudrais trouver des mots neufs, pleins de force, pour vous dire combien je vous aime : plus que tout au monde, plus que les miens, plus que ma maison, plus que moi-même...

– Plus que Dieu et le Roi?

Il s'arrêta, interdit, et elle perçut la crispation de tout son être, mais il ne répondit pas. Doucement, elle passa un doigt léger sur la joue du jeune homme :

– Pardonnez-moi, mon ami. C'était une cruelle et stupide question que nulle femme n'a le droit de poser. Vous avez votre devoir à remplir et jamais je ne vous en empêcherai. Je vous aime trop pour cela...

Avec précaution, comme s'il craignait de lui faire mal, Cadoudal posa ses larges mains sur les fragiles épaules de la jeune fille.

– Vous m'aimerez assez pour attendre, ma mie? Car nous ne pourrons peut-être pas nous marier avant longtemps. A mes hommes j'interdis le mariage, l'amour même, parce qu'ils détournent des combats. Je dois leur donner l'exemple. Nous ne pourrons être l'un à l'autre que lorsque les combats seront terminés.

– Quand le Roi sera revenu, je serai vôtre, Georges. Jusque-là je saurai attendre et, par cette attente, devenir digne de vous...

– Vous le jurez?

– Je le jure.

– Et moi je jure qu'aucune femme jamais n'aura de moi un seul regard d'amour et je jure aussi qu'au jour où le Roi remontera sur le trône, vous serez ma femme.

Tout en parlant il s'était rapproché d'elle, refermant peu à peu ses bras autour du corps mince.

– Je t'aime, murmura-t-il très bas, les lèvres dans ses cheveux clairs, que le vent faisait voleter.

Ils demeurèrent un long moment ainsi, écoutant le bruit que faisait leur cœur en contrepoint de celui de la mer proche, goûtant l'instant fugitif dont ils prévoyaient la rareté dans l'avenir. De la ferme, un bruit de voix joyeuses, de rires, leur parvint et, quelque part, un rossignol chanta dans les aulnes de la rivière. Tout était incroyablement paisible autour d'eux.

– Comment croire que la guerre nous entoure et nous menace, murmura Lucrèce. Tout est si doux, cette nuit...

– Nous sortirons vainqueurs de la guerre et nous aurons d'autres heures comme celle-là puisque nous nous aimons. L'espoir nous gardera puisque chacun de nous saura que l'autre accourrait au premier appel. Nous ne serons jamais tout à fait séparés...

Dès le lendemain, la guerre reprit ses droits. Tandis que Lucrèce reprenait le coche qui la ramènerait chez ses parents à Château-Gontier, Georges et Pierre préparaient leurs premières expéditions. La ferme paternelle, transformée en quartier général, devint le centre de la résistance de toute la région de Vannes. De là, Cadoudal et ses hommes harcelèrent sans répit les forces républicaines, les usant implacablement dans une guerre de chemins creux et de haies vives, de chausse-trapes et d'audacieux coups de main. Jusqu'au jour où un traître les dénonça.

Un soir de juin, huit policiers cernèrent la maison de Kerléano et en arrêtèrent tous les habitants à l'exception des petits enfants qu'ils laissèrent à la garde d'une vieille servante. Georges, son père, sa mère, son oncle Denis, ses frères et sœurs, et l'inséparable Mercier-la-Vendée furent conduits à la prison de Brest en attendant leur jugement.

Mais l'émotion avait été trop dure pour Anne-Marie Cadoudal, et la vie de la prison trop pénible. Elle attendait un enfant. Il vint, prématurément, et mourut sitôt né, entraînant avec lui sa mère dans la tombe. L'oncle Denis aussi mourut, de vieillesse et du chagrin de ne pas voir luire de jours meilleurs :

– Toi, tu les verras, mon gars, dit-il à Georges avant de mourir, et tu continueras la lutte. Quand tu quitteras cette prison, cours chez nous et cherche, au fond de l'âtre, à droite, une pierre toute noire, bien plus noire que les autres. Tu la descelleras et, derrière, tu trouveras neuf mille francs en or qui sont toute ma fortune. Avec ça, tu pourras continuer le combat.

Georges et Pierre ne se le firent pas répéter. Deux nuits après la mort de l'oncle, ils s'évadaient de la prison avec la complicité d'un autre détenu qui avait pu acheter l'un des gardiens. Ils coururent alors à Kerléano où ils trouvèrent sans peine le magot du vieux Denis.

– J'ai de quoi tenir un an, avec ça, dit Georges en faisant sauter l'or dans sa main. Robespierre et ses amis n'ont qu'à bien se tenir...

Mais, comme ils ne pouvaient pas rester là, ils prirent résolument le maquis et allèrent se terrer sur un autre point du golfe du Morbihan.

C'est sous le tumulus de César, dans la presqu'île de Rhuys, qu'ils installèrent leur nouveau poste de commandement. C'était un souterrain bien caché et idéalement à l'écart de tout. De plus, la superstition des gens de Rhuys les éloignait de cet endroit que l'on disait maudit. De là, il était facile de surveiller à la fois la presqu'île et la mer par où pouvaient venir les secours des princes réfugiés à Londres.

C'est là encore qu'ils trouvèrent refuge avec leurs troupes décimées, après le terrible combat de Quiberon, en 1795. Ils eurent la chance d'échapper à la mort sur le champ de bataille et aussi à l'atroce massacre de prisonniers que les Républicains firent ensuite dans la lande d'Auray. Huit cents hommes y furent passés par les armes...

Blessés, meurtris, mais non désespérés, Georges et Pierre se donnèrent à peine le temps de souffler et de panser leurs blessures. Avec le peu d'hommes qui leur restaient ils reprirent leurs combats d'embuscades, inlassablement.

Le temps, cependant, passait et les événements se succédaient. Tandis que Cadoudal et Mercier s'épuisaient en luttes incessantes ou en voyages à Londres pour chercher des subsides auprès du comte d'Artois et le supplier de venir en personne se mettre à la tête de ses fidèles, l'étoile de Bonaparte montait au ciel de l'Histoire. Le bruit des victoires d'Italie vint jusqu'aux deux rebelles, apportant l'espoir. Ce soldat qui savait si bien forcer la chance, ce Bonaparte qui était gentilhomme ne pouvait souhaiter que mettre son épée au service des maîtres légitimes du pays... Aussi, lorsque après le coup du 18 Brumaire, Bonaparte envoya le général Hédouville en Bretagne pour tenter de traiter avec l'insaisissable chouan, Georges reprit-il courage et laissa-t-il l'espoir du bonheur revenir dans son cœur.

C'était à Pouancé que la conférence devait avoir lieu entre les deux hommes, Pouancé, à peine distante de six lieues de Château-Gontier... C'était la perspective de retrouver la paix, l'honneur... et de revoir enfin Lucrèce. Car il y avait maintenant près de cinq ans qu'il ne l'avait revue. Cinq siècles où, cent fois, il l'avait crue à jamais perdue pour lui...

Serrés l'un contre l'autre, ils ne parvenaient plus à s'arracher à leur étreinte. Lucrèce sanglotait de joie sur l'épaule de Georges qui, les larmes aux yeux, ne savait que l'écraser dans ses bras.

– Enfin... enfin, hoquetait la jeune fille. Enfin je vous retrouve... Jamais je n'aurais cru que nous serions séparés si longtemps. C'était... c'était horrible, interminable. J'ai cru, cent fois, devenir folle d'angoisse...

– Ne pleurez plus, je vous en supplie, mon amour. Nos peines, j'en ai le ferme espoir, sont maintenant terminées. La Révolution est morte, et j'ai toute confiance en ce général Bonaparte. Il a repris le pays en main et, bientôt, le Roi reviendra...

– J'ai tellement l'habitude d'avoir peur, Georges, que je ne parviens pas à penser que tout est fini, que nous allons enfin pouvoir vivre, pour nous et notre amour. Si cet homme avait des ambitions personnelles... N'a-t-il pas pris le pouvoir?

– Des ambitions personnelles? Je n'en crois rien. Il a pris le pouvoir, oui, mais certainement pour le rendre à Sa Majesté. Le comte de Provence se tient tout près à accourir à son premier appel...

– Mais vous? Comment vont aller les choses pour vous? Que vous propose ce général Hédouville?

– Je ne sais pas encore. J'avais tant envie de vous

revoir, Lucrèce, que j'ai laissé Pierre aller en avant. Il a dû le joindre et va me tenir au courant...

Lucrèce se blottit plus étroitement contre son fiancé. Il semblait calme, cette fois, confiant et détendu, heureux enfin. Mais malgré elle, la jeune fille ne pouvait faire taire le sombre pressentiment qui se glissait au fond de son cœur. La tête de Georges et de son frère avait été si longtemps mise à prix, pourquoi le nouveau gouvernement voulait-il traiter avec lui?

Mais, pour ne pas troubler sa joie, elle se forçait à paraître gaie, écoutait ses projets de mariage proche... Le galop d'un cheval retentit dans la cour de l'auberge. Le père de Lucrèce apparut bientôt, son tablier blanc sur le ventre, une lettre à la main.

– On vient d'apporter ça, dit-il seulement. C'est de Pierre...

Georges saisit la lettre, l'ouvrit et pâlit.

– Qu'y a-t-il? cria Lucrèce.

– Pierre m'appelle, fit-il sombrement. Je dois y aller de suite...

Arrive, mon cher Georges, arrive au plus vite et que Dieu nous soit propice, écrivait Pierre.

– Que veut-il dire? demanda Lucrèce.

– Je ne sais pas. Je vais voir... A bientôt... A bientôt, mon amour... Avant peu je serai à nouveau près de vous.

Une brève étreinte et, une fois de plus, il avait disparu. Lucrèce, réprimant ses sanglots, alla jusqu'à la fenêtre pour le regarder sauter en selle et foncer vers Pouancé au grand galop de son cheval.

– Je ne le verrai plus, balbutiait-elle entre ses larmes. Je ne le verrai plus jamais...

– Tu ne sais pas ce que tu dis, fit son père en l'entourant de ses bras. Il va revenir avant ce soir. Ne dis pas de bêtises et ne pleure plus. Il n'y a plus de guerre...

Mais Cadoudal ne revint pas. Les pourparlers, en fait, n'en étaient pas. Hédouville avait reçu surtout la mission de ramener à Paris Cadoudal et son inséparable. Bonaparte voulait les voir. C'était presque une arrestation.

Cette fois, les deux hommes étaient face à face dans le grand cabinet de travail de Bonaparte au palais du Luxembourg, et l'atmosphère n'était pas favorable à un accord. Le Premier Consul regardait avec un étonnement mélangé de colère et d'admiration ce géant blond contre qui luttaient depuis tant d'années les armées de la République et qui ne semblait pas décidé à tomber sous son charme. Pourtant, c'était bien pour cela qu'il l'avait fait venir, pour se l'attacher définitivement et l'obliger ainsi à ne tirer son épée valeureuse qu'à son propre service. Bonaparte se connaissait trop en hommes pour ne pas apprécier celui-là à sa juste valeur.

Mais l'entretien avait été faussé à la base. Le matin même, Cadoudal avait appris le guet-apens dans lequel avait été attiré le marquis de Frotté, autre chef chouan de ses amis. Frotté, pris, venait d'être fusillé par ordre du Premier Consul...

Bonaparte interrompit sa promenade furieuse à travers la vaste pièce et, les mains au dos, se tourna tout d'une pièce vers son visiteur :

– Oui ou non, voulez-vous me servir et mettre votre bras à la disposition de votre pays? Le temps n'est plus des luttes intestines et il faut que tous les Français se serrent les coudes afin de rendre à la France son rang et sa puissance...

– Au service de qui mettez-vous vous-même votre épée, mon général?

– Je vous l'ai dit : au service de la France. En connaissez-vous un meilleur?

— Certes pas. Mais la France, pour moi, c'est le Roi...

Bonaparte haussa les épaules :

— Le Roi? Ce goutteux ventripotent que l'on promène dans une chaise et qui nous ramènera sa clique d'émigrés et d'espions étrangers?

— Le Roi, élu de Dieu, quel que soit son aspect.

— Je ne connais pas de Roi. La France choisira elle-même son destin.

Un silence tomba entre les deux hommes, silence étrangement peuplé. Leurs regards se croisaient et celui du chouan ne se baissait pas devant l'œil irrésistible du futur empereur.

— Je sers le Roi, mon général, dit enfin Cadoudal en détachant les mots, et pour moi, lui et la France ne sont qu'un. J'espérais que vous pensiez comme moi...

Pour toute réponse, le Premier Consul haussa les épaules et reprit sa marche de fauve en cage. Jamais lui et cet homme ne pourraient se comprendre...

Parce que Bonaparte avait donné sa parole qu'il pourrait, quelle que fût sa décision, repartir libre, Cadoudal quitta Paris sans avoir été inquiété. Mais sitôt après, il comprit qu'il ne pourrait reprendre sa vie de partisan. Il était parti libre mais Bonaparte ne se souciait pas de voir cet homme terrible reprendre la lutte clandestine. Vingt-quatre heures après son départ, toute la police de France était lâchée à ses trousses. Il dut passer en Angleterre où Pierre, toujours fidèle, le suivit. L'exil commençait, et le partisan allait devenir conspirateur... et le temps continua de couler.

Chez les Mercier, à l'auberge du Lion d'Or, la vie se traînait sinistrement pour Lucrèce. Elle avait su l'échec des pourparlers avec Bonaparte et la fuite en Angleterre. Devant l'écroulement de tous ses espoirs, sa santé avait cédé et la pauvre enfant était tombée gravement malade : une fièvre intermittente qui avait mené ses parents au comble de l'angoisse.

Les Mercier, d'ailleurs, commençaient à se lasser de voir leur fils jouer perpétuellement les conspirateurs. Ils comprenaient que, maintenant, Georges et ses hommes s'attaquaient à trop forte partie et qu'ils risquaient seulement d'être brisés dans cette lutte inégale. Aussi commencèrent-ils à mettre tout en œuvre pour ramener leur fils à une plus saine compréhension des choses et, aussi, pour détacher Lucrèce de celui qu'ils considéraient maintenant comme un fou dangereux. La jeune fille dut défendre son amour de toutes ses forces.

– Libre ou proscrit, pauvre ou riche, heureux ou malheureux, il n'en demeure pas moins le seul homme que j'aime, disait-elle avec passion. Je ne peux pas changer mon cœur et le lui retirer. Ou bien j'épouserai Georges ou bien j'entrerai au couvent...

Les parents soupiraient, désolés de voir s'étioler ainsi leur ravissante fille quand tant de garçons se pressaient pour obtenir sa main. La seule chance de la ramener eût peut-être été que Pierre lui-même abandonnât et rentrât à la maison. Mais Pierre était trop passionnément attaché à la cause qu'il servait et à son chef pour accepter même que l'on prononçât devant lui le seul mot de renoncement... Et puis, même ce fragile espoir s'éteignit bientôt : en janvier 1801, Pierre Mercier fut surpris par les Bleus au hameau de la Fontaine-aux-Anges, près de Loudéac, alors qu'il portait un message de Cadoudal. Il tenta de fuir mais tomba, percé d'une balle au cœur, en criant « Vive le Roi ».

Cette mort héroïque creva le cœur de Lucrèce ainsi que celui des malheureux parents et ancra plus que jamais chez ceux-ci l'idée que la cause de Cadoudal était vouée à la catastrophe.

J'ai le plus grand besoin de parler à Lucrèce. Le voyage ne peut l'inquiéter. Si, à son arrivée, je suis encore de ce monde, le porteur de cette lettre la fera conduire au lieu où j'habite. Quoique la conduite ordinaire puisse trouver quelque chose d'étrange à l'arrivée de Lucrèce ici, qu'elle vienne. Je l'attends... immédiatement. Hâtez son voyage. Vous m'auriez mal jugé si vous croyiez qu'elle ne doit pas le faire. Elle seule peut m'aider...

L'aubergiste replia lentement la lettre et regarda sa femme :

– Que penses-tu de ceci? Je crois, moi, que ce garçon est devenu un peu fou.

Rigide, le visage blême sous sa coiffe de deuil, Madame Mercier regarda son mari sans battre des paupières :

– Il est complètement fou. Envoyer Lucrèce là-bas, auprès de lui, l'exposer à tous les dangers de ce voyage pour qu'elle aille mener auprès de lui une vie errante d'exilée, une vie misérable... Jamais, tu entends, jamais... Ce Cadoudal a déjà entraîné mon Pierre dans la mort, je refuse de le laisser entraîner maintenant ma fille. Lucrèce ne partira pas.

– Crois-tu que nous pourrons l'en empêcher, quand elle saura qu'il l'appelle?

– Elle ne le saura pas, voilà tout. Donne-moi cette lettre...

Mercier tendit le papier à sa femme. D'une main ferme, elle le prit, s'approcha de la cheminée où flambait un grand feu et, sans une hésitation, y jeta la lettre. Il y eut, un instant, une flamme plus haute, puis plus rien.

– Tu n'auras qu'à dire à l'émissaire que Lucrèce est malade, qu'elle ne peut s'en aller maintenant. Quand repart-il?

— Cette nuit même.

— C'est très bien. Il suffit de l'empêcher de rencontrer notre fille. Et ne donne pas de lettre. C'est trop dangereux... A la longue, peut-être Lucrèce finira-t-elle par oublier.

Dans sa retraite secrète, Cadoudal attendit en vain l'arrivée de Lucrèce. Son émissaire s'était fait tuer sur le chemin du retour et il ne sut rien de ce qu'avait été la visite à Château-Gontier. Seulement une chose : Lucrèce n'était pas avec Petit-Jean quand il était mort. Ensuite ce fut le silence et, avec lui, le désespoir qui, peu à peu, envahit l'âme du chouan. La mort de Pierre avait été pour lui un coup terrible dont il ne se remettait pas. Seule Lucrèce aurait pu le sauver des folies qu'il méditait dans le silence de sa chambre londonienne. Mais Lucrèce ne vint pas, Lucrèce ne vint jamais, n'écrivit pas. Il finit par se croire oublié.

Alors, parce qu'il étouffait sur cette terre étrangère, parce que le désespoir est le pire des conseillers, il mit sur pied la fameuse conspiration qui allait lui être fatale et qui avait pour but l'enlèvement du Premier Consul et son transfert en Angleterre. Il réunit quelques amis, récolta auprès des princes les fonds nécessaires et passa à l'exécution.

Dans la nuit du 21 août 1803, une nuit fort sombre, le cutter Anglais « El Vincejo » déposa en France secrètement, au pied de la falaise de Biville, en Normandie, Georges Cadoudal et ses complices. La falaise était si escarpée qu'ils durent l'escalader à l'aide d'un câble avant de gagner Paris à petites journées. Là, ils se perdirent dans le dédale des rues et des maisons. D'autres conjurés vinrent bientôt les rejoindre : le marquis de Rivière, le général Pichegru, les deux Polignac, apportant la nouvelle tant désirée de la proche arrivée du comte d'Artois.

Avec un sang-froid et un sens de l'organisation extraordinaires, Cadoudal poursuivait la réalisation de son plan : Bonaparte devait être enlevé, dans sa propre voiture et au milieu même de son escorte, lorsqu'il sortirait de la Malmaison pour gagner Paris.

C'est alors que Querelu, l'un des conspirateurs, commit l'imprudence d'écrire à son beau-frère, un certain Blouet, apothicaire à Vannes, en lui donnant son adresse à Paris. Ce Blouet avait une maîtresse, fervente républicaine, qui trouva la lettre et la porta à la police. Le lendemain, Querelu était arrêté. Ce n'était qu'un pauvre homme sans envergure : pour avoir la vie sauve, il dévoila le plan. Désormais les arrestations se succèdent, mais Georges parvient à échapper. Son signalement est affiché, placardé, sa tête mise à prix. On fouille toutes les voitures qui sortent de Paris, et jusqu'aux corbillards. On ne trouve rien...

Mais le filet se resserre tellement que Georges est contraint de changer souvent de cachette car, très vite, l'inspecteur Buffet qui a juré sa capture retrouve sa trace. C'est ainsi qu'une nuit, alors qu'il quitte, en cabriolet, la rue de la Montagne-Sainte-Geneviève pour une cachette nouvelle rue du Four-Saint-Germain, il est reconnu. La voiture est cernée, la foule s'amasse. Il tente de se dégager, tue d'un coup de pistolet l'inspecteur Buffet et blesse grièvement l'inspecteur Caniolle. Mais ils sont trop. Georges est rapidement maîtrisé, ligoté, conduit à la préfecture de Police où les interrogatoires commencent. Il y répond avec hauteur, une insolence de grand seigneur.

Le policier qui l'interroge, Thuriot, a voté jadis la mort du Roi. Comme il lui reproche d'avoir tué, en Buffet, un père de famille, Cadoudal rétorque, méprisant :

– Il fallait me faire arrêter par des célibataires!

– Vous possédiez, prétendent certains témoins, un

portrait de l'ancien Louis XVI, reprend Thuriot, que vous portiez toujours sur vous. Qu'en avez-vous fait?

– Et toi, Tue-Roi, lui jette Cadoudal, qu'as-tu fait de l'original?

Au procès, mené tambour battant, il ne s'écarte jamais de son attitude. D'accusé, il se fait juge et juge impitoyable. Le résultat ne se fait pas attendre : Georges Cadoudal est condamné à mort.

Le 25 juin 1804, par une douce soirée d'été, il est conduit en place de Grève où l'attend la guillotine. Il ne tremble même pas devant le couperet. Onze de ses complices l'accompagnaient dont l'un de ses frères.

Au pied de l'échafaud, il récita un *Ave Maria,* puis, détachant de son cou un médaillon, il le tendit à l'aumônier, l'abbé Keranevan, qu'il connaissait depuis longtemps :

– Pour elle..., fit-il seulement.

Puis, redressant fièrement sa taille de géant, il monta d'un pas ferme la sinistre échelle...

Lorsque sa tête tomba, la foule, bouleversée, ne dit pas un mot, ne fit pas un geste.

Ecrasée par ce dernier coup du sort, Lucrèce Mercier, serrant sur son cœur un petit médaillon où ses cheveux se mêlaient à ceux de l'homme qu'elle aimait, alla enfouir sa douleur chez les Ursulines de Château-Gontier.

TABLE DES MATIÈRES

ROMANS-TEXTE INTÉGRAL

ALLEY Robert
517* Le dernier tango à Paris

APOLLINAIRE Guillaume
704* Les onze mille verges
875* Les exploits d'un jeune Don Juan (nov. 1978)

ARNOTHY Christine
343** Le jardin noir
511*** Un type merveilleux

ARSAN Emmanuelle
770**** Laure

ASHE Penelope
462** L'étrangère est arrivée nue

BARCLAY Florence L.
287** Le Rosaire

BARNARD Christiaan
729**** Les hommes ne meurent jamais

BAUM Vicki
566** Berlin Hôtel
716**** Ballerina
771** Solitude (Ulle)

BENCHLEY Peter
833*** Dans les grands fonds

BENZONI Juliette
601*** Marianne, une étoile pour Napoléon - 1
602*** Marianne, une étoile pour Napoléon - 2
603**** Marianne, et l'inconnu de Toscane
604**** Marianne, Jason des quatre mers
605**** Toi, Marianne
606*** Marianne, les lauriers de flammes - 1
607*** Marianne, les lauriers de flammes - 2
730**** Les reines tragiques
798**** Le sang, la gloire et l'amour
846**** Aventuriers du passé
884**** Par le fer ou le poison (décembre 1978)

BIBESCO Princesse
77* Katia

BLATTY William Peter
630**** L'exorciste

BLIER Bertrand
543*** Les valseuses

BORY Jean-Louis
81*** Mon village à l'heure allemande

BRESSY Nicole
374* Sauvagine
706* L'éclaircie

BUCK Pearl
29**** Fils de dragon (déc. 78)
127*** Promesse
570**** La vie n'attend pas
616** Le sari vert (oct. 1978)
738* Une histoire de Chine
782** La première femme de Yuan
853**** Viens, mon bien-aimé (septembre 1978)

BURGER N.-R. et SIMPSON G.-E.
877**** Le sous-marin du triangle du diable (nov. 1978)

CARS Guy des
47** La brute
97*** Le château de la juive
125** La tricheuse
173*** L'impure
229** La corruptrice
246** La demoiselle d'Opéra
265** Les filles de joie
295** La dame du cirque
303** Cette étrange tendresse
322** La cathédrale de haine
331** L'officier sans nom
347*** Les sept femmes

361** La maudite
376** L'habitude d'amour
Sang d'Afrique :
399** I. L'Africain
400** II. L'amoureuse
Le grand monde :
447*** I. L'alliée
448*** II. La trahison
492*** La révoltée
516** Amour de ma vie
548**** Le faussaire
615**** La vipère
639**** L'entremetteuse
696**** Une certaine dame
736*** L'insolence de sa beauté
765** L'amour s'en va-t-en guerre
809** Le donneur
841* Le mage et la boule de cristal
858** J'ose

CARS Jean des
832**** Sleeping story

CARTLAND Barbara
727** Les belles amazones
751** La naïve aventurière
758** L'irrésistible amant
783** Contrebandier de l'amour
804** Une trop jolie gouvernante
828** La valse des cœurs
845*** La fée de la glace
854*** Le fantôme de Monte-Carlo (septembre 1978)
868** L'amour vient quand il veut (octobre 1978)
878*** Le printemps d'Aurélia (novembre 1978)
883*** Le retour de la belle inconnue (décembre 1978)

CASTILLO Michel del
105** Tanguy

CESBRON Gilbert
6** Chiens perdus sans collier
38* La tradition Fontquernie
65*** Vous verrez le ciel ouvert
131** Il est plus tard que tu ne penses
365* Ce siècle appelle au secours
379** C'est Mozart qu'on assassine
454* L'homme seul
478** On croit rêver
565* Une sentinelle attend l'aurore
634*** Je suis mal dans ta peau
851**** Ce qu'on appelle vivre (septembre 1978)

CHAIX Marie
597** Les lauriers du lac de Constance

CHARLES Theresa
873*** Le chirurgien de Saint-Chad (novembre 1978)
874*** Inez, infirmière de Saint-Chad (décembre 1978)

CHOW CHING LIE
859*** Le palanquin des larmes

CHRISTIE Agatha
124** Loin de vous ce printemps

CLANCIER Georges-Emmanuel
Le pain noir :
651*** I. Le pain noir
652*** II. La fabrique du roi
653**** III. Les drapeaux de la ville
654*** IV. La dernière saison
810**** L'éternité plus un jour - 1
811**** L'éternité plus un jour - 2

CLAVEL Bernard
290* Le tonnerre de Dieu
300* Le voyage du père
309*** L'Espagnol
324* Malataverne
333** L'hercule sur la place
457* Le tambour du bief
474* Le massacre des innocents
499** L'espion aux yeux verts
522**** La maison des autres
523**** Celui qui voulait voir la mer
524**** Le cœur des vivants
525**** Les fruits de l'hiver
590** Le seigneur du fleuve
611* Victoire au Mans (septembre 1978)
658* Pirates du Rhône
742*** Le silence des armes

CLELAND John
711*** Les mémoires de Fanny Hill

CLERC Michel
750**** Bakchich

COLETTE
2* Le blé en herbe
106* L'entrave

CONSTANTINE Eddie
805**** Le propriétaire

COTTE Jean-Louis
540**** Hosanna
560*** Les semailles du ciel
582** La mise à prix
726*** Colonne de fer

CRESSANGES Jeanne
409* La part du soleil

CURTIS Jean-Louis
312** La parade
320** Cygne sauvage
321** Un jeune couple
348* L'échelle de soie
366*** Les justes causes
413** Le thé sous les cyprès
514*** Les forêts de la nuit
534*** Les jeunes hommes
555** La quarantaine
586*** Le roseau pensant
624* La Chine m'inquiète
692** Un miroir le long du chemin
831** L'étage noble

DAUDET Alphonse
34* Tartarin de Tarascon
414* Tartarin sur les Alpes
844* Lettres de mon moulin

DAVENAT Colette
641** Deborah : Le printemps des amours - 1
642** Deborah : Le printemps des amours - 2
643** Deborah : L'amour aux cent facettes - 1
644*** Deborah : L'amour aux cent facettes - 2
645*** Deborah : Paris des passions - 1
646*** Deborah : Paris des passions - 2
647*** Deborah : Le complot d'Irlande
648**** Deborah : L'ombre de la hache

DEMOUZON
882*** Mouche (déc. 1978)

DHOTEL André
61** Le pays où l'on n'arrive jamais

DICKEY James
531** Délivrance

DOCTOROW E. L.
825*** Ragtime

DOFF Neel
766*** Jours de famine et de détresse

DUBOIS Jacqueline
852*** Le petit octobre (septembre 1978)

DUCHE Jean
572*** L'histoire de France racontée à Juliette - 1
573*** L'histoire de France racontée à Juliette - 2

DUPEREY Anny
797** L'admiroir

FAURE Lucie
341** L'autre personne
467** Le malheur fou
583* Mardi à l'aube
826** Un crime si juste

FERRIERE Jean-Pierre
818*** La femme en néon

FLAUBERT Gustave
103** Madame Bovary (septembre 1978)

FLORIOT René
408*** Les erreurs judiciaires (décembre 1978)
526** La vérité tient à un fil

FRANCE Claire
169** Les enfants qui s'aiment

FRISON-ROCHE
715** La peau de bison
775*** La vallée sans hommes
866*** Carnets sahariens (octobre 1978)

GALLO Max
506**** Le cortège des vainqueurs
564* Un pas vers la mer (novembre 1978)
662** L'oiseau des origines
La baie des Anges :
860**** I. La baie des Anges (octobre 1978)
861**** II. Le palais des Fêtes (novembre 1978)
862**** III. La promenade des Anglais (décembre 1978)

GENEVOIX Maurice
76** La dernière harde

GERARD Nicole
872**** Sept ans de pénitence (octobre 1978)

GOBINEAU Marcel
788*** Stéphanie : L'amour a quatre saisons - 1
789*** Stéphanie : L'amour a quatre saisons - 2
790*** Stéphanie : Puisque je t'aime - 1
791*** Stéphanie : Puisque je t'aime - 2
792*** Stéphanie : Le prix de la liberté - 1
793*** Stéphanie : Le prix de la liberté - 2
794*** Stéphanie : Les feux du désir - 1
795*** Stéphanie : Les feux du désir - 2

GODEY John
592*** Les pirates du métro

GOLON Anne et Serge
667*** Angélique, marquise des Anges - 1
668*** Angélique, marquise des Anges - 2
669*** Angélique, le chemin de Versailles - 1
670*** Angélique, le chemin de Versailles - 2
671*** Angélique et le roy - 1
672*** Angélique et le roy - 2
673*** Indomptable Angélique - 1
674*** Indomptable Angélique - 2
675*** Angélique se révolte - 1
676*** Angélique se révolte - 2
677*** Angélique et son amour - 1
678*** Angélique et son amour - 2
679*** Angélique et le Nouveau Monde - 1
680*** Angélique et le Nouveau Monde - 2
681*** La tentation d'Angélique - 1
682*** La tentation d'Angélique - 2
683*** Angélique et la Démone - 1
684*** Angélique et la Démone - 2
685**** Angélique et le complot des ombres

GRADY James
709* Les trois jours du Condor

GRANDMAISON Henri de
780** Le papivore

GRAY Martin
839** Le livre de la vie

GREENE Graham
55** L'agent secret

GREGOIRE Menie
824**** Telle que je suis

GROULT Flora
518* Maxime ou la déchirure

GUARESCHI Giovanni
1** Le petit monde de don Camillo
426** Don Camillo à Moscou

HALL G. Holiday
550** L'homme de nulle part

HAWKESWORTH John
717** Maîtres et valets - 1
718** Maîtres et valets - 2
719** Maîtres et valets - 3
720** Maîtres et valets - 4

HEAVEN Constance
812*** La maison Kouraguine
869*** Interroge le vent (octobre 1978)

HEBRARD Frédérique
823** Un mari c'est un mari

HILTON James
99** Les horizons perdus

HOLLANDER Xaviera
838*** Madam'

HOLT Victoria
834*** La maison aux mille lanternes

HURST Fanny
261*** Back Street

JONG Erica
816**** Le complexe d'Icare

KATZ Robert
827** Le pont de Cassandra

KIRST H.H.
386** Il n'y a plus de patrie

KONSALIK Heinz G.
497**** Amours sur le Don
549**** Brûlant comme le vent des steppes
578*** La passion du Dr Bergh
610** Erika Werner, chirurgienne
655*** Mourir sous les palmes

686** Aimer sous les palmes
755** Deux heures pour s'aimer
817** L'or du Zephyrus

KOSINSKI Jerzy
270** L'oiseau bariolé

LABORDE Jean
421** L'héritage de violence

LARTEGUY Jean
710**** Enquête sur un crucifié (octobre 1978)
737**** Les rois mendiants

LEFEVRE Françoise
697* La première habitude
776* L'or des chambres
867* Le bout du compte (octobre 1978)

LE PORRIER Herbert
666*** Le médecin de Cordoue
739*** La demoiselle de Chartres

LEVIN Ira
449** La couronne de cuivre

L'HOTE Jean
53** La communale
260** Confessions d'un enfant de chœur

LIPPINCOTT David
806*** Armaguedon

LOOS Anita
508* Les hommes préfèrent les blondes

LOWERY Bruce
165* La cicatrice

LUND Doris
759*** Eric

MALLET-JORIS Françoise
87*** Les mensonges
317** Les personnages

MALPASS Eric
340** Le matin est servi

MARKANDAYA Kamala
117** Le riz et la mousson
435** Quelque secrète fureur
503** Possession

MARQUET Mary
881*** Ce que j'ose dire (novembre 1978)

MAURE Huguette
600** L'aventure au masculin
631** L'amour au féminin

MAURIAC François
35* L'agneau

McGERR Pat
527** Bonnes à tuer

MERREL Concordia
336** Le collier brisé
394** Etrange mariage

METALIOUS Grace
849*** Peyton Place - 1 (septembre 1978)
850*** Peyton Place - 2 (septembre 1978)

MIQUEL André
539* Le fils interrompu

MONTEILHET Hubert
740* Le retour des cendres

MORAVIA Alberto
390** L'attention
403** Nouvelles romaines
479** Le mépris

MORRIS Edita
141* Les fleurs d'Hiroshima

MOUSTIERS Pierre
384*** La mort du pantin
802* Un crime de notre temps

NERY Gérard
743** Julie Crèvecœur - 1
744** Julie Crèvecœur - 2
745** Julie Crèvecœur - 3
746** Julie Crèvecœur - 4
747** Julie Crèvecœur - 5
748** Julie Crèvecœur - 6

PEREC Georges
259* Les choses

PERREIN Michèle
569**** Le buveur de Garonne

PEUCHMAURD Jacques
528** Le soleil de Palicorna
591** Soleil cassé

PEYREFITTE Roger
17*** Les amitiés particulières
86* Mademoiselle de Murville

107** Les ambassades
416** Notre amour
430** Les clés de Saint Pierre
438** La fin des ambassades
455** Les fils de la lumière
473* La coloquinte
487** Manouche

REID P. R.
661** Colditz

RENARD Jules
11* Poil de carotte

RENAUDIN Edmée
584* Edmée au bout de la table

RHODES Evan H.
819** Le prince de Central Park

ROBBE-GRILLET Alain
546* L'année dernière à Marienbad

ROBBINS Harold
733**** L'empire des rêves
787**** Le pirate

ROSSI Jean-Baptiste
354** Les mal partis (décembre 1978)

SAGAN Françoise
461* Un peu de soleil dans l'eau froide
553* Des bleus à l'âme
702* Un profil perdu

SAINT-ALBAN Dominique
Noële aux Quatre Vents
441** I. Les Quatre Vents
442** II. Noële autour du monde
443** III. Les chemins de Hongrie
444** IV. Concerto pour la main gauche
445** V. L'enfant des Quatre Vents
446** VI. L'amour aux Quatre Vents
Anne, jour après jour :
635*** 1 - Anne, jour après jour
636*** 2 - Le château de la mer
699*** 3 - Les marronniers du Ranelagh
749** Les étangs de Hollande

SAINT-LAURENT Cécil
703*** La bourgeoise

SCHREIBER Flora Rheta
777**** Sybil

SCHWEITZER Albert
596* Souvenirs de mon enfance

SEGAL Erich
412* Love story

SELINKO Annemarie
489** J'étais une jeune fille laide

SELTZER David
796** La malédiction

SIMON Pierre-Henri
83** Les raisins verts

SMITH Wilbur A.
326** Le dernier train du Katanga

SUSANN Jacqueline
690*** Une fois ne suffit pas - 1
691*** Une fois ne suffit pas - 2
781** Dolorès

TODD Olivier
698*** Les canards de Ca Mao
757**** L'année du crabe

TROYAT Henri
10* La neige en deuil
La lumière des justes :
272*** I. Les compagnons du coquelicot
274*** II. La Barynia
276*** III. La gloire des vaincus
278*** IV. Les dames de Sibérie
280*** V. Sophie ou la fin des combats
323* Le geste d'Eve
Les Eygletière :
344*** I. Les Eygletière
345*** II. La faim des lionceaux
346*** III. La malandre
Les héritiers de l'avenir :
464** I. Le cahier
465** II. Cent un coups de canon
466** III. L'éléphant blanc
488** Les ailes du diable
559** La pierre, la feuille et les ciseaux
619** Anne Prédaille
762** Le Moscovite
763** Les désordres secrets
764** Les feux du matin
801*** Grimbosq

URIS Léon
863**** Trinité - 1 (octobre 1978)

864**** Trinité - 2 (novembre 1978)
865**** Trinité - 3 (décembre 1978)

VIALAR Paul
57** L'éperon d'argent
402** Les invités de la chasse
501*** Mon seul amour
623** Le fusil à deux coups

VILALLONGA José-Luis de
493* Fiesta
507** Allegro barbaro
554* L'homme de sang
599* Les gens de bien
620* Les ramblas finissent à la mer
632* L'heure dangereuse du petit matin
705* L'homme de plaisir
803** Furia
876** Solo (novembre 1978)

WALKER Margaret
842*** Jubilee - 1
843*** Jubilee - 2

WEBB Mary
63*** La renarde (novembre 1978)

WOODIWISS Kathleen E.
772**** Quand l'ouragan s'apaise
820**** Le loup et la colombe

WOUK Herman
Le souffle de la guerre :
575**** 1. Natalie
576**** 2. Pamela
577**** 3. Le vent se lève

XAVIERE
538* La punition
544* O gué vive la rose

XXX
571** La fille de Fanny Hill

ÉDITIONS J'AI LU
31, rue de Tournon, 75006-Paris

diffusion

France et étranger : Flammarion - Paris
Suisse : Office du Livre - Fribourg
Canada : Flammarion Ltée - Montréal

« Composition réalisée en ordinateur par IOTA »

IMPRIMÉ EN FRANCE PAR BRODARD ET TAUPIN
7, bd Romain-Rolland -Montrouge.
Usine de La Flèche, le 09-06-1978.
6038-5 - Dépôt légal 2e trimestre 1978.
ISBN : 2 - 277 - 11846 - X